МИХАИЛ МАРТ

МИХАИЛ МАРТ

Автор, которого ждали все

Вышли в свет:

МИХАИЛ МАРТ

ОБРАТНОЙ СТОРОНОЙ КВЕРХУ

Роман

АСТ • Астрель
Москва

УДК 821.161.1-312.4
ББК 84(2Рос=Рус)6-44
   М29

Оформление и дизайн обложки:
Михаил Март

Март, Михаил

М29   Обратной стороной кверху : роман / Михаил Март. —
М.: Астрель: АСТ, 2008. — 318, [2] с.

ISBN 978-5-17-053103-5
(ООО «Издательство АСТ»)
ISBN 978-5-271-20774-7
(ООО «Издательство Астрель»)

Почитателям остросюжетного жанра хорошо известно имя Михаила
Марта. Это один из литераторов, работающий без скидок на жанр. Он то-
чен, разнообразен, динамичен и не лишен изящности. Ну а главным достоинством писателя, безусловно, остается сюжет, искрометная фантазия,
неожиданные повороты и эффектные финалы.

За спиной у автора более трех десятков книг, добрая половина которых
экранизируется крупнейшими кинокомпаниями России.

Романы Марта, непревзойденного мастера сложнейшей интриги и не-
предсказуемого сюжета, давно и прочно завоевали читательские сердца и
стали бестселлерами!

«Обратной стороной кверху» — продолжение романа «Обезьяний
рефлекс».

УДК 821.161.1-312.4
ББК 84(2Рос=Рус)6-44

Подписано в печать с готовых диапозитивов заказчика 10.04.2008.
Формат 84×108¹/₃₂. Усл. печ. л. 16,48. Бумага газетная. Печать офсетная.
Гарнитура «Ньютон». Тираж 7000 экз. Заказ 1406.

Общероссийский классификатор продукции ОК-005-93, том 2;
953000 — книги, брошюры.

Санитарно-эпидемиологическое заключение
№ 77.99.60.953.Д.007027.06.07 от 20.06.2007 г.

ISBN 978-5-17-053103-5 (ООО «Издательство АСТ»)
ISBN 978-5-271-20774-7 (ООО «Издательство Астрель»)
ISBN 978-985-16-5263-7 (ООО «Харвест»)

ГЛАВА I

Начало начал
(Середина девяностых прошлого века)

1

Рано или поздно его должны были убрать с дороги. Он только не знал, как это сделают. Имелись разные предположения. Проще всего уволить в запас. При чехарде, творившейся в армии, отстранение заслуженного генерала от дел никого не удивляло. На кабинетах министерства не успевали таблички менять. Не обошла эта участь и министров. Профессионалов сменяли карьеристы и выскочки. Кто как мог пытался оставаться на плаву, вцепляясь мертвой хваткой в свое кресло. Не помогало. Генерал Забелин отказался подчиняться новым правилам игры, и его карьера закончилась.

Но его не уволили, а решили убить. Руководство не имело отношения к страшной афере. Он ошибался, ожидая удара со стороны высшего командования. Это обстоятельство заставило его молчать. Теперь он сожалел, что не написал докладную записку министру. Заговор успели бы раскрыть. Одного слова недостаточно, пусть даже такого авторитетного военачальника, как Забелин. Заговорщики решили заткнуть ему рот, а на его место посадить более сговорчивого парня.

По логике вещей все так и должно случиться. Теперь поздно, он уже ничего не может изменить.

Внизу опять послышался шум. Они пришли. Грубо работают, нагло. Или провоцируют его на бойню?

Зима в разгаре, за окном ночь. Дача в сосновом бору. Тут можно устроить полигон, и соседи не услышат ни единого выстрела. Даже следов не останется. Как назло, он этим утром очистил от снега все дорожки и тропинки.

Генерал снял телефонную трубку. Тишина. Все правильно, его отрезали от внешнего мира.

Он выдвинул ящик стола и достал пистолет. Почему они медлят? Прошло больше получаса, а он все еще жив. Сначала вырубили свет на участке. Все фонари погасли. Потом обесточили дом. Собака лаяла две минуты и замолкла. Скорее всего, усыпили. Забелин передернул затвор и продолжал сидеть в собственном кресле в ожидании развязки.

На левой стене висела его коллекция огнестрельного оружия. Более трехсот единиц из лучших мировых образцов. Пистолеты, револьверы, автоматы, и все в боевой готовности. Прекрасный арсенал. Можно неделю держать осаду, если хорошо забаррикадироваться. Но они уже проникли в дом, и он оказался в ловушке. В кабинет второго этажа шла винтовая лестница, и двери здесь не предусматривались. На что они рассчитывают? Ничего не получится.

А если он ошибается? В дом проникли обычные воры. Нет. Воришки не справятся с его громадным псом. К тому же они видели свет в окне его кабинета. И зачем им гасить свет на участке?

Генерал достал фонарь из ящика стола, включил его и положил на стол, направив луч на перила винтовой лестницы, и пересел на диван, стоящий сбоку у стены. В зоне тени его не видно, зато он мог наблюдать за лестницей.

На территорию и в дом не так просто попасть. Пришел кто-то из своих, знающий план дома, изучивший замки, прокладку телефонных и электрических кабелей и умеющий обезвреживать собак. Сколько их? Двое, трое, пятеро? Сколько бы ни было, но рисковать жизнью никто из них не торопится. Они понимают, с кем имеют дело.

С нижнего этажа опять донесся странный звук. Похоже, его хотят выманить. Идиоты, — тихо прошептал он, — хотят сделать из меня мишень. Черта с два. Мне и здесь неплохо. Можете в этом убедиться.

Но никто не торопился устраивать дуэль.

Напряжение росло. Нервишки начинали сдавать. Так или иначе, но к утру все будет кончено. В восемь часов за ним приходит машина, шофер заходит в дом, где генерал угощает его кофе. Он не любит завтракать в одиночестве.

Скрипнула деревянная ступенька лестницы. Предательский скрип не даст возможности подняться незамеченным. Все затихло.

У генерала появились капельки на лбу. Он смахнул пот рукавом пижамной куртки и вытер взмокшую шею. Погибать в бою не страшно, когда видишь перед собой врага. Там все ясно. Воевать с тенями Забелин не привык. Сдохнуть от бандитской пули — позор. Своими он назвать их не мог. Продавшиеся подонки!

Вдруг он отчетливо услышал, как хлопнула входная дверь. Генерал стиснул зубы, приподнялся и осторожно подошел к окну. Освещенный слабым лунным светом, на крыльце стоял мужчина в черном пальто. Он достал из кармана сигареты и закурил.

— Наглец! — вырвалось из уст генерала.

Он не услышал хлопка. Оконное стекло звякнуло, пуля пробила ему горло навылет и врезалась в стену. Забелин ничего не успел понять. Смерть наступила мгновенно. Приманка сработала. С его-то опытом подходить к окну, когда в комнате горит фонарь, глупо и непростительно.

Забелин рухнул на пол.

В доме вспыхнул свет. На второй этаж поднялись двое мужчин. Покойника усадили за стол спиной к окну. Разбитое стекло сменили на новое, оно уже было вырезано по размеру. Осколки убрали, пулю из стены удалили, дырку завесили картинкой в рамке. На столе появился шомпол и пузырек с оружейным маслом. Из пистолета генерала выстрелили в оконную раму, точно за его спиной.

Работали неторопливо, молча, обстоятельно.

Каждый знал, что он делает. На ногах уборщиков были надеты домашние тапочки из общей кучи, хранившейся в передней для гостей.

Перед уходом они включили настольную лампу, убрали фонарь и осмотрелись.

Зазвенел телефон. Мужчина смело взял трубку.

— Все в порядке, линия работает.

Они ушли тихо. На участке загорелись фонари.

Через час заскулил очнувшийся волкодав. Скулил жалобно, как щенок, царапал входную дверь дома, словно просил прощения.

2

В эти смутные времена никто не любил ходить к начальникам. Одного из самых молодых генералов вызвал на ковер заместитель министра обороны по вооружению, и пришлось идти. Некрасову исполнилось тридцать девять лет. Хваткий боевой мужик. Многие вернулись из Афганистана с генеральскими погонами. Со щитом или на щите. Либо груз «200», либо грудь в орденах. Выжил — молодец. Проявил себя — орден, выиграл бой — сверли дырку в погонах для новой звездочки. Войну проиграли, вернулись те, кто выжил, но не все себя нашли в мирной жизни. Продолжили военную карьеру немногие. Одно дело — война, другое дело — военное чиновничество, живущее по своим законам. Втиснуться в тесные рамки уставов и положений — дело непростое. Тут нужны дипломаты и дельцы, а не храбрецы и вояки.

Немногие просочились в святая святых. Генерал-майор Некрасов был одним из них. Он занимал свою нишу и старался не высовываться лишний раз. Врагов здесь иметь нельзя. Сегодня он твой подчиненный, а завтра начальник. Тогда тебе крышка. Нужны крепкие связи. И Некрасов уделял связям все свое время и личное обаяние с бесспорным даром гибкого дипломата.

Во всяком случае, он считал себя достойным занимать свой пост и рассчитывал на карьерный рост. Вызов к высокому начальству ему ни о чем не говорил. Если тебя увольняют, то ты узнаешь об этом из приказа, присланного тебе с курьерской почтой. Начальство не тратит время на объяснения и личный контакт с уже бывшими.

Подполковник, сидевший за столом секретаря, указал на дверь заместителя министра, показывая тем, что тебя ждут и можно идти без доклада.

Огромный кабинет, ковровая дорожка, шесть окон, длинный стол для заседаний, и в глубине за дубовым монстром сидит человек в погонах генерал-полковника. За спиной на стене портрет президента и бесчисленное количество грамот в рамочках под стеклом, увенчанных гербом Советского Союза.

Вот они — создатели империи. Еще держатся на плаву, благодаря старым связям. А в глазах тоска. Недолго им осталось.

— Товарищ генерал-полковник, генерал-майор Некрасов по вашему приказанию прибыл.

— Садись, Геннадий Ильич.

Он указал на кресло возле своего стола.

Старорежимный партийный подход. На «ты», но по имени-отчеству. Привычки не вытравливаются, как и слова-паразиты.

Некрасов перешел игровое поле по красной дорожке и присел на указанное место.

— Вот какое у меня к тебе дело, Геннадий Ильич. Хочу назначить тебя на должность главного инспектора по вооружению. Ты человек молодой, грамотный, хваткий, работа тебе знакома по Афгану, умеешь с людьми ладить, авторитет заработал. Одним словом — принимай дела.

— Предложение лестное, товарищ генерал. Могу я узнать, что случилось с генералом Забелиным? Эта должность принадлежала ему. Забелин старше меня, опытнее и вел дела безукоризненно.

Начальник смотрел на Некрасова исподлобья, словно оценивал его.

— Спасибо за хорошие слова, Некрасов. Ты честный парень. Все правильно сказал. Генерал Забелин был моим другом. Он погиб позапрошлой ночью. Сейчас этим делом занимается военная прокуратура округа. По первоначальной версии он погиб от неосторожного обращения с оружием. Чистил свой пистолет, забыв выбросить патрон из ствола. Прогремел выстрел, пуля пробила горло и ударилась в оконную раму за его спиной. Так утверждают баллисты.

— Похоже на шутку. Лучший специалист по оружию умирает из-за неправильного обращения с ним.

— Следствие разберется. Мне тоже их выводы не нравятся, но что я могу сделать? Забелина уже нет. Да будет земля ему пухом. Работа стоять на месте не может. У нас хватает проблем.

Тысячи единиц по всем видам вооружения находятся в Приднестровье и Чечне. Обстановка там раскалилась добела. Мы теряем контроль. Это наши проблемы, и решать их должны мы сами. Я тебе не теплое местечко предлагаю. Месяц испытательного срока. Справишься — флаг тебе в руки. Нет — не обессудь.

— Справлюсь.

— Я тоже так думаю. Тебя начальник генштаба рекомендовал. Министр не против. На такую должность методом тыка не ставят и одним мнением не обходятся. Ты же понимаешь, какая мощь концентрируется в твоих руках. У кого сколько забрать, кому сколько отдать — тебе решать. Я уже не справляюсь со всеми нагрузками. Пора приводить систему в порядок, пока все не развалили.

— Разрешите приступить к обязанностям.

— Иди, генерал. Бери быка за рога и не мешкай.

Дойдя до порога, Некрасов услышал за спиной голос начальника:

— Надеюсь, ты умеешь чистить свое оружие?

Некрасов медленно повернул голову назад.

— Себе в шею я не выстрелю. И ногой на собственное горло тоже наступать не стану. Вокруг всегда есть более интересная цель. Надо только ее разглядеть раньше, чем она тебя.

— Получишь бронированную машину и четырех охранников из спецназа. Можешь ходить в штатском. Ступай.

Увидев растерянное лицо генерала, секретарь улыбнулся.

— Удивлены, Геннадий Ильич?

— В семьдесят девятом в горах Афгана в метре от меня в скалу врезалась ракета. Стингер. И не взорвалась. С тех пор я никому и ничему не удивляюсь.

— Долго жить будете.

— Надеюсь.

Подполковник подал Некрасову пакет.

— Приказ министра. Вас ждут в 475 кабинете.

— Спасибо. Как звать?

— Подполковник Северский.

— А дальше?

— Игорь Владимирович.

— Спасибо, Игорь Владимирович.

— Удачи, товарищ генерал.

— Да уж, без нее не обойтись.

Когда Некрасов вышел, Северский взялся за телефонную трубку.

3

Связи нужны везде и всюду. Некрасов усвоил эту догму очень давно.

Его приятель из военной прокуратуры пришел на встречу с некоторым опозданием. Они устроились в тихом кафе, где кормили сосисками и подавали разливное бочковое пиво. Оба в штатском, устроились в уголочке, разговаривали тихо.

— Вот что, Валера. Ты должен выложить мне всю правду. Я не болтун, ты знаешь. Но если меня назначают на место человека, который погиб при загадочных обстоятельствах, я должен знать, откуда исходит угроза. За спинами телохранителей не спрячешься. Забелина бронированный автомобиль не спас. Я знал этого мужика еще по Афгану. Его голыми руками не возьмешь. Тут орудовали настоящие бойцы с боевым опытом.

— Придраться трудно, Гена. Работа проделана хорошо. Один в запертом доме. Но не такие они и профессионалы. Очень много грязи оставили. Могу предположить почему.

— Почему?

— Потому, что для беглого осмотра и протокола все сделано правильно. Можно глубже не копать. Убийцы уверены в том, что прокуратуру их работа удовлетворит и они закроют дело. Так оно и будет. Министерство не хочет раздувать скандал. Четырнадцать генералов за один год погибли не по собственной воле. Среди них командующий Сибирским округом. Сколько можно? Убийцы уверены, что никто не захочет нового скандала и прокуратура примет навязанную ей версию. Вот они и напачкали. Сработано грамотно, очень толково, но неряшливость говорит об уверенности в том, что мелочами никто заниматься не будет.

— Значит, стреляли свои?

— Я ничего не берусь утверждать. Есть факты, и могу их выложить на стол. Выводы делай сам.

— Ну, так выкладывай.

— Старший следователь по особо важным делам военной прокуратуры Поплавский ведет это дело. Поплавский сыщик от Бога. Ему хватило часа, чтобы раскусить этот орешек. В кабинете на втором этаже, где погиб генерал, есть одно-единственное окно. Почему на него обратили внимание? Входное пулевое ранение в горло очень крупное и рваное, без следов пороха на коже. Это невозможно, если выстрел был произведен из пистолета с близкого расстояния. Поплавский, то есть следователь, о котором я говорил, пришел к выводу, что стреляли из мощной снайперской винтовки метров с двухсот или меньше. В окне три стекла. Верхняя рама, левая и правая. Окно давно не мыли. Оно грязное. А правая рама с чистыми стеклышками. С чего бы вдруг? Может, хозяин сам сменил стекло? Легко проверить. Определили примерное нахождение стрелка, если поставить жертву у правой рамы и рассчитать полет пули. Приблизительно, конечно. Одно понятно, стрелок находился на одной линии с окном. На участке растут сосны. Их осмотрели. Возле одной на снегу есть следы и крошки коры, осыпавшиеся с нее. Стрелок залез на дерево. Эта версия подтвердилась. Первый сук находится напротив окна, и он ободран. С хорошей оптикой при небольшом даже опыте можно свечу загасить пулей с такого расстояния. Поплавский не ошибся. Дырку в стене нашли. Ее картинкой завесили. Взяли кровь у собаки на анализ и нашли в ней остатки снотворного. В пса выстрелили шприцем. Что тут неясного?

— И что же Поплавский? Его версия не прошла?

— Поплавский зашел к начальнику следственного отдела, положил отчет на стол и спросил: «Куда мне ехать в командировку?» Но ему путевку дали в Сочи. На лыжах с гор кататься.

— А при чем здесь командировка?

— Это он пошутил. Черный юмор. Полгода назад генерал Подвойский выпал с балкона двенадцатого этажа своей квартиры. Поплавский поехал разбираться. Оказалось, что генерала сбросили. Поплавский это доказал и составил отчет. А на следующий день его отправили в командировку в Тюмень на целый месяц. Когда он вернулся, дело лежало в архиве. Смерть по неосторожности. Я только не понимаю, кому нужны его отчеты? Ведь это же компромат на военного прокурора. Но все молчат. Никто ничего не видит и не слышит. Такое положение всех устраивает.

— Я все понял, Валера. Все, кроме одного. С какой стороны мне нанесут удар?

— Все очень просто. Когда ты откажешь в услуге крупному чиновнику, предпочитая остаться с незапятнанной репутацией, тогда тебя поставят на счетчик, и начинай отсчитывать последние часы своей жизни. Покумекай сам. Ты занял место Забелина, а он контролировал оружие. Детям оно не нужно. Бандиты до таких высот не доходят. Они покупают автоматы в воинских частях. Речь идет о серьезных поставках, и они нужны серьезным людям. От них за автомобильной броней не спрячешься. И ты это уже понял. Остальное поймешь, когда на тебя выйдут с предложением о сотрудничестве. Дальше все зависит от твоего решения. В конце концов в твое кресло сядет сговорчивый генерал. А трупами никого уже не удивишь. Забелин не первый и не последний. Сберег честь мундира, а зачем она ему в могиле. Похоронят с салютом, а через день забудут. Подвига он не совершил. Несчастный случай. Так будет в деле написано.

— Спасибо, утешил.

— Я тебе ничего не говорил, Гена. Ты умный мужик, сам знаешь, что делать.

— Ладно, Валера. Через недельку свидимся. Я хочу узнать, куда деваются отчеты Поплавского.

— Мечтатель. Давай лучше пиво пить.

4

Светские вечеринки для молодого генерала стали чем-то обыденным. Без него не обходился ни один прием, устраиваемый военными атташе разных стран. Военное сотрудничество, объединенные маневры, совместные учения и зарождающиеся отношения с блоком НАТО. Некрасов всегда входил в состав российской делегации. Молод, красив, умен, дипломатичен, обаятелен. К этому стоит добавить его профессионализм как специалиста по вооружению и знание военной политики государства. Он умел сглаживать углы, выстроенные его прямолинейными коллегами. В министерстве знали о его достоинствах и включали генерала в каждую делегацию, готовящуюся к деловой встрече с партнерами и покупателями либо с оппонентами и противниками.

Сегодняшний прием выглядел очень пышным, но носил внутриведомственный характер. Иностранных гостей на него не приглашали. Отмечалось семидесятилетие академика Успенского, одного из видных разработчиков ядерного оружия. Все, что касалось вооружения страны, имело непосредственное отношение к деятельности Некрасова на его новом посту.

В список приглашенных он попал автоматически, согласно занимаемой должности. Удобный случай глянуть на тех, кто своим умом и талантом создает ядерный щит страны, и обзавестись новыми связями. В этой области у него не было друзей и знакомых. Теперь они должны появиться.

Прием, устроенный в загородном музее-усадьбе немного удивил Некрасова. Почему именно здесь? Помпезность восемнадцатого века впечатляла, но какое отношение имеет памятник архитектуры к Академии наук и самой скрытой ее области — ядерной физике?

Тут собралось очень много интересных людей. Интерьер портили генеральские мундиры, которых тоже хватало. Здесь присутствовали члены правительства, министры, депутаты, но основная масса гостей была ему незнакома.

Самое привлекательное на приемах — это женщины. К ним Некрасов неравнодушен. Он знал силу и возможности женских чар и поддавался им при каждой возможности. Женщины сыграли немалую роль в его карьере. Жены сильных мира сего поддерживали амбиции молодого красавца, и он не оставался перед ними в долгу. В этом плане вечеринка не представляла никакого интереса. Возрастная планка превышала все возможные уровни.

Некрасов быстро освоился. С кем-то был деловит и серьезен, кому-то рассказывал анекдоты, с женщинами пил шампанское и целовал им ручки, с замужними философствовал. Он оставлял о себе самое хорошее впечатление. Важно, чтобы тебя запомнили.

За час с небольшим он собрал коллекцию визитных карточек. Здесь никто не стеснялся друг друга. Раз уж ты получил допуск на прием, то можно считать тебя своим. Появление нового лица всегда интересно, а если лицо красивое, с умными глазами и чертовским обаянием, то оно останется в памяти надолго, если, конечно, напоминать о себе время от времени.

Сегодня Некрасов находился в прекрасной форме. Для плохого настроения не находилось повода. Все шло как по маслу. Умение приспосабливаться к любой компании и поддерживать разговор на нужном уровне — хорошая черта. Кто-то представлял его одним людям, те другим, и цепочка вытянулась в бесконечность. Слава богу, отсутствием памяти генерал не страдал и, запоминая всех по имени-отчеству, интуитивно определял, какую ступень на иерархической лестнице его новой империи занимает тот или иной человек. С интуицией у Некрасова тоже все было в порядке. В любой драке с равными силами он всегда становился победителем.

В самый разгар вечеринки генерал был представлен академику Вассерману. Обычный старикашка, он о нем ничего не слышал, как и о многих здесь присутствующих. Но не Вассерман заинтересовал генерала, а его спутница. Первое лицо, на которое можно было посмотреть с удовольствием. Кто она? Жена, любовница, секретарша, дочь? На вид ей и тридцати нет. На серьги с бриллиантами она сама заработать не могла. Да тут не только серьги, а полный комплект. Одно колечко потянет на десять каратов. На такую красотку губы раскатывать бесполезно.

Некрасов предпочитал блондинок. Сейчас перед ним стояла брюнетка, но какая! Бархатная белая кожа, сверкающие черные глаза с мягким переходом к янтарному оттенку ближе к зрачкам. К вискам скулы немного расширялись, но с такой гармоничностью, что недостатком это никак не назовешь. При улыбке на щеках появлялись кокетливые ямочки. Сказочная женщина. Такой он представлял себе Шехерезаду, читая в детстве сказки «Тысячи и одной ночи».

Кажется, он поставил старика в неудобное положение, уставившись на его спутницу вожделенным взглядом. Впрочем, определение «старик» не вполне справедливо. Академику при внимательном рассмотрении можно дать лет пятьдесят пять или чуть больше. Мужчина в самом соку. Расцвет карьеры, еще можно говорить о будущем и рано подводить итоги.

— Вас зовут Василиса? Та самая Василиса Прекрасная?

— Я бы добавил еще и Премудрая, Геннадий Ильич, — улыбнулся академик.

Пришлось и его заметить. Некрасов перевел взгляд на невысокого худощавого мужчину с поседевшими висками и оттопыренными огромными ушами. Он смешон. Интересно, чем он мог привлечь внимание индийской принцессы.

— Не пытайтесь вспомнить, я вам не называл своего имени. Меня зовут Борис Маркович. Я курирую отрасль. Нам придется тесно с вами сотрудничать. Если я физик, то Василиса Андреевна химик. Мы работаем над новым проектом. Рекомендую вам с ним ознакомиться. Министерство обороны — наш заказчик и финансирует проект. Без мнения главного эксперта нам не обойтись.

— В любое время.

— Поспешное заявление. В вашем ведомстве сидят растяпы. Извините за нелестный отзыв.

— Из чего вы сделали такое заключение?

— Спросите вашего шефа, сколько боеголовок стоит на вооружении. Он вам не ответит без учетной документации. А сколько боеголовок снято? Сколько находится в резерве, сколько идет на списание, сколько требует замены, сколько утилизации? Я уже не говорю об обычном вооружении. Оно не входит в мою компетенцию. Нельзя менять генералитет ежеквартально. Люди не успевают вникнуть в суть вопроса. Ваш предшественник проработал в своей должности более трех лет, но он так и не смог объять необъятное.

— А вам откуда об этом известно?

— Я вхожу в структуру советников президента. Теперь и такая существует. Я видел отчет министерства. Сплошные погрешности. Производственная база и заводы-изготовители только на бумаге принадлежат вашему ведомству. Контроль производим мы. Я знаю все о поставках в вооруженные силы страны стратегического оружия. Дебет с кредитом не в ладах. В отчете один цифры, в поставках другие.

— И вы доложили об этом президенту?

— Нет, конечно. Полетят новые головы, а их и без того осталось мало. У нас принято рубить с плеча, невзирая на лица. Новое веяние. А лоббистов в Кремле больше, чем нужно. В результате на место профессионалов придут пустышки, соблюдающие определенные интересы определенной группировки. Стране от этого пользы не будет: Сейчас модны крупные аферы. Голь на выдумки хитра. Морочат голову всем. Страна никого не интересует. Власть шатка. Сегодня ты король, завтра ноль. Нужно спешить набить полный карман денег.

— Вы говорите о прописных истинах. Эта полемика уже ведется в прессе.

— Что вы думаете о красной ртути? — мягким низким голосом спросила Василиса.

Некрасов улыбнулся в ответ, вкладывая в улыбку все свое обаяние.

— Новый философский камень. Вечный двигатель. С чем только не сравнивают бесхитростную легенду. Оружие двадцать первого века. Полный бред!

Девушка ответила ему не менее обворожительной улыбкой.

— Однако ее изготовляют в одном НИИ при Академии наук. Вице-президент дал добро на продажу супероружия одному талантливому прохвосту. Цены поднялись до небес. И не имеет значения, существует ртуть или нет, но она подняла на дыбы весь мир.

Девушка говорила тихо и бесстрастно, и трудно было понять по ее тону, то ли она шутит, то ли этот вопрос ее беспокоит.

— Конгресс США обсуждает появление красной ртути в России. Арабы верят в нее, как в пророка Мухаммеда. Все хотят заполучить оружие на основе красной ртути.

— Гениальный ход по дезинформации мирового сообщества.

Некрасов похлопал в ладоши.

— Зря смеетесь, Геннадий Ильич. Гениальная афера мирового масштаба. Нам удалось предотвратить утечку. Лаборатории прикрыты, вице-президент в Лефортове, ньюбизнесмены удалены. Интерес к красной ртути лишь возрос. Его надо подогревать и держать мир в неведении и страхе. Тем более сейчас, когда страна находится на стадии развала.

Академик выглядел патриотом. И на фоне заботы об отечестве Василиса Прекрасная роняет фразу, раскрывающую всю банальность громких лозунгов.

— На такой афере можно заработать неслыханные деньги и продолжить жизнь не на руинах бывшей империи, а в цивилизованном государстве со стабильной экономикой.

— Далекая от меня тема, — хмыкнул Некрасов, — я солдат и в бизнесе ничего не смыслю.

Очень неудачно он ушел от темы. Все уже поняли: генерал может разговаривать на любые темы и в каждой области, даже далекой от военной, чувствует себя как рыба в воде. Похоже, его застали врасплох и он не успел сориентироваться. Ярый патриотизм академика вдруг обернулся элементарной наживой. Похоже, его прощупывали.

— А я думал, вы хваткий деловой человек, генерал, — начал ехидничать академик. — Если вспомнить о двадцати семи точках на Лужниковском рынке, принадлежащих вам. Челноки, поставляющие товар из Польши и Турции, свой склад, продавцы. Маленькая, но империя. Как это называть, если не бизнесом. Успехи налицо. Бизнес растет, расширяется. Вас уже заинтересовало развивающееся в стране «видео». Очень перспективный бизнес. Тем более что в иностранных друзьях у вас нет недостатка. Они могут стать хорошими поставщиками. Да и вы частенько катаетесь за кордон на военном авиатранспорте, не подлежащем досмотру.

— И откуда такие сведения у физика-ядерщика?

У Некрасова слегка подрагивал голос. Академик широко улыбнулся.

— Мы тут скучной болтовней занимаемся в то время, когда все танцуют. Почему бы и вам не потанцевать. Прекрасная музыка. Такая пара может стать украшением любого бала.

— Я не возражаю, — сказала Василиса.

Слава богу, подумал Некрасов, продолжения не последует. Неизвестно, до чего договорился бы всевидящий академик.

Еще мгновение — и они закружились в вальсе.

— Не нервничайте так, Геннадий. Собьетесь с такта и отдавите мне ноги. У вас такой вид, будто вы решаете глобальную государственную проблему.

— Ваш академик поставил меня в неловкое положение.

— Он это умеет делать. Только он не мой академик. Борис Маркович человек информированный. По всем вопросам. Но он абсолютно безвредный. Вам работать вместе, а о своих партнерах он знает больше, чем они сами о себе. Вы ему нравитесь. Мне так кажется.

— И вы тоже будете со мной работать?

— Конечно, если вы одобрите наш проект.

— В ближайшее время я с ним ознакомлюсь. Вы замужем, Василиса?

— Скорее нет, чем да.

— Я могу вас сегодня проводить? Или Вассерман будет ревновать?

— Он ревнует всех своих сотрудников, но к чужим. Вас можно назвать своим. Я не против, чтобы вы меня проводили. Здесь скучно. Мы могли бы прогуляться, оттепель, свежий воздух, кругом фонари, аллеи освещены, не страшно. Воздух за городом сказочный.

— Бояться тут нечего. Усадьба охраняется солдатами. Здесь больше важных персон, чем порой собирается в Кремле.

— С таким кавалером смешно бояться темноты.

— Я готов. Уплываем, вальсируя к выходу.

Девушка засмеялась.

5

Сидя в пивной в ожидании своего приятеля из прокуратуры, который, как всегда, опаздывал, Некрасов думал о Василисе. Она ворвалась в его жизнь подобно солнечному зайчику. Что-то невообразимо яркое, светлое и очень нежное. Лезть на рожон он не собирался. Близость должна созреть. С него хватало романтики, прогулок под луной, держась за руки, и разговоров о вечном и прекрасном.

Кто она? Что ее связывает с Вассерманом? Академик оставался для него загадкой. О совместном проекте тоже никто не слышал. Да, Вассерман курировал научные институты, работающие на вооружение, и следил за исполнением заказов министерства на закрытых заводах, но никто лично с ним не был знаком. Те, кто был тесно связан с ним по работе, уже не работали в министерстве. Кто-то сам ушел, кого-то ушли, другие в могиле. Однако Вассерман входил в состав советников президента по вопросам безопасности и имел определенное влияние на решение многих задач. Человек, занимающий такие посты, интересуется биографией очередного генерала из министерства? Надо отдать должное его агентуре. Распотрошили Некрасова быстро. Он знает о всех торговых точках, из которых только половина зарегистрирована. Не так просто прятать концы в воду, даже во времена хаоса. На академика работает старая гвардия. В ФСБ тот же бардак творится. Кого не лень примеряют на место председателя, будто доярка приехала из деревни на вещевой рынок и не знает, что купить, хватая все подряд и тут же отбрасывая в сторону, видя на вешалке более яркое пятно.

Наконец появился Валера Поляков. Сейчас он руководил секретариатом Главного военного прокурора московского округа. Человек осведомленный, знающий больше, чем говорит, но всегда идет навстречу. Некрасов отвечает ему тем же. Валера плохой картежник и всегда проигрывает Некрасову в преферанс крупные суммы, но генерал ему прощает долги. За карточным столом они встречаются по пятницам на даче Леонида Хавенского, начальника управления по культуре и спорту все при том же президенте. Тоже человек полезный. В его владении миллионы квадратных метров площадей, сдаваемых в аренду. Мальчишники проходят без сбоев. Все холосты и свободны, а преферанс — дело святое.

— Выкладывай свои проблемы, Гена, — хватаясь за кружку с пивом, начал Поляков.

Некрасов в подробностях изложил детали, не упоминая о развивающемся романе с Василисой.

— На днях мне с ним встречаться. И я не знаю, о чем пойдет речь. Никакого конкретного проекта в природе не существует. Он хочет меня использовать в своих целях. Для того и изучил мою подноготную. И это еще не все. Пару тузов он припрятал в рукаве.

Поляков немного подумал и сказал:

— Чем ты интересен... У тебя есть доступ к оружию. О его планах я не знаю. Но, вероятнее всего, Вассерман не сумел договориться с Забелиным, и тот погиб на даче. Вассерман не один. За ним стоит организация. Масоны.

— О каких масонах ты говоришь?

— О русских. Это не моя идея. Ее высказал следователь Поплавский. Я тебе уже о нем рассказывал. Когда его спросили, кому нужно убивать генералов, он коротко бросил: «Масонам». То, что в России есть такая ложа вольных каменщиков, мне известно давно. А цели и задачи непонятны. Власть — единственная цель, которую преследуют масоны. В России ее добиться легче, чем в любой другой стране мира. Прибавь к этому наши территории и земельные ресурсы. Я ничего не знаю о связи русских масонов с мировыми ложами. Тут нужен специалист в этой области. Но какое это имеет значение. Тайное братство сильных мира сего страшнее любой бомбы.

— И как их распознать?

— Они любят собственную атрибутику, кодовые слова, приветствия. У них своя иерархическая лестница. Вступить в их организацию нельзя. Они сами приглашают и вербуют нужных им людей. Но тебя сначала прощупают. Все начинают с послушников. Будь ты министром или официантом, там все равны. До магистра дорасти трудно. Все зависит от твоей преданности и вклада в общее дело. Но если ты вышел на масонов, Гена, то я тебе не завидую. Им отказывать нельзя. Найдут еще одного мертвого генерала, и этим дело кончится. Не ты, так другой начнет играть по их нотам.

— На должность меня рекомендовал начальник генерального штаба. Обо мне он ничего не знает. Странная рекомендация. Кто-то ему шепнул на ухо мое имя, и этот кто-то разбирал не одну кандидатуру. На меня собрано солидное досье. На это ушло время. Я живу скрытно, не так просто добраться до моего грязного белья. Значит, мной занимаются не первый день. Любопытный выбор.

— Ты по жизни авантюрист, Гена. Человек, способный на поступок. Я не говорю, с каким знаком — плюсом или минусом, решителен, смел. Настойчив. Любую планку одолеешь. С таким мужиком можно иметь дело, если заманить на свою сторону. А теперь подумай, кому нужен враг с теми же характеристиками. Твой отказ поставит тебя в ряды врагов. И здесь тебе уже никто помочь не сможет. Тебя уничтожат.

— Согласен. Хуже всего то, что я не знаю, кто на какой стороне находится. Где и у кого искать защиту.

— У дураков. Их масоны в свои ряды не принимают. Но и тебе они без надобности. Сейчас ни на кого полагаться нельзя. Каждый думает о собственной шкуре. Никто ни во что не верит. Ты преуспевающий генерал и то позаботился о тылах. Завтра выгонят, без куска хлеба не останешься. Дружбы нет, партнерство ненадежно, обязательства — ложь, речи политиков — бред. Даже воры в законе потеряли свой авторитет. Отморозки их не признают и не слушают. Народ посадили на голодный паек. Нет, Гена, думай в первую очередь о себе. Бог тебе дал голову и удачу. Даже стингеры в метре от тебя не взрываются. Больше мне сказать тебе нечего. Я уверен, ты сделаешь правильный выбор.

С этими словами Валера Поляков ушел.

Они встретятся в пятницу за карточным столом. Им будет о чем поговорить. Это произойдет через три дня. А пока Некрасов мучился в догадках.

6

Работы на новом поприще хватало. И все же Некрасов находил время инспектировать военные базы и секретные заводы стратегического значения. Научно-исследовательский институт, руководимый академиком Вассерманом, он посетил одним из первых. В лабораториях и КБ закрытого предприятия доводили до ума новые разработки. Здесь он вновь встретился с Василисой. Девушка старалась выглядеть скромно. Белый халатик, волосы, убранные в пучок, очки в скромной оправе и туфельки без каблуков. И все же такую красоту очень трудно спрятать под скромным камуфляжем.

Осмотрев несколько лабораторий, они вернулись в кабинет руководителя.

— Странно видеть сосредоточенные лица, поглощенные работой. Чистота, все на своих местах. Я слышал об утечке мозгов из академии наук.

Вассерман открыл свой сейф и достал из него бутылку коньяка.

— Нас эти проблемы не касаются, Геннадий Ильич. Сотрудники хорошо зарабатывают, все давали подписки, и ни один из них не сможет пересечь границу. Исключением являюсь я. Мне приходится выезжать на симпозиумы, контролировать работу атомных станций на Среднем востоке и в Африке и, в конечном итоге, собирать необходимые сведения об обстановке в этих странах, чтобы составлять доклады для президента. Но прежде всего я остаюсь ученым с мировым именем, и никто за кордоном не подозревает о моем истинном положении.

— Очень удобное положение, Борис Маркович. Вас могут перекупить, и однажды вы не вернетесь в Россию.

— Не скрою, такие предложения имели место. Сирия, Арабские Эмираты, Саудовская Аравия, Иран, Ирак не имеют собственных разработок в области ядерного вооружения. Но очень хотят их иметь. Амбиции арабов мне понятны. Золота и нефти у них больше, чем в Европе и Америке, Индии, Китае и Австралии. Тем не менее они остаются странами третьего мира и подчиняются диктату сверхдержав. Мы поставляем им самолеты и танки, а по сегодняшним меркам это не назовешь вооружением.

— Склонен с вами согласиться. Но мы придерживаемся международных соглашений.

Вассерман разлил коньяк в рюмки и сказал:

— За сотрудничество и взаимопонимание.

Когда он поднял руку, Некрасов увидел золотую запонку на его белоснежной сорочке. Она имела прямоугольную форму с тиснением. Циркуль, перевернутый треугольник, а в середине буква «G». Масонский знак. Некрасов успел проштудировать всю литературу о масонстве, которая была доступна. Ничего важного он не узнал. Общие слова, мало фактов, сплошная история. О русских масонах нигде ничего не сказано. Но герб «вольных каменщиков» он узнал. Они и впрямь любят собственную атрибутику.

Василиса помалкивала и в разговор не вступала, но за предложенный тост выпила.

— Василиса Андреевна, достаньте из сейфа колбу.

Девушка послушно встала и принесла небольшой сосуд с перламутровой темно-вишневой жидкостью. Чувствовалось, что весит он немало. Она осторожно поставила его на стол перед гостем.

— Что скажете, Геннадий Ильич? — улыбаясь, спросил академик.

— Красная ртуть. Очень красивый цвет. Я слышал, будто ртуть окрашивают толченым кирпичом или лаком для ногтей.

— Василиса не только прекрасная, но и Премудрая. К тому же она прекрасный химик. Нам с вами она свой секрет не расскажет. Но чтобы достичь нужного цвета и стопроцентной окрашиваемости, она потратила немало времени. Результат превзошел все ожидания. Теперь из этой ртути надо сделать бомбу, равную атомной или мощнее, а потом заставить ее взорваться. Тогда весь мир будет трепетать перед нами.

— Вы же академик. Образованный человек. Слышать подобные заявления из ваших уст смешно. Это шутка?

— Это блеф, дорогой Геннадий Ильич. И если вам мои слова кажутся смешными, то для арабских шейхов они неоспоримый факт. Даже в Соединенных Штатах к красной ртути относятся с большой настороженностью. Что можно сказать об арабах, которые ничего не знают об оружейном плутонии. Причем я их быстро убедил в ненадежности оружейного плутония. Он капризен, радиоактивен и непослушен. Неправильное хранение и использование приводят к разложению. В чистом виде он никому не нужен. Ему нужна оболочка. Бомба. А для этого ее надо собрать. Как? Нужны заводы и специалисты. К тому же ядерные составляющие невозможно достать да еще и вывезти на другой конец света.

— Сейчас все возможно. Уж мне-то это известно.

Вассерман расплылся в улыбке и снова разлил коньяк по рюмкам.

— Зачем же нам снабжать воинственные страны оружейным плутонием? Это приведет к третьей мировой войне. И самое важное. На красной ртути с ее бесполезностью можно заработать во сто крат больше, чем на плутонии. Он сам по себе дорог. А ртуть не стоит серьезных денег. Но за килограмм ртути можно получить от миллиона до десяти миллионов долларов. Все зависит от того, как подать товар, кто это сделает, кто выступит в роли покупателя. И на что этот покупатель может рассчитывать в будущем. При правильной политике можно заработать несколько миллиардов долларов. План прост и гениален. Общими усилиями мы можем его осуществить. Как вам идея?

— Получить миллиард за бочку подкрашенной ртути, — это уже не блеф, а афера века.

— Арабские шейхи задыхаются от денег. Им некуда их девать. Предложите кому-то из них атомную бомбу, и они вас утопят в деньгах.

— А если афера раскроется? От мусульман спрятаться невозможно. Вас из-под земли выроют и перережут всех родственников до десятого колена.

— Раньше чем лет через пятнадцать афера не раскроется. Да и то вряд ли. План настолько точно рассчитан и выверен, что можно быть спокойным за успех мероприятия.

— Возможно, такой план у вас есть. Но я себя в нем не вижу. Какую роль вы мне отводите в данной операции?

Академик вновь заулыбался.

— Немалую, Геннадий Ильич. А может, и главную. Через пару лет вы станете миллионером, если согласитесь на сотрудничество.

— Или покойником завтра, если откажусь. Вы достаточно много мне рассказали, чтобы считать меня безвредным.

— Ничего мы вам не рассказали. Похожую историю может придумать любой толковый коммерсант. Проблема в том, что он не сможет ее осуществить. Идея принадлежит не мне, а Василисе Андреевне. Но без нашей с вами помощи она ничего сделать не сможет, как и любой другой носитель гениальных идей. Возьмем, к примеру, обычного студента. За сколько, по-вашему, он сможет продать эту колбу с ртутью арабскому шпиону или американскому разведчику? Пять тысяч долларов. Максимум — десять. Я могу продать ее за десять миллионов, если мы предложим товар по нашей схеме. Мало того, можно устроить аукцион, собрав крупных дельцов со всего арабского мира, и получить еще больше. Заключив договор на поставки ртути, можно их доить вечно. Они же не знают, сколько ртути требуется для создания одной бомбы. Скажем — сто килограммов. По двадцать миллионов за килограмм. Двести миллионов. Примерно за такие же деньги можно сделать ядерную бомбу средней мощности. Цена вполне приемлемая. Затраты на изготовление ртути и ее переправку обойдутся тысяч в пять-семь. Чувствуете разницу. И надо помнить, что речь идет не об одноразовой сделке, а о постоянном сотрудничестве. Деньги пойдут потоком.

— Звучит очень заманчиво. Ну а теперь вернемся к делу. Как я буду зарабатывать свою долю из этого потока? И какой ручеек из этого потока потечет в мою сторону?

Академик глянул на Василису, девушка встала, подошла к сейфу и вернулась с небольшим рулоном.

Вассерман развернул его на столе. Это был обычный чертеж.

— Знаете, что это такое, генерал?

— Конечно. Ядерное устройство малой зоны покрытия. Оформляется в виде обычного чемодана. Радиус действия от двадцати до тридцати километров. Создавался для уничтожения военных объектов, своих или на территории противника. Вес около ста килограммов.

— Достаточно точные характеристики. Мы называем его «ящиком Пандоры». Разработка моего КБ. Мне известно, что в контролируемом вами округе из тех, что находятся поблизости, таких чемоданов не менее сорока пяти штук. Они хранятся на объектах, где есть пусковые шахты, и на стратегических складах. Ваша задача — изъять не менее пятнадцати единиц и вывезти их в безопасную зону, из которой мы сможем по собственному усмотрению переправлять их дальше.

Некрасов побледнел.

— Вы это серьезно?

— Сейчас уже не до шуток. Теперь вы перешагнули грань между бредовой идеей коммерсанта и главной стратегией нашего плана. Обратного пути у вас нет. И не спрашивайте меня, как вам это сделать. Этот вопрос меня не интересует. Но с вашей должностью, возможностями и тем бардаком, который творится в армии, возможно все. Большие деньги достаются непросто, Геннадий Ильич, и вы должны это понимать.

— Я все уже понял. Выкладывайте свой план. За такое дело можно взяться, если есть уверенность в отдаче. Пока я не вижу связи между мини-бомбами и красной ртутью.

— Все очень просто. Я должен приехать к арабам не с пустыми руками. Они должны понимать, что такое красная ртуть и насколько она эффективна. Помимо канистры с ртутью я привезу с собой один «ящик Пандоры», и мы взорвем его в пустыне. Такой маломощный взрыв не определят даже спутники противника. График и траектории спутников мне уже достали. Тут главную роль сыграет мой авторитет. Если я скажу, что бомба сделана на основе красной ртути, мне поверят. Проверить это невозможно. Чемоданы не подлежат разборке. Старая, но верная стратегия. Секретное оружие не может достаться врагу. А если досталось, то он не в силах его разобрать на части. Произойдет взрыв. Арабам придется мне поверить. Особых усилий для этого не потребуется. Они верят в новое, совершенно невероятное оружие русских. Таким образом, мой авторитет вкупе с испытательным взрывом поднимут стоимость привезенной мной канистры до невообразимой цены. Так мы начнем поставки сверхсекретного взрывчатого вещества на Ближний Восток по ценам бриллиантов.

— Убедительно. Зачем вам пятнадцать чемоданов?

— Плутоний без технологий бесполезен. Разовые сделки нам не нужны. Ртутью надо торговать не менее десяти лет. Вопрос: что им с ней делать? Ответ: под моим руководством начнется строительство военных объектов, где будут изготавливать боеприпасы на основе красной ртути. Боеголовки для ракет. Нужны ракеты. Взять их негде. Придется делать самим. На строительство объектов уйдет не менее пяти-семи лет. А то и больше. Все это время мы будем сбывать им наше сырье, проводить очередные испытания.

У Некрасова разгорелись щеки.

— Виртуозно. Чем, по-вашему, кончится эпопея?

— Ничем. Важно соблюдать технологии и не водить арабов за нос. Надо строить настоящие ракетные заводы. Обычное железо без начинки и не более того. Когда дело дойдет до завершения, достаточно перебросить достоверную информацию о строительстве ядерных полигонов в разведывательное управление США. Вот вам и конец. Американцы народ бесцеремонный. Пять-шесть точечных ударов — и от заводов останется только пыль и песок. Можно винить в этом кого угодно, но только не нас. Мы-то им помогали создать оружие возмездия для уничтожения Израиля и прочих неверных, но не получилось. Но на этом можно не останавливаться, а перебраться в соседнюю арабскую страну и начать новый круг. Теперь вам понятен наш план?

— Как вы собираетесь выехать из России и развернуть глобальное строительство на Ближнем Востоке? Или вы считаете, у нас нет своей разведки?

— Мы не держим мощную агентурную сеть в арабских странах. Они для нас не представляют большой опасности. Мы им плотины строим и электростанции. Американцам там тоже нелегко. Эти страны отгорожены от мира и умеют держать дистанцию. Что касается меня, то мне поставят памятник на Новодевичьем кладбище. Когда я улечу из страны под чужим именем, а такие возможности у меня есть, то мой автомобиль взорвется где-нибудь в районе моей дачи. В нем найдут обгорелый труп, и меня похоронят в закрытом гробу.

— И эту схему тоже придумала Василиса Премудрая?

Академик довольно хихикнул.

— Она, голубушка. Василиса останется в Москве и будет руководить проектом по эту сторону занавеса. Девушка не допускает ошибок. Откроет фирму под вывеской «Рога и копыта» и начнет действовать. Вы станете ее ближайшим помощником и консультантом. К тому же у вас есть коммерческая жилка, помимо ума и жизненного опыта. В паре вам не найдется равных.

— Не погореть бы на мелочах, — вздохнул Некрасов.

— Мы заработаем огромные деньги. Пятьдесят процентов от прибыли пойдут на ваши счета. Вы уж сами договоритесь, кто сколько получит. Остальные пятьдесят процентов я оставляю себе. Нет, не в прямом смысле. Мне и процента хватит. Остальное пойдет на благотворительность, за что нам будут очень благодарны. Будьте спокойны, о вашей безопасности позаботятся. Без вас не будет денег, а значит, и отчислений в благотворительный фонд. Кто же допустит такое. Нет, за себя вы можете не беспокоиться. Важно быть преданным своему делу и работать, не жалея сил. Какие еще есть вопросы?

— И когда мы приступаем к осуществлению планов?

— А мы уже работаем, Геннадий Ильич. О деталях поговорим позже. Нам важно было услышать ваше согласие.

— От таких предложений не отказываются. Я готов.

— Отлично. Приступайте к поиску чемоданов. Я должен увезти с собой первый.

— Как?

— Военным грузовым самолетом. Мы поставляем оружие Сирии. Обычное, стрелковое. И не думайте, Геннадий Ильич, будто внимание министерства обороны сконцентрировано только на вас. Вы занимаете одну из важнейших ячеек, но в общем улье. Здесь нас только трое, но этого мало, чтобы перевернуть мир. Василиса вас проводит. Извините, что задержал вас, генерал.

— Спасибо за доверие. Постараюсь оправдать.

— Стараний мало. За такое дело не жалко голову сложить.

7

Они встретились в тот же вечер. Василиса пригласила молодого генерала на чашку кофе к себе домой и назвала адрес.

Некрасов надел свой лучший костюм, купил шампанское, охапку роз и направился в гости.

Ничего лучшего мужчины еще не придумали. Цветы и шампанское.

Открыв дверь, Василиса улыбнулась. Именно таким она и рассчитывала его увидеть: со стандартным набором русского джентльмена.

— Штатский костюм тебе идет больше мундира. Проходи, Гена.

Он вошел в квартиру и поцеловал ей руку.

Жила девушка просторно, можно сказать, шикарно. Гость осмотрелся.

— Твой бывший муж был подпольным миллионером. Угадал?

— Нет. Я не была замужем и пока не собираюсь. Квартиру мне подарил отец, когда я защитила диссертацию. Все свободное время посвятила учебе, вот и осталась старой девой.

— Старой девой?

— Мне уже двадцать восемь. Для невесты я переросток, для науки — младенец. Но ты ведь тоже не женат?

— По тем же причинам. Жизнь посвятил карьере.

— И девушкам. Жена — обуза. Надо вовремя приходить домой, отдавать зарплату, нянчиться с детьми. К этому привыкаешь, если создал семью в двадцать лет. Дальше трудно. Свободная любовь ни к чему не обязывает. Я права?

— Ты тоже изучала мое досье?

— Конечно. Это я выбрала твою кандидатуру. Ты мне сразу понравился. В твоих глазах есть чертовщинка. И потом я понимала, что выбираю партнера и не на один день, а на годы. Мне небезразлично, с кем находиться рядом.

— Ты очень откровенна и очень умна для своего возраста.

— Для двадцатилетнего парня я старуха. Все зависит, с какой колокольни судить.

— Давай выпьем за взаимопонимание.

— Конечно. Только не шампанское. Я его не выношу. У меня есть хороший коньяк. Мужской напиток.

— Ты не хочешь быть со мной женщиной?

— Именно с тобой и хочется быть женщиной. Ты и сам это понимаешь. Никуда я от тебя не денусь. Ты возьмешь меня, когда захочешь. Я не возражаю. Только не надо слюнявых прелюдий, цветочков, поцелуйчиков и излишних нежностей. Секс есть секс, а о любви думать еще рано. Она придет сама, если сочтет нужным.

— Значит, сюсюкать не будем, и мне не придется тебя соблазнять?

— Ты уже меня соблазнил. А сегодня днем я убедилась в том, что не ошиблась в своем выборе.

— Рад. Значит, угодил?

— Посмотрим, каким ты проявишь себя в деле.

— Речь идет о постели или сотрудничестве?

— Тебе все надо разжевывать? Привыкай делать свои собственные выводы. Здесь не армия. Мы равны. Самое страшное, что может произойти между нами, — это потеря доверия. Пирамида не рухнет, но нас с тобой выкинут на обочину.

— Великий и нерушимый пал, а наш союз должен существовать вечно. Так?

— Именно так и сказал Вассерман, если помнишь. Мы можем все прибрать к своим рукам. Потенциал есть. Высохшие ветви отрубили. Ты человек сильный, я тоже не квашня, и вместе мы справимся с любыми задачами.

Они выпили коньяк стоя. Он поднял ее на руки и понес в спальню. По пути она сбрасывала туфли.

Страшная парочка, смертоносный коктейль. В дальнейшем Василиса придумает ему химическую формулу. А сейчас они попросту сходили с ума, и им это нравилось.

8

Некрасов знал, как делаются дела. В первую очередь себя надо подстраховать, во вторую очередь необходимо иметь приказы, подписанные высшим руководством, чтобы не терять время на местах. И то и другое делали его непричастным к перемещению особо секретных индексов с одного места на другое. Важно не ставить свою собственную подпись.

Сложность заключалась в следующем. Есть командир арсенала, который поставит подпись при сдаче определенного количества единиц вооружения, но где взять подпись того, кто примет на хранение те же единицы.

Генерал вызвал к себе проверяющего из особого отдела и попросил у него отчет за последний год по недостаче оружия в терминалах, частях и арсеналах по московскому округу. Цифры были ужасающими, и это с учетом не всего округа, а тех объектов, с которых приходили сигналы.

Некрасов составил общий приказ от имени заместителя министра по вооружению, указав в нем номера арсеналов и индексы единиц, подлежащих изъятию. Он сделал все правильно, согласно бюрократическому внутреннему уставу. Вот только оснований для подобных комбинаций у него было слишком мало. Передислокация всегда сопровождается волокитой и сотней согласований. В министерстве не привыкли работать ударными темпами и взваливать на плечи лишнюю ответственность.

Удар он рассчитывал нанести неожиданно, застав руководство врасплох. Этот метод себя оправдывал.

Целая стратегия ради одной подписи, но без нее не обойтись.

Ему повезло на первом этапе. Когда он подготовил все необходимые бумаги, замминистра сам его вызвал к себе, и проситься на прием не пришлось.

Генерал-полковник выглядел мрачным. После прихода нового министра начались новые чистки, крупные чины не успевали сдавать и принимать документы. Важнейшие дела откладывались в сторону, начался хаос, сравнимый разве что с великим переселением народов.

На сей раз начальник вышел из-за стола навстречу подчиненному, пожал ему руку и даже улыбнулся, но эта улыбка ему дорого далась.

— Поздравляю вас, Геннадий Ильич. Приказом министра вы утверждены на должность и вам присвоено очередное звание генерал-лейтенанта.

Он торжественно вручил Некрасову новые погоны.

— Прошу вас с завтрашнего числа не нарушать форму одежды и перешить погоны. Извините, что мне пришлось вручать вам приказ и поздравлять. Наш министр очень занят. Сегодня он играет в теннис с президентом.

Последнюю фразу он сказал с издевкой.

— Определенный способ решать ведомственные проблемы, — смягчил ситуацию Некрасов.

Начальство лишь усмехнулось.

— Далеко пойдешь, генерал-лейтенант.

— Постараюсь оправдать оказанное мне доверие. Служу России!

— Лично мне вы нравитесь, Некрасов. Люблю людей, знающих свое дело и думающих о работе, а не о карьере. Интриги вас не занимают. Это хорошо.

— По поводу моей работы. — Некрасов раскрыл папку, которую держал в руках. — Это отчет особого отдела. Меня ужасают цифры. Год-два — и мы лишимся оружия. Тринадцать дел по статье «халатность». Я бы сменил ее на «хищение». Но прокуратуре виднее. Паниковать рано, но срочные меры принять необходимо. Я решил начать с самого главного. В арсеналах округа хранится сорок семь единиц индекса 1734 А. Считаю важнейшей и первичной задачей перебазировать все объекты в центральный арсенал министерства под особый контроль. Сумею это сделать в течение двух недель, а потом займусь более конкретными проверками по общим позициям.

Некрасов подал генералу бумаги.

— Почему так много?

— Чтобы избежать волокиты. Каждый командир захочет оставить у себя копию приказа. Зачем же его копировать и вновь нести вам на подпись. У вас и без того работы хватает.

— Резонно.

Он вернулся к столу, взял ручку и подписал все бумаги. На такой успех Некрасов не рассчитывал. Либо ему всецело доверяли, либо генерал потерял бдительность и инстинкт самосохранения.

— Поставьте печати в секретариате.

Генерал вернул ему подписанные бумаги.

У Некрасова сегодня был двойной праздник, он решил одну из важнейших задач, завершил второй этап своего плана, мало того, он получил новое звание. О таком росте никто и мечтать не мог. Менее двух лет он носил погоны генерал-майора. С другой стороны, карьера военного была слишком шаткой. Сегодня ты король, завтра ноль! Примеров перед глазами хватало с излишком. Он трезво смотрел на вещи. Может быть, по этой причине и занимался челночным бизнесом. Сейчас он стоял на краю пропасти. На карту поставлена жизнь. Он знал, во что впутался.

Но кто не рискует, тот не пьет шампанского.

* * *

Своему другу из прокуратуры он ничего не сказал. Теперь он жалел о том, что вообще делился с ним своими опасениями. С другой стороны, Некрасов получил от него много полезной информации. Теперь пришлось делать вид, что его тревоги носили ложный характер. В пятницу перед очередной партией в преферанс Некрасов похвастался новыми погонами. Друзья его поздравили и произнесли тост за именинника.

Теперь его интересовал Леня Хавенский — хозяин дачи, где они собирались.

Привычный шашлык из осетрины и красное сухое вино были небольшой разминкой перед тем, как взять колоду карт в руки.

— Ленечка, у меня к тебе есть вопрос. Довольно банальный. Мой тряпичный бизнес разрастается не по дням, а по часам. Мне нужно хорошее, надежное помещение в аренду в сто квадратных метров на длительный срок. Что можешь предложить?

— Где? Если в центре Москвы, то останешься без штанов. Предлагаю ближайшее Подмосковье.

— Как далеко?

Хавенский подумал и сказал:

— Усадьба князей Мамоновых.

— Слишком помпезно.

— Тебе же не предлагают саму усадьбу. Конюшня. Ее отреставрировали, а на усадьбу денег нет. И никогда не будет. На культуру деньги выделяются по остаточному принципу. А какие могут быть остатки в сегодняшнем бюджете, если на жратву денег не хватает? Памятник архитектуры, охраняется государством. Стоит на балансе Министерства культуры. А им очень нужны деньги. Они готовы заложить всю усадьбу за гроши. Но никому развалина не нужна.

— Нужна земля.

— Нет, Гена. Земля принадлежит району, а не министерству. Район не может снести усадьбу, а министерство забрать землю. Вот почему никто из инвесторов не хочет вкладывать деньги в реставрацию. Рядом расположено бывшее стрельбище вашего ведомства. Вот там земля принадлежит Министерству обороны. Стрельбище заброшено с советских времен. Воинских частей поблизости нет. Жалкое зрелище. Район готов выкупить землю и построить там жилье. Но военные заломили такую цену, что любое жилье на этой земле станет золотым. Ни себе, ни людям, как собака на сене. Министерство обороны — единственная организация, на которую нет управы. Каждый клочок земли для них — военный объект. И таких заброшенных объектов море. Разрушенные казармы, ржавеющая техника, трава и бурьян по грудь. А ведь к ним подведены все коммуникации. Можно только мечтать о коттедже с горячей водой, газом, электричеством и канализацией. Пока нет хозяина на земле, бардак никогда не кончится.

— Хороший подъезд к этой конюшне?

— Высший уровень. Тебе я дерьма не предложу.

— А охрана?

— Территория усадьбы обнесена бетонным забором. Вокруг лес, река и две деревеньки поблизости. Можешь нанять сторожа из местных, но вряд ли он тебе понадобится.

— Сколько времени уйдет на оформление договора?

— В понедельник договорюсь, во вторник заселяйся.

— Меня это устраивает.

— Так, ребята, все сюда. Шашлык готов!

* * *

Старый кореш Некрасова полковник Миронов служил с ним в Афганистане. Черпали перловку с тушенкой из одной лоханки. Так получилось, что из боевых друзей Некрасов виделся только с Мироновым. Их связывала работа. О тех, кто ушел из армии, они вспоминали только за столом после двух стаканов водки.

Приезд Некрасова в часть Миронова, расположенную в подмосковной Кубинке, оказался для того сюрпризом.

Пришлось Миронову вытянуться в струну и доложить генерал-лейтенанту обстановку.

— Вольно, полковник. Расслабься.

— Черт! Не удивлюсь, Гена, если через месяц ты приедешь сюда маршалом.

— Ничто не вечно на этой земле, Гриша. О делах потом. А сейчас собирайся, пойдем к тебе. Никто не умеет делать сибирские пельмени лучше полковника Миронова.

В доме их встретила дочка Миронова Даша. Девочке стукнуло четырнадцать. Когда она родилась, Геннадий Ильич стал ее крестным, но всегда называл ее не Дашей, а Капитанской дочкой. Все правильно: папочка новорожденной ходил еще в капитанах, и фамилия совпадала с пушкинской героиней.

— Здравствуй, крестный.

Он обнял девочку и расцеловал ее.

— Невеста! Смотри, Григорий, как время летит. А какая красавица! Только не выходи замуж за военного. Всю жизнь себе загубишь.

— Я не собираюсь замуж. У мальчишек одни глупости на уме. А я мечтаю стать врачом, как мама. В медицинском учатся пять лет. Остальное подождет.

— Правильно мыслишь, капитанская дочка. А где же мама?

— В госпитале на дежурстве.

— Жаль, не увидимся. Ну а ты поможешь нам лепить пельмени?

— Конечно, помогу. Но когда вы сядете за стол пить водку, я уйду в кино. Сегодня в клубе хороший фильм.

— Там же солдат полно.

— Они знают, чья я дочь. При мне даже матом не ругаются и в зале не курят. Правда, я никого еще не закладывала, но все равно боятся.

Ближе к вечеру пельмени были съедены, а водка еще оставалась.

— По какому делу приехал, Гена? Или моя часть вызвала недовольство начальства?

— У тебя все хорошо, Гриша. Есть приказ вывезти из округов все единицы серии 1734 А.

— Хотите Москву взорвать?

— Я не в курсе. Это блажь верховного. Даже не знаю, куда свозить будут. У тебя шесть единиц. Подготовь к транспортировке. Вывозить будут по-тихому, без помпезности и сопровождения.

— Такой груз без сопровождения? Рехнулись. Тут рота охраны нужна с пулеметами. У меня есть транспорт.

— Два «газона» с гражданскими номерами и все. Как ты можешь воспользоваться своим транспортом, если тебе не положено знать, куда он последует. Маркировки на ящиках закрасишь и обобьешь обычной фанерой. Набей краской по трафарету только одну фразу: «Осторожно, стекло! Не кантовать!» Это все.

— А если...

— Никаких «если», Гриша. Мы солдаты и должны выполнять приказ.

— Где он?

Некрасов отдал полковнику документ.

— Оставь у себя. Подколешь к документации. Когда придут машины, я не знаю. Этого никто не знает. Я позвоню тебе и предупрежу за час или два, но не раньше. Все должно быть готово. Приказ у тебя на руках. Экспедитор привезет приходный ордер. Все остальное нас не касается.

— Не собираются ли они продать чемоданчики с хлопушками?

— Придет же такое в голову. Сам-то понял, что сказал, Гриша?

— Не нравится мне эта затея. Ой, не нравится.

— Хочешь, я покажу тебе отчет особистов? Тринадцать уголовных дел только по московскому округу. Хищение боевого оружия переходит все мыслимые границы. Ты хочешь, чтобы ядерную бомбу на рынок выкинули? Сначала такую малышку, а потом баллистические ракеты в ход пойдут.

— Ракета никому не нужна. А чемодан через обычный аэропорт вывезти можно. Даже рентген ни о чем не скажет. Схема не просвечивается. Стоят защитные экраны. Знаю, о чем говорю. Проходил стажировку на случай сверхобстоятельств. Там даже ключа не нужно. Дурак, конечно, ничего не поймет, но в министерстве дураков нет. В таких вещах разбираются. Другое дело совесть. С ней у нас проблемы.

— Ты что разбушевался, Гриша? Речь идет о безопасности. Согласен, кто-то хочет перестраховаться, но речь идет о передислокации и ни о чем другом. А то, что операция проводится без помпезности, так я считаю это правильным решением. Список объектов, где хранятся чемоданы, доступен слишком большому количеству людей. Многие уже не у дел, и неизвестно, чем они занимаются. Враг давно осведомлен о каждом патроне, находящемся в арсенале. Пора им смешать карты. И делать это надо без лишнего шума.

— Может, ты и прав, конечно, но мои сомнения ты не развеял.

— Хватит о сомнениях. Разливай, уезжать скоро. Мне-то ты еще доверяешь?

— Кому же, как не тебе.

— Я держу руку на пульсе. Давай выпьем за Дашку. Классная девчонка растет. Завидую тебе.

— Мог бы и своих иметь десяток. Седина уже на висках пробивается.

— А может, у меня их и больше. Только я об этом ничего не знаю.

— Как ты был шалопаем и бабником, так им и остался, товарищ генерал-лейтенант.

— Ничего. Скоро генеральшей обзаведусь. Есть подходящая кандидатура. Тебе может и не понравится, а я исхожу из сравнения и опыта. Будем!

* * *

Встреча проходила в дружественной обстановке. По-другому и быть не могло. Некрасов ничего не понимал в гольфе и лишь ходил рядом с академиком, наблюдая за процессом.

— Не хотите попробовать, Геннадий Ильич?

— Спасибо, Борис Маркович, но мой удел — карты.

— Вы их причисляете к спорту?

— Азарт не меньший, чем в хоккее. Пробежки по утрам — вот и весь спорт. На другие виды не хватает времени.

— Как вы чувствуете себя в новых погонах?

— Прекрасно. Без вас здесь тоже не обошлось?

— Не преувеличивайте возможности моей скромной персоны.

Вассерман нацелился в шарик, угодил точно в лунку. Играть зимой на зеленом поле под навесом, где поддерживалась летняя температура, может себе позволить не каждый. Некрасова привезли сюда на машине, и он не знал точно, где находится. Закрытый пансионат или что-то в этом роде, но других отдыхающих он не видел, хотя в обслуживающем персонале и охране недостатка не было.

— Сколько единиц вы вывезли из арсенала?

— Согласно приказу — все.

Академик остановился и с удивлением глянул на молодого генерала.

— Все?

— Себе я оставил лишь часть. Остальные отправлены на центральный склад. Нам так много не нужно. Есть командиры с дотошными характерами. Могут перепроверить движение объектов. Вряд ли у них что-то получится из этого, но шума они понаделать могут. Вот те единицы, что изъяты у них, и отправились на центральную базу.

— Составьте мне список неблагонадежных офицеров.

— Их пятеро. Можно запомнить.

— Хорошо. Продиктуете позже. Куда вы вывезли ящики?

— У меня есть очень надежное место.

— О котором мне ничего не стоит знать?

— А зачем? Я в деле. У каждого из нас свои задачи. Я отрабатываю свой узел и отвечаю за него.

— Боитесь остаться на обочине?

— А как вы думаете? Передай я вам весь груз, во мне перестанут нуждаться. Погибать от неосторожного обращения с оружием мне еще рано.

Вассерман улыбнулся и похлопал Некрасова по плечу.

— В вашей надежности я не сомневался. Вы нам нужны, Геннадий Ильич. Умных профессионалов с деловой хваткой найти непросто. Такими людьми не пренебрегают, их ценят. Вы человек грамотный, сами должны понимать такие вещи.

— Да, но я очень рискую. При желании можно обнаружить концы и пройти по всей цепочке.

— И об этом мы подумали. Приказ отдавал ваш шеф, а не вы. Он принадлежит к старой гвардии и не служил в отличие от вас, в Афганистане. Новый министр обороны занимает не свое место. Он окружил себя профессионалами из афганцев. Чего стоит его заявление о том, что он разобьет Дудаева одним полком десантников. Дудаев вернул меньше половины вооружений из арсеналов, расположенных в Чечне. И с этим приходится мириться. Козлом отпущения станет ваш шеф. Его уволят в запас в ближайшие дни. А потом он тихо умрет на домашней койке. Ситуация раскалилась до предела. Политики амбициозны и самонадеянны. Ввод войск в Чечню неизбежен. Полком им не обойтись. К войне на чужой территории мы не готовы. А это война. Долговременная и кровопролитная. Все внутренние проблемы останутся в стороне. В ближайшие пару лет о «ящиках Пандоры» никто не вспомнит. Вы уйдете в отставку через пару месяцев, и следы остынут.

— В отставку?

— Конечно. Василиса открывает фирму. Деньги на это уже выделены. Погасите долг за год или быстрее. Будете поставлять в Ирак насосы. Пока водяные, потом нефтяные и прочую тяжелую технику. С ней нетрудно переправлять и другие агрегаты. Фирму возглавите вы. Василиса будет представителем фирмы на западе и Ближнем Востоке. Другими словами, нашим связным и финансовым директором. Она умеет обращаться с деньгами.

— Вы выбрали Ирак? Почему?

— Тут все просто. Мы с ними дружим. Американцы их ненавидят. Придет время, когда мы должны будем подвести черту под нашей деятельностью. Тогда и натравим американцев на Ирак, а сами перебазируемся в Иран. По соседству. Что называется, начнем новый заход. С другой политикой, разумеется. К тому времени афера с красной ртутью превратится уже в миф. Потребуются новые идеи и замыслы. Но говорить об этом еще рано. Слишком дальний прицел. Но уже сейчас Иран должен знать о существовании нашей коалиции, способной создавать оружие массового уничтожения. Они должны рассчитывать на нас, тогда мы придем не на пустое место. Нас должны встретить достойно, под звуки фанфар.

— Глобальные замыслы.

— Сегодня по-другому мыслить нельзя, — он глянул на часы. — О, нам пора обедать. Стол уже накрыт, и Василиса нас заждалась.

— Она здесь?

Академик издал странный смешок.

— Удивительно. Вы не знаете, где находится ваша невеста?

— Мы еще не объявляли о помолвке.

— Из вас получится прекрасная пара, Геннадий Ильич. Лучшего жениха я для нее не пожелаю. Василиса мне как дочь. Ее отец был моим большим другом. К сожалению, рано от нас ушел. Лишнее подтверждение того, что вы не останетесь на обочине. К тому же девушка в вас влюблена. Это видно невооруженным глазом.

— Взаимно.

— Надеюсь. Пора бы обзавестись семьей. Вам скоро сорок.

— Да, жизнь скоротечна.

— Чего же мне тогда говорить? А у нас столько дел впереди. Надо себя беречь. В обиду мы вас не дадим.

— Кто это «мы»?

— Трезвые умные люди, знающие, что надо делать и когда. Те, кто не допускает ошибок и промахов. Те, кто держит руку на пульсе времени и предвидит события. Все должно делаться вовремя. В нужный день, час и минуту. Такие расчеты избавляют от лишних ошибок. Скоро и вы научитесь работать на опережение и правильно оценивать ситуацию. Но еще важнее, не дать понять противнику о вашей готовности отразить любой удар в любой момент и выиграть бой. Странно, что об этом говорит сугубо штатский человек боевому генералу.

Все нужное и важное Некрасов впитывал в себя подобно губке. Легкие философские нравоучения Вассермана потом не раз пригодились ему в жизни.

9

Так оно и случилось. Пророчество себя оправдало. Шеф Некрасова был отправлен в отставку, и Некрасов сел в его кресло. Временно, разумеется. На такие посты сажают только своих, а Некрасов не входил ни в одну коалицию, предпочитая оставаться сторонним наблюдателем. Он не верил в лотерею. Кто-то не соблюдал правил игры, и в трубу вылетал

весь состав группировки. Угодить всем невозможно. К тому
же Некрасов не делал больше ставок на военную карьеру. Его
ждало другое будущее, и он отсиживал последние часы в здании Министерства обороны.

В Чечне начались боевые действия. И здесь Вассерман не
ошибся в своих прогнозах. Мобилизация боевых офицеров
для переправки в очередную горячую точку проходила вяло.

В кабинет Некрасова зашел генерал Полевой из управления по кадрам.

— Отниму у тебя пару минут, Геннадий Ильич, вот разна-
рядка на твое управление. Тридцать офицеров мы у тебя за-
бираем. Вот список. Можешь вычеркнуть треть из нужных
тебе людей и заменить их другими достойными ребятами, количество должно остаться неизменным.

— Давай список.

Два листа с фамилиями, номерами частей и званиями.
Среди кандидатов на бойню были и те пятеро, которых Некрасов считал неблагонадежными и назвал их имена Вассерману. Они не могли попасть в реестр по случайности, тем более что двое из них никогда не принимали участия в боевых
действиях. На войне от них нет пользы. Среди них была и фамилия полковника Гриши Миронова. Некрасов задумался.
Старый друг, проверенный в боях, вместе прошли сквозь
огонь, воду и медные трубы. Его дочь Дашка обожает отца.
Капитанская дочка.

Некрасов взялся за красный карандаш, но так ни одной
фамилии и не вычеркнул, оставив в верхнем левом углу резо-
люцию: «Утверждаю», — и поставил свою подпись.

Возвращая список, он спросил:

— Есть приказ или на добровольной основе?

— Ты же знаешь нашу добровольную основу. Спишут за
несоответствие и лишат пенсии. На прощание пару звезд с
погон скинут. Отказников не будет.

— Каковы потери, Илья Василич?

— Страшно сказать. Не спрашивай. Министр в бешенстве. Нашими вливаниями ситуацию не спасешь. Туда надо три армии направить, а не цедить кисель через марлю.

— И в чем загвоздка?

— Внутренний конфликт. Ограниченный контингент. Тебе это выражение знакомо. Разоружение бандформирований не требует глобальной мобилизации.

— Список твой — полная туфта. При таких условиях нужен костяк профессионалов, а не лопухов.

— Где их взять? Одни профессионалы уже проиграли афганскую кампанию. Нынешний состав сформирован из салаг. Все, чему их учили, так это дачи строить генералам. Кирпичи таскать они умеют.

Некрасов ничего не ответил. Он отправлял своих людей на верную смерть и отлично понимал это. Мог спасти жизнь десятку из них, но взамен погубить других. Численность состава оставалась неизменной. И его предупредили об этом.

Жаль Капитанскую дочку. Но о ней он сам позаботится. Завидовал Некрасов полковнику Миронову. Редкое для него чувство, обычно все завидовали ему.

Настроение было испорчено. К вечеру он окончательно сник. Воспользовавшись выданными ему ключами, он без предупреждения приехал к Василисе с букетом полевых цветов и бутылкой коньяка. Хотел сделать сюрприз, но сюрприз поджидал его.

Дверь спальни была приоткрытой. Василиса лежала в ней не одна. В такое трудно поверить. Женщины никогда не изменяли ему. Или он чего-то не понимал. Излишняя самоуверенность ни к чему хорошему не приводит.

Его невеста занималась любовью с женщиной. Генерал потерял дар речи. Нет, скандала он не устроил. Просто тихо ушел и остался незамеченным. Цветы выбросил в урну, а

коньяк выпил один у себя дома, тупо глядя в окно. Полно-
луние — плохое время.

10

Похоронки приходили одна за другой. Следом шел груз
«200», пышные похороны, троекратные залпы и слезы вдов и
детей. На многие ритуалы генералу Некрасову приходилось
ездить как представителю командования, читать прощальные
слова без бумажки. Стандартный текст он знал уже наизусть.
Сколько можно повторяться.

Хоронили одного из злосчастного списка, подписанного
им месяц назад. Полковнику Райкову не исполнилось и тридцати пяти. Перспективный был парень, головастый, а главное, образованный. Он входил в ту самую пятерку неблагонадежных, переданных академику как представляющих опреде-
ленную опасность в случае расследования пропажи единиц
вооружения с индексом 1734 А.

Из пятерых погибли уже трое. Гришу Миронова Бог пока
миловал. Сказывался афганский опыт. Авось пронесет, во что
трудно поверить. Похоже, в Чечне ребята завязли надолго.
На мировую амбициозные политиканы не пойдут, полумеры
ни к чему не приводят. Идет истребление нации, гибнут жел-
торотые птенцы, а с ними достойные офицеры, неспособные в
одиночку сопротивляться напористому, хитрому врагу, веду-
щему диверсионную войну.

— Вы пойдете на поминки, генерал?

Некрасов обернулся. Перед ним стоял солидный мужчина
лет пятидесяти пяти. Судя по выправке, бывший военный.

Некрасов не ходил на поминки. Он приезжал только на
кладбище и после стандартных соболезнований сразу уезжал.
При его занятости на мелочи не хватало времени.

— Вдова вас об этом просит.

Генерал глянул в толпу. Женщина в черном поразила его своей красотой. Не женщина — девушка. Ей не более двадцати шести лет. Удивительные черты лица, потрясающая фигура, рост, глаза. Горе ее не испортило, а черный цвет был к лицу. Для такой можно сделать исключение.

— Да, конечно. Я не могу отказывать родственникам в такие минуты. А вы, позвольте спросить, кем доводитесь покойному?

— Отец. Генерал-полковник в отставке Райков.

— Извините, сразу не сообразил. Вы ведь работали с маршалом Вахрамеевым?

— Все, с кем я работал, давно умерли. По разным причинам. Кто-то своей смертью, кто-то при невыясненных обстоятельствах. Не мне вам рассказывать.

— Да, я все помню.

— Идемте, я познакомлю вас с невесткой.

Они подошли к вдове. Следов слез в ее глазах не было, девушка держалась мужественно.

— Раиса Райская, — представилась девушка.

— Разве не Райкова?

— Райская лучше звучит. Псевдоним. Я актриса.

— Понимаю. Смотрю, лицо знакомое.

— Нет. В кино я не снимаюсь. Театральная актриса. Мы виделись с вами на приеме, устроенном в старой усадьбе. Возможно, вы мельком меня заметили, но там была дама, затмившая меня. И вы не отводили от нее глаз.

Некрасов знал, о каком приеме шла речь. Туда допускались только избранные, и жена командира военной части не могла попасть на столь высокую ступень иерархической лестницы без особых полномочий. Что-то здесь не так.

Он глянул на отставного генерала другим взглядом и нашел то, что искал. Золотой зажим на галстуке, инкрустированный россыпью алмазов и небольшой пуговкой, в которой красовался масонский знак: циркуль, перевернутый треугольник и буква «G».

— Почему же, я вас вспомнил. Но на вечере вы были не с мужем, а с вашим тестем.

— Вы правы, генерал, — согласился строгий отставник.

— Пора направляться к выходу. Нас ждет машина. Остальные поедут на автобусе.

Они приехали на дачу. Или их машина оторвалась от похоронной процессии, или поминки проходили в другом месте. Во всяком случае, накрытых столов Некрасов здесь не увидел и их никто не встречал. Его служебный автомобиль шел следом, но в какой-то момент отстал и заблудился. Некрасов ничего не боялся, его мучило любопытство и не терпелось понять, чего от него хотят. В любом случае он должен знать всех своих союзников и противников.

В просторном кабинете с антикварной мебелью и опущенными шторами было уютно. Горел камин. Значит, в доме кто-то есть.

Райков-старший предложил тост в память погибшего. Выпили, не чокаясь, стоя, потом устроились в креслах вокруг низкого круглого стола из карельской березы.

— Вы пришли на место убитого генерала Забелина, так?

— Я ничего не знаю о его убийстве. У меня другая информация.

— Это не столь важно. Забелина пытались завербовать. Существует очень мощный клан, в состав которого входят высокопоставленные чиновники как в российских кругах, так и за рубежом. Забелин отказался от сотрудничества с ними, и его убрали. До Забелина из жизни ушли еще несколько человек. Но он знал о готовящемся на него покушении и оставил подробные записи переговоров. Они находятся в надежных местах. Серьезный разоблачительный материал, подкрепленный доказательной базой. С вами им удалось договориться.

По этой причине вы заняли место несговорчивого Забелина. Поздравляю. Вы очень оперативно сработали. Все единицы вооружения с индексом 1734 А вывезены из точек дислокации. Напрямую вас обвинить не в чем. Приказ подписан заместителем министра обороны по вооружению. Сейчас он в отставке. Неосмотрительно. Человек вышел из-под контроля. Пенсионер. Он переправлен в надежное укрытие. В ближайшее время ему ничего не грозит. К нему не придет медсестра и не сделает роковой укол, после которого он умрет от сердечной недостаточности. Важного свидетеля вы упустили. Что касается полковника Райкова, то он и его коллеги написали докладные записки перед отправкой в Чечню, где подробно описали ваш визит в их части и оставленные вами инструкции по транспортировке груза из подведомственных вам частей в неизвестном направлении без должной маркировки и сопровождения, положенного в таких случаях. Количество вывезенных вами единиц указано в ордерах. Остается узнать, соответствует ли это количеству, прибывшему на центральную базу. Если нет, то вам грозит расстрел. В лучшем случае вас направят на передовую командовать ротой штрафников.

— Кого вы представляете, господин бывший генерал-полковник? Пенсионный фонд несуществующей армии? Ведь я вас не боюсь. Никого из бывших я не боюсь. Я соблюдаю устав и выполняю приказы. Контролировать мои действия может только министр обороны и верховный главнокомандующий, наш президент, других авторитетов для меня нет. Чего вы хотите? Отомстить мне за сына? Я его в Чечню не направлял. Списки составляло управление по кадрам. Вероятнее всего, методом тыка, если судить по цинковым гробам, доставляющимся на родину ежедневно.

— Мы не собираемся вам мстить. Вы пешка. Наша задача — не допустить вывоза ядерного оружия из страны. Это эхом отзовется в наших ушах. Мусульмане — склочный народ.

— Это вы чеченцев называете мусульманами? Их само-провозглашенный президент не знает, что такое намаз. Гро-зится два раза в день молиться Аллаху вместо положенных пяти. Ишь, какой богобоязненный. Арабы их не принимают всерьез и не будут портить с нами отношения из-за кучки бандитов.

— Вы их явно недооцениваете.

— Возможно. Поступайте так, как считаете нужным. Ме-ня ваши угрозы не беспокоят. На свою сторону вы меня не пе-ретянете. К тому же у вас нет конкретных предложений. Воз-можен другой поворот. Я вас перетяну на свою сторону, если поверю в вашу силу. Мне такие люди пригодятся. Особенно ваша невестка. Преклоняюсь перед вашей красотой, госпожа Райская. В любую минуту к вашим услугам. Только вытрях-ните камни из-за пазухи и приходите с добрыми намерения-ми. Мы с вами быстрее найдем общий язык, чем со старо-режимными генералами, привыкшими разговаривать с позиции силы, которую они давно растеряли на партийных сходках. Честь имею, господа. Мы еще встретимся. Надеюсь. Мои соболезнования.

Некрасов встал и вышел.

Его машина стояла у ворот. Он так и не встретил никого на пути. Калитка открылась автоматически.

Возвращаясь в Москву, он думал о допущенных ошибках и не нашел их. На центральную базу отправлены все ящики с маркировкой. Вскрывать их не станут. Без особой комиссии из специалистов этого делать никто не будет. А то, что поло-вина ящиков загружена камуфляжем из камней, узнают еще нескоро. Это оружие не испытывается много лет. Все ярлыки с сертификатами на месте, груз опломбирован. Можно пере-считать количество по пальцам. Этим все и закончится. Нет. Никакой опасности он не видел. Сейчас о ракетах забыли и о внешней угрозе не думают. Американцы шлют нам гуманитарную помощь и консультируют горе-экономистов. А тут еще новое бельмо на глазу — Чечня, да и жрать нечего. Нет, Вассерман все четко рассчитал.

О псевдопатриотах можно и не докладывать академику. Если за генералом и его красавицей-невесткой кто-то стоит, то их надо использовать в своих целях. Он один, а одному с Вассерманом и Василисой ему не справиться. Настанет время, когда им придется помериться силой. Некрасов не собирался отдать всю свою жизнь одному делу — сумасшедшей афере мирового масштаба. Важно вовремя остановиться.

Некрасов снял телефонную трубку в машине.

— Дайте мне особый отдел... Соберите всю информацию о полковнике Райкове. Сегодня его похоронили. Возможно, я представлю его к награде посмертно. Подробное досье отдайте моему адъютанту. Заранее благодарен.

Некрасов остался собой доволен.

* * *

С досье Некрасов ознакомился очень внимательно, и тем не менее пришлось вызвать офицера из особого отдела для пояснений. Полковник оказался человеком осведомленным и не зря занимал свое кресло.

— Объясните мне, непонятливому, товарищ Капитонов, некоторые детали. В частности, здесь сказано, будто отец полковника Райкова, генерал Райков, погиб при пожаре на катере в тысяча девятьсот восемьдесят восьмом году. Насколько достоверна эта информация?

— Она абсолютно достоверна, товарищ генерал.

— Из отчета ничего не понятно. Информация очень расплывчата. На ней лежал гриф секретности?

— Да. Но его сняли после того, как маршал Язов принял участие в ГКЧП и был арестован и уволен из вооруженных сил.

— Присаживайтесь, полковник, и не заставляйте меня тянуть жилы из вас. Меня интересуют подробности.

— А нет никаких подробностей. Четыре генерала, среди которых находился генерал-полковник Райков, выехали на рыбалку в районе озера Сенеж, воспользовавшись военным катером. Их сопровождал глиссер с охраной из шести офицеров. Рыбалки не получилось. Скорее пикник на воде. Кроме генералов на борту катера присутствовал только рулевой. На корме накрыли стол и пили водку. Что-то готовили на газовой плите. Ее и баллон погрузили на судно вопреки всем инструкциям. Ночью произошел взрыв. По заключению комиссии взорвался газовый баллон, а от него и бак с топливом. От катера ничего не осталось. Двое суток из воды вылавливали останки. Отдельные части тел. Погибли все. Глиссер с охраной, стоящий на якоре в сотне метров от взрыва, уцелел. Они и стали свидетелями событий. Дело было закрыто и засекречено. Смерть по неосторожности. Генералитету такое не прощают. Останки сожгли, родственникам выдали урны с прахом для захоронения.

— Бездарная смерть. Если мне память не изменяет, то в те «плодородные» годы генералы, как спелые яблоки, опадали с деревьев в могилы.

— Да. Годы были тревожными. Мы потеряли очень много кадровых военных высокого уровня, погибших в результате несчастных случаев на бытовой почве. Речь идет об элементарной неосторожности.

— Среди родственников полковника Райкова есть еще один генерал. Его дядя. Родной брат генерала, погибшего в восемьдесят восьмом году. О нем нет никакой информации.

— Он служит в международном управлении. Военный дипломат. Сейчас представляет наши интересы в Ираке в качестве военного атташе.

— Слишком высокое звание для военного атташе.

— Это страна, представляющая для нас стратегические интересы, закупающая у нас много видов оружия. Там нужны специалисты высокого класса и очень большой состав консультантов и экспертов. Но все детали вы можете узнать в собственном управлении.

— Я лишь неделю сижу в этом кресле. Временно исполняющий обязанности. Моя работа — инспектировать Российскую Федерацию, а это кресло займет более компетентный специалист. Скажите, Капитонов, осталась ли у погибшего полковника Райкова вдова? Тут ничего не сказано о детях.

— В деле есть небольшая справка. Вы не обратили на нее внимания. Жена Райкова умерла три года назад. Я думаю, по этой причине его и отправили в горячую точку. Семейных офицеров с детьми стараются не включать в списки. Бывают исключения, но в определенных случаях, если речь идет о специалистах нужного профиля.

— Я знаком со списками. Генерал-полковник Райков, погибший при взрыве, занимался вооружением?

— Да. Он занимал этот кабинет при маршале Язове. Считался лучшим специалистом в управлении. Его очень высоко ценили.

— И такой специалист погиб по глупой случайности, его сын погиб в бою, и род Райковых исчез с лица земли. Кому же мы вручим посмертную награду? Теряем лучших людей. А кто же будет Родину защищать? Ладно. Спасибо за помощь, полковник, вы свободны.

После ухода особиста Некрасов направился в архив и нашел фотографию генерал-полковника Ивана Дмитриевича Райкова. Теперь он не сомневался в том, что на кладбище и даче разговаривал именно с этим человеком. Чьи же останки вылавливали из озера? Почему генералы скрылись, решив стереть свои имена из списка живых. Есть ли прямая связь между академиком Вассерманом и генералом Райковым? На одной они стороне или соперничают между собой? Кто такая красавица Раиса Райская, если не вдова погибшего в Чечне полковника? Актриса — это не ответ. Какую роль может играть молоденькая красотка в сложной политической игре? И не так ли хочет уйти из жизни академик Вассерман? Остаться в живых и быть похороненным. Насмотрелся примеров и решил уйти тем же способом. А если все они одна компания? С помощью военного атташе можно перевозить любой груз без досмотра. Некрасов до сих пор с трудом представлял, как можно перевезти ядерную бомбу, пусть даже ее мини-образец, на другой конец света. Если существуют разногласия между двумя противоборствующими группировками, то при решении глобальных задач они согласятся на компромиссы и пойдут навстречу друг другу ради общего дела. Вопрос с дележкой пирога решат потом, когда выполнят глобальные задачи.

Некрасов решил не рассказывать Вассерману о встрече с покойным генералом Райковым и их странном разговоре. Время само расставит все по своим местам, надо лишь запастись терпением и продолжать работать в заданном направлении.

В ближайшие планы входила его предстоящая свадьба. Дожил до сорока лет, старый развратник, и кончит тем, что женится на лесбиянке.

Некрасов засмеялся, чем поставил в неудобное положение вошедшего в кабинет адъютанта.

11

Отдельный особняк с райским садом и высоченным забором. Кругом вооруженная охрана. После московских холодов переместиться в тридцатиградусную жару — не самое лучшее, что может ожидать уже немолодого человека.

Тенистый сад с фонтанами в некоторой степени спасал положение, однако ветер из пустыни нес песок с раскаленным воздухом, и это очень раздражало. Пристанище временное, вскоре положение должно улучшиться, но пока придется потерпеть.

Академик Вассерман прогуливался по тенистым аллеям, держа руки за спиной, а его секретарь с папкой в руках докладывал обстановку, зачитывая сводки новостей, читая расшифровки последних донесений.

— Ваши похороны состоялись вчера, Борис Маркович, на Ваганьковском кладбище в колумбарии.

— Мерзавцы! Место на Новодевичьем не выделили. К тому же сожгли. Мы им нужны только живыми.

— При автокатастрофе труп сильно обгорел. Крематорий — лучший вариант. Если возникнут проблемы, им негде получить ткань для анализов ДНК.

— Черт с ними. Меня похоронят в Иерусалиме на земле обетованной. Но я подожду умирать. Лет на пятнадцать, а то и двадцать меня еще хватит. Как прошли похороны?

— Тихо, без помпы. Людей, которых вы вычеркнули из списка, не приглашали. В основном присутствовали ученые. Приехали представители академгородка из Новосибирска. Военные чины. В основном из отставных. Пленку с видеозаписью похорон ждем со дня на день.

— Как моя дочь?

— Десятого числа вышла замуж за Некрасова. Со стороны Василисы присутствовали пять человек, со стороны жениха — девять. Старые друзья, все холостяки. Скромный банкет в ресторане «Украина». Он переехал жить к ней. Так, как вы и хотели. Удачный альянс.

— На этого парня я возлагаю большие надежды.

— С его-то слабостями? Его погубят женщины. Он слишком влюбчив и доверяет женщинам больше, чем мужчинам.

— Пустое. Василиса приберет его к рукам. Во всяком случае, он будет под контролем. Она изучила все его слабости, но его сильные стороны склонили чашу весов в пользу его кандидатуры. Это ее выбор, а чутье моей дочери не дает сбоев. К сожалению, удобный момент для операции подвернулся раньше, чем мы предполагали, и мы не успели подготовиться более обстоятельно. Некрасов в какой-то степени спас положение. Его оперативность достойна похвал. Что еще?

— Американцы и англичане уже опубликовали статьи о вашей безвременной кончине. Очень много высокопарных фраз, но отзывы самые лестные.

— С одной стороны, это хорошо. В глазах наших здешних партнеров мой авторитет вырастет еще больше. С другой стороны — моя персона слишком популярна в западном мире, и очень трудно оставаться в тени. Я с уважением отношусь к разведкам США, Великобритании и Израиля. Как бы Хусейн ни убеждал нас в отсутствии разветвленных сетей Моссада, Ми-6 и ЦРУ на территории Ирака, я остаюсь при своем мнении.

— Базы, предоставленные в наше распоряжение, недоступны.

— Не забывайте о спутниках. Их больше, чем глаз у агентов. Нужно создать организацию, способную перевербовать агентуру, а не уничтожать ее. К сожалению, наших глаз в странах запада намного меньше, чем хотелось бы.

— Работа в этом направлении уже ведется. Наши люди создают подразделения собственной безопасности. Филиалы братства вышли на прямые переговоры с английскими коллегами. Речь идет об операции по глобальной дезинформации арабов в области ядерных технологий. Они должны понять, что мы преследуем одну цель: затормозить развитие собственных технологий в арабском мире, и это находит понимание среди прогрессивных дальновидных политиков.

— Не будьте с ними слишком откровенны. Утечка будет стоить нам жизни.

— Ту же политику мы ведем на этой стороне, внушая партнерам, будто снабжаем дезинформацией запад и тем самым усыпляем их бдительность. Первые же испытания 1734 А убедят арабов в нашей преданности.

— Не оказаться бы меж двух огней. Тогда от нашей затеи и пепла не останется. Все спланировано правильно и безукоризненно. Но как говаривал один известный киногерой: «Восток — дело тонкое». И не забывайте про Израиль. Они занимают самую сильную позицию.

— Не уверен, Борис Маркович. Ирак их интересует в меньшей степени, чем, скажем, Палестина, Ливан или Сирия. У них своих забот полон рот.

— Хорошо. Обсудим детали и подробности на большом совете.

Они продолжали гулять по аллеям и тихо обсуждать насущные проблемы и глобальные планы, способные сотрясти мир. Через десять лет мир дрогнул.

ГЛАВА II

Десять лет спустя

1

«Американцы бомбят Ирак!», «Иран создал атомную бомбу!», «Оружия массового уничтожения в Ираке нет и быть не может!», «Ошибка спецслужб США стоит жизни целому народу!»

Пожилой мужчина, сидящий у камина, отбросил в сторону груду газет и раскурил трубку.

— Такого результата добивался Вассерман?

Он глянул на сидящего в соседнем кресле Некрасова.

— Я ему не верил, уважаемый Иван Дмитриевич. Один человек не в силах развязать войну. Вассерман один из идеологов мощной организации, чья политика мне непонятна. Деньги — вещь нужная, но в его возрасте и положении они не могут иметь решающего значения. Деньги идут в закрытый фонд. Академик давно живет при коммунизме. Ему не на что тратиться. Вы же понимаете, речь идет о десятках миллиардов долларов, если не о сотнях. Исхожу из собственной доли. А мы здесь лишь винтики от колоссальной машины.

— Как вам удалось продержаться на плаву столько лет?

Хозяин дома разлил коньяк в рюмки.

— Вашими молитвами. Это вы мне подсказали идею разделения аппарата на две составляющие. Хранить «ящики Пандоры» в сарае невозможно. Как временное пристанище склад меня устраивал. В соответствии с вашей схемой мне удалось извлечь цилиндры с начинкой из механической оболочки. Когда подвернулся удобный случай, я переправил чемодан в Ирак. Вассерман их получил. В этот момент стало понятно, что я ему больше не нужен. Но он ничего не предпринял в отношении меня. Похоже, академик рассчитывал на меня в будущем. По сути дела, в России у него мало толковых ребят, которым можно доверять. Ведь он, как и вы, давно похоронен. Об этом знает весь мир. О том, что он жив — единицы. Расширять круг осведомленных лиц нет необходимости. Машина, запущенная в Москве, работает без сбоев. Все винтики стоят на своих местах. Когда я понял, что мне ничего не грозит, я переправил Вассерману первый цилиндр для испытаний. Он оценил мой ход.

— И пожалел о своем выборе. Ему бы кого попроще, а вы оказались крепким орешком.

— Зато надежным. Я ему нужен здесь. На Западе я бесполезен. Я же вижу создавшуюся обстановку. Долго в России мы не продержимся. Ходим по лезвию бритвы.

— Есть угроза?

— Помните статью о поимке курьера на границе Белоруссии и Польши? В багажнике его машины найден «ящик Пандоры».

Генерал сделал пару глотков коньяка и, глядя на огонь в камине, тихо сказал:

— Полагаю, это блеф.

— Чистой воды. Ничего глупее не придумаешь. Провокация ФСБ. Они дают нам понять, будто в курсе событий. Вышли на след и теперь ждут реакции. Но среагировали только европейцы. Их здорово тряхнуло. Плохо продуманная акция.

— С учетом того, сколько лет прошло с тех пор, можно говорить о провале замысла.

— Согласен. Но они в курсе событий и действуют, — Некрасов усмехнулся, — или бездействуют. У них в руках нет никаких ниточек.

— Почему же. Единственная ниточка — вы! Живых больше не осталось.

— Приказ подписал заместитель министра. К тому времени я просидел в своем кресле две недели. Слишком мало, чтобы провернуть такую махинацию. В лучшем случае я могу стать свидетелем. Единственным. Если что-то сумею вспомнить спустя десять лет. Документы могли и не попасть в мои руки. Такие решения не принимаются с ходу. Оно сформировалось до моего прихода в управление. Меня оно задело по касательной, и вряд ли я вспомню о такой мелочи.

— По логике вещей вы правы. Но если вы попали под колпак, то вам не уйти.

— Уйти можно, если оставить им достойную замену на растерзание, способную удовлетворить их амбиции. Такая кандидатура есть.

Генерал расплылся в улыбке.

— Ваша жена? Хотите сдать Василису? Я бы назвал это не риском, а сверхриском. Вассерман вам оторвет за нее голову. Здесь он может до вас не дотянуться, но стоит вам пересечь границу, как послышится хруст ваших костей.

— Не смешите. Вассерману некогда мной заниматься. Вы же понимаете, что он не сидит в Багдаде под бомбежками. Пути отхода давно определены. Сейчас он предлагает свои услуги Ирану. Американцы не смогут воевать на два фронта, а в Ираке застрянут не на год и не на два. Иран может официально заявить о своих разработках ядерного оружия. Без

Вассермана им не обойтись. Но торопиться они не станут. Посмотрят, как будут развиваться события в Ираке. Американцы увязли в болоте. В Афганистане у них тоже дела идут не лучшим образом. Им мало нашего урока и уроков Вьетнама. Иран может пойти на обострение. И у них есть козыри на руках. Нефть. Где ее брать, если весь арабский мир утонет в войне? Теория Вассермана и его хозяев просчитана до мелочей.

— Мы готовы вам помочь, Геннадий Ильич, если вы сумеете потопить московский филиал вассермановского клана.

— Набиваетесь к нему в партнеры?

— Вы получите свое, мы — свое. Если Вассерман ушел в Иран, то ему понадобятся другие технологии. Фокус с красной ртутью там не пройдет. Стало быть, ваше звено остается не у дел. Вы вовремя это поняли и решили отойти в сторону. Теперь Вассерману понадобится настоящее сырье. Без нас ему не обойтись. Ради крупной игры приходится жертвовать очень дорогими вещами. Академику его новая афера будет стоить дочери. И вас, разумеется.

— Если только я не умру раньше, чем он обо мне вспомнит. Ну, скажем, как умерли вы или он сам. Тратить время на поиски привидения никто не станет.

Райков встал с кресла и подошел к окну, заложив руки за спину.

— Как убедить Вассермана и Василису Китаеву в том, что вы способны на глупые необдуманные поступки?

— Моя жена давно уже считает меня бабником и дураком. Я не пытаюсь ее в этом переубедить. Эта роль мне нравится. Недалекий чурбан, бывший солдафон с природной смекалкой.

Генерал резко обернулся.

— Именно такую оценку она дала вам в разговоре с Раисой. Но откуда это вам известно?

— Современный технический прогресс способен и на большее. У меня осталось много друзей среди военных технарей, работающих с последними разработками в этих областях. В свое время многих из них я избавил от нищеты в прямом смысле слова. Теперь времена изменились, но хорошие отношения остались.

— Вы знаете, с кем водить дружбу.

— Я забочусь о собственной безопасности.

— Я доволен нашим сотрудничеством, Геннадий Ильич. С вашей хваткой и моими возможностями мы сумеем довести дело до конца.

Хозяин вернулся в свое кресло.

* * *

Они встретились в отдельном кабинете Сандуновских бань. Сидели напротив друг друга, обмотавшись простынями, и пили пиво.

— Жесткий диск в портфеле, товарищ генерал.

— Хватит, Тарас. Я уже восемь лет хожу в штатском, а в простыне и вовсе на военного не похож.

— Бывших генералов не бывает.

— Зато нынешние полковники есть. Что удалось нарыть, полковник?

— Компьютер имеет несколько степеней защиты. Все сделано грамотно. Конечно, мои ребята пробили все пароли и вошли в систему. Но должен вас предупредить. Когда вы поставите винчестер на место, хозяин компьютера будет знать, что в него лазили и читали документы. Это скрыть невозможно. Год, число, время фиксируются при каждом открытии папки, и с этим ничего не поделаешь.

— Ладно. Как-нибудь отмажусь.

— Значит, кроме вас, к машине никто не имеет доступа?

— Похоже, что так.

— У меня есть идейка на сей счет. Но об этом чуть позже. Там есть папочка номерная. Шесть шестерок и двойка. Открывается без пароля. В ней записаны номера банковских счетов. В каких странах находятся банки, неизвестно. Адресов нет. Тридцать два счета. Сами по себе они ничего не значат. Распечатка лежит в вашем портфеле. Если судить по сериям, то банки разбросаны по всему свету. Я консультировался с одним крупным финансистом по этому вопросу. Он служил в финансовом управлении, бывший генерал-майор. Можете не беспокоиться, он ничего никому не скажет. Отбывает срок. Провалился на одном деле и получил пятнадцать лет. Свободу он увидит еще не скоро. Сейчас дает консультации за определенные услуги. По мелочевке. Привилегированная зона. Живут там, как в санатории. Есть даже номера для приема гостей и свои сауны с девочками. Природа, птички поют, весь вид портит колючая проволока с вышками. Ходят в цивилизованной одежде, играют в теннис и волейбол. Одним словом — не бедствуют. Контингент крутой. Зарабатывают консультациями. Так вот, этот генерал мне сказал, что такими счетами управляют централизованно. Невозможно болтаться по белому свету и проводить банковские операции на местах. В таком случае надо иметь своих людей возле каждого банка. Слишком рискованно. Можно потерять деньги. Счета не именные, а номерные. Значит, к ним имеет доступ любой человек. Так оно и есть, если вы знаете банк, его местонахождение и номер счета. Вот почему в базе данных нет адресов. И еще. Надо знать, какой номер относится к нужному банку. Так что в чистом виде номера не имеют большого значения.

— А если поменять номера счетов?

— Никто на это не пойдет. Для этого надо приостановить все работы с ними минимум на две недели. Судя по обращению к счетам, ими пользуются очень часто. То есть, денежный поток течет бесконечно, как вода на речную мельницу. Придется запрашивать новый номер в банке, затем приостанавливать работу данного счета, известить партнеров, присылающих на него деньги, об изменении данных и дать им новые координаты. Работа будет парализована на несколько дней. В среднем на две недели. Это реально?

— Нет, конечно.

— Что и требовалось доказать. А теперь о главном. С такими счетами работают, не выходя из дома. Для этого существует электронный доступ к операционной системе работы со счетами. Вам не нужен адрес банка. Вы входите в систему, набираете нужный код и попадаете в банковскую систему управления. Потом набираете код доступа и номер счета. Есть еще одна примочка. Система может запросить образец вашей электронной подписи. Это самый трудный барьер на пути. Такую подпись подделать невозможно. Все остальное — дело техники.

— Спасибо, Тарас, утешил.

— Мы нашли коды доступа и электронную подпись. Сбросили все на диск. Он тоже в портфеле. Пришлось поработать шифровальщикам. Коды были спрятаны в электронной книге. Странно видеть в деловом компьютере с бухгалтерскими документами роман Набокова «Лолита». Нашли слова, которые в тексте чаще всего выделялись, перевели их в цифры. Каждая буква соответствует номеру в алфавите. В принципе ничего нового. Цифры можно забыть, а фразу легко запомнить. Она имеет значение и смысл.

— У вас там гении сидят, Тарас.

— Да, ребята грамотные, но очень за свою жизнь беспокоятся.

Некрасов рассмеялся.

— И не без оснований.

Полковник тоже попытался улыбнуться.

— Одно утешает. Все они невыездные, и чужими счетами воспользоваться не смогут.

— Ничего, я их утешу. Каждый получит по пятьдесят тысяч зелеными, а ты сто.

— Работало шесть человек.

— Не имеет значения, Тарас. Я не жлоб. Денег у меня много. Меня пришьют, они никому не достанутся. А если я выживу, то это не деньги в сравнении с общим балансом счетов.

— Вы обронили такую фразу: «Хозяин компьютера все равно узнает, кто в него лазил». То есть вы.

— Что поделаешь.

— А сделать надо следующее. Номера счетов у вас переписаны. Сотрите папку со счетами из компьютера. Хозяин сможет управлять деньгами и без них. Наверняка существует дубликат.

— Что это даст? Я выдам себя с головой.

— Это сделает вас дураком. Вы же не знаете адресов банков. Хозяин решит так: вы хотите его шантажировать. У вас номера, у него адреса. Деньги пополам. Если он поверит этому блефу, то будет считать вас идиотом. О том, что вы заходили в систему, все равно станет известно. Наткнулись на номера, списали и стерли их. Тогда он будет спокоен за то, что вы не добрались до кодов доступа и ничего о них не знаете. Так вам и надо себя вести. Главной целью должны стать адреса банков. На блокировку счетов хозяин может пойти только в том случае, если вы уедете надолго за границу и будете иметь их при себе. Но, скорее всего, вам подложат фальшивый список. К тому же очень трудно определить, какой счет принадлежит данному финансовому учреждению.

— Твоя идея?

— Тюремного генерала. Он стоит вашего гонорара.

— Это точно. Думаю, Тарас, он нам еще пригодится. На пути к деньгам меня ждет много виражей.

— Найдете себе хорошего адвоката со знанием международного права. Надежного человека и не очень алчного.

— Это не проблема. В моей фирме все адвокаты с международной практикой. Подумаю. На днях увидимся. Я принесу тебе портфельчик с деньгами. Для толковых ребят ничего не жалко. Долг платежом красен.

— И еще одна мелочь, Геннадий Ильич. Что называется, в далеком углу ребята обнаружили еще одну неприметную папочку с одним графическим файлом. Ничего особенного. Схема проезда с указанием населенных пунктов. Станция «Сходня» по савеловской дороге. Небольшая деревенька, неприметный домик на окраине. В нем есть подвал. Правый стеллаж, на котором стоят банки с соленьями, сдвигается в сторону. За ним потайная дверь с кодовым замком. Код «Василиса». Распечатку схемы мы для вас сделали. В общем-то, ничего особенного. В наше беспокойное время многие люди обзаводятся тайниками. Но если ты купил себе неприглядную развалюху в деревне и соорудил в ней тайник для денег или чего-то очень важного, то схема тебе не нужна.

— Согласен. У меня своих тайников хватает. К тому же существуют сейфы в банках. Но мне не приходило в голову рисовать схемы. Смахивает на приключенческие романы. Остров Монтекристо или остров сокровищ.

— Вряд ли речь идет о сокровищах. Тут есть несколько вариантов. Первый. Схему владелец компьютера не составлял, а получил ее по почте. Может, до сих пор не добрался до тайника и схема ему не нужна. В противном случае ее необходимо было уничтожить. Это же подробный путеводитель. Вариант второй. Схема тайника — ловушка. Тот, кто залезет в компьютер, непременно клюнет на загадочный тайник. Зачем же искать взломщика, тем более если ты его не знаешь. Он сам к тебе придет. Таинственность, с которой преподносится схема, очень соблазнительна. Потайная дверь, кодовый замок, избушка на курьих ножках. Искушение слишком велико.

— Я бы не клюнул на приманку.

— Вы солидный, опытный человек, Геннадий Ильич. В большей степени любопытством страдают женщины. Мечтательные девушки, жаждущие быстрого и легкого обогащения. Им почему-то кажется, будто нынешние олигархи хранят свое золото в земле и тайниках. Они не понимают простых вещей. Деньги существуют для того, чтобы делать деньги. Они должны работать, а не лежать мертвым грузом. Начитались современных детективов.

— Ты сегодня напичкан идеями, Тарас. Козьма Прутков учил: «Если у тебя есть фонтан — заткни его. Дай отдохнуть и фонтану!» Но мне нравятся твои идеи. Ты распечатал схему?

— Она в вашем портфеле. Выглядит не очень презентабельно. Полагаю, ее приложили к какому-то письму. Это отсканированный лист писчей бумаги. Слабо проглядывают следы сгибов. Похоже, он был сложен вчетверо и лежал в конверте. Если схему перерисовать цветным фломастером и добавить экзотические знаки, то она приобретет впечатляющий вид.

— Ну да. Череп и кости. Ладно, Тарас, я подумаю, как мне использовать схему.

— Только не рискуйте сами.

— Молодец. Ты отлично справился с задачей. Я всегда знал, что ты надежный мужик, Тарас. На тебя можно положиться. Не беспокойся. Я тебя не оставлю в трудную минуту. Такие люди мне нужны. А в скором времени станут необходимы, как воздух.

— С вашими глобальными планами вам нужна команда.

— Согласен. Твоя команда меня устраивает, включая заключенного финансиста из бывших генералов.

— Согласен. Когда он выйдет на свободу, перестанет заниматься мелочевкой вроде наших заданий. Птица высокого полета, такие без дела не сидят.

— Вот и радуйся, что он сидит без дела. Решетка не дает развернуться. Но мы его нагрузим делами. В обиде не останется. А теперь скажи мне, Тарас, ты знаешь какого-нибудь молодого талантливого хакера со скандальной известностью, но которого не очень жалко потерять для общества и ваших экспериментов?

— Обязательно молодого? Тридцать два года подойдет?

— Возможно. Что за фрукт?

— Вольная птица. Не хочет работать в общей упряжке. Талантливый малый, но он знаком с нашей системой, а мы таких не любим. Хотите его подставить? Он подойдет. Не в одном взломе замечен. У нас пока правовая база слаба, а так он мог бы загреметь лет на двадцать где-нибудь в Штатах. Самодовольный тип. Такие долго не живут.

— Вот и отдай мне его с потрохами. Адрес, привычки, слабости, фотография и график передвижений.

— К понедельнику материал будет готов.

— Отлично. Встретимся здесь же. Заодно и деньги заберешь.

— Баня — не лучшее место для встреч.

— Зато безопасное и женщинам недоступно. Подружки моей жены глаз с меня не спускают.

— Какой в этом смысл? Вы же в открытую встречаетесь с девочками.

— С девочками, Тарас. Безобидная расхлябанность бабника. А то, что я встречаюсь с офицерами военной технической разведки, ей знать не обязательно. Девочек пруд пруди, а ты у меня один, и золотые головы из твоей команды на деревьях не растут. Ладно. Здесь все же баня. Пора прогуляться в парилку. Будем совмещать полезное с приятным.

2

Никто не знал о том, что жесткий диск с данными Некрасов вынул из компьютера собственной жены. Василиса находилась в очередной командировке за пределами страны и должна была вернуться не раньше следующего четверга. Времени у него хватало с избытком. Василиса не была высокого мнения о своем муже. Ее отзывы о нем доходили до его ушей, и такое положение устраивало отставного генерала. Противник, считающий себя сильнее, теряет бдительность. Надо отдать должное Василисе. Она была и остается очень сильным противником и вправе держать бразды правления в своих руках. Муж выполнял черную работу и как помощник оставался незаменимым. На съедение волкам она его не отдаст. Заменить некем. Тем более сейчас, когда начинается перепрофилирование фирмы и работа с новыми заказчиками. Ирак выбыл из игры, Хусейн в бегах, заводы разрушены. В деле поставлена жирная точка. Начинается новый этап, и без генерала-солдафона Василисе не обойтись. Одной ей не потянуть такие нагрузки. Некрасов считал по-другому. У Вассермана с Ираном ничего не получится. Он может морочить им голову год, от силы два, и трест лопнет. Тогда они и гроша не будут стоить. Надо трезво оценивать ситуацию, видеть перспективы и уметь вовремя остановиться. Василиса — фанатичка без тормозов. Она не способна погасить скорость и трезво оценить положение вещей. Это приведет ее к краху. Десять лет успеха застлали ей глаза пеленой. Дальше своего носа она ничего не видит. У Некрасова есть год. Или чуть больше. За этот срок он должен взять свой куш и исчезнуть с лица земли. Вознестись на облака. И все же ему очень хотелось видеть райские сады на земле, в тихом местечке, где можно встретить старость.

Жесткий диск он установил на место. Стирать папку с номерами счетов еще рано. Придет время, и он воспользуется идеей Тараса. Вряд ли Василиса заметит чье-то проникновение в ее компьютер. Гена не интересуется техникой и ничего в ней не смыслит. Даже с примитивным компьютером, стоящим в его кабинете на фирме, работают его секретарши. Нужное решение придет само по себе, в тот момент, когда оно понадобится.

Некрасов изучил карту и решил сам обследовать дачу с тайником. Вряд ли о ней кто-то мог знать, кроме самой Василисы, а раз ее нет в России, то можно без опасений идти на разведку. Сторожа и собаки его не очень беспокоили. Он знал много способов оставаться незамеченным.

До точки добирался своим ходом, на электричке, потом автобусом и несколько километров пешком.

Деревня выглядела заброшенной, за ней стеной стоял лес. Он продвигался вдоль опушки к самому дальнему дому. Проникнуть в него ничего не стоило. Согласно схеме, ключ лежал в сарае в банке с гвоздями. На такую хибару даже бомжи не клюнули, в доме не было печки.

Люк в подвал был заставлен сундуком с книгами. Точнее не книгами, а докторскими и кандидатскими диссертациями по физике, переплетенными в обложки.

Судя по всему, в подвале, да и в самом доме за последние годы не ступала нога человека. Огромный слой пыли и марлевая завеса паутины скопились везде, где возможно. Засиженные мухами лампочки едва излучали свет. Василиса сюда еще не добралась. Странно! С ее-то любопытством.

Стеллаж легко сдвинулся в сторону. Трехлитровые банки с огурцами, стоящие на полках, давно покрылись плесенью. Стальная дверь выглядела неприступной, кодовый замок снабжен не цифрами, а буквами.

Код «Василиса» подошел. Замки щелкнули. Геннадий повернул ручку, и тяжелая дверь открылась.

Перед ним был небольшой кабинет, похожий на заброшенный архив с документами, уложенными в папки из жесткого дерматина с тиснением на корешках. Они стояли на стеллажах в хронологическом порядке с семьдесят пятого по девяносто пятый годы.

Сбоку у вентиляционного короба находились стол, старый компьютер, кресло и больше ничего. Похоже, здесь работал один человек, и посторонние сюда не допускались.

Вынув одну из папок, Некрасов увидел знакомый знак, сделанный золотым тиснением. Циркуль, перевернутый треугольник с буквой «G» посередине.

Сомнений не оставалось. Архив принадлежал академику Вассерману, она здесь успела побывать после отъезда отца на Ближний Восток. Прошло десять лет с тех пор, и она вряд ли возвращалась в эти места. Архив ее не заинтересовал.

В столе лежали папки с досье. Некоторые из них заинтересовали бывшего генерала. Досье содержало немало компромата на тех, кому оно посвящалось. Если эти люди живут и здравствуют под боком, то их можно прижать к стенке и воспользоваться при необходимости. К масонской ложе никто из них не имел отношения, но их взяли на «карандаш» с той же целью. Некрасов нашел досье и на себя самого. Составлено грамотно, со знанием дела. Для шантажа непригодно. Нет компромата. Но характеристики даны точные, слабые места определены, и с такой документацией к человеку проще подобрать ключи. Хорошая работа. Тут виден труд не одного человека, а серьезной команды профессионалов и психологов. Информация исчерпывающая. После ознакомления с ней вопросов не оставалось.

Некрасов изъял несколько досье, которые могли бы помочь ему в дальнейших планах. Использовать шантаж в своем благородном деле он не собирался. Шантажист всегда остается врагом. Враги ему не нужны. Но знать человека как облупленного — вещь полезная. Понимать, на что он способен и чего от него ждать, — значит предвидеть ситуацию заранее.

Некрасов ушел незамеченным. У него возникла интересная идея. Копаться в архиве никто не станет, кроме писателей, работающих в модных приключенческих жанрах, связанных с масонами, иезуитами и рыцарями. Но в архив можно подложить «конфетку», которая заинтересует охотников за сокровищами. Так можно втянуть в свою игру любого персонажа и отвести ему свою роль в задуманном спектакле.

Интересная мысль, достойная серьезного внимания.

Некрасов к ней еще вернется, и неоднократно.

3

Юлечка всем хороша! Какая она была по счету в обойме стареющего донжуана, никто не знал. Важно другое: Геннадий Ильич не был жлобом, к тому же девушки его любили за доброту и нежность. Он не грубил, не требовал, не ставил условий. Очередная пассия поселялась в его съемной квартире на Большой Бронной и жила там до тех пор, пока не вставала в позу хозяйки и не требовала от Некрасова развестись с женой. В эту секунду весь интерес к ней пропадал, как мыльные разводы, смытые струей воды со стекла. Рано или поздно такое случалось с каждой. Все зависело от терпения. Умные девушки держались дольше самоуверенных красоток с большими амбициями. Но красивых да еще и умных слишком мало. Редкое сочетание. Зачем нужны ум и терпение, если за них все сделают лицо, грудь и ноги. Наивное заблуждение. Такие, как правило, не находят своего счастья. Счастливыми становятся те, кто рассчитывает на свои силы, целеустремленность и голову.

К сожалению, Некрасов не интересовался умными. Он от жены устал. Ему требовалась отдушина, но без претензий и глупых условий.

Юля недолго ходила в фаворитках. Скоро и ее век кончится. «Лето красное пропела, оглянуться не успела, как зима катит в глаза!» Сейчас она еще не думала о скором разрыве. Юля хотела повернуть все по-другому. Ей Некрасов не нужен и его развод тоже. Она хотела получить компенсацию, и не в виде подачек, а одним хорошим куском пирога, чтобы начать нормальную жизнь с собственным бизнесом, комфортным жильем и без лишних заморочек.

Все это Некрасов мог ей дать. С его состоянием обеспечить жизнь другому ничего не стоило. Он мог гарем содержать, где каждая чувствовала бы себя королевой, а не наложницей. Вопрос в том, что Юля не знала, как добиться своего. Жалостью ничего не добьешься. Требуется неординарное решение.

Пока все шло хорошо. Гена дарил любимой дорогие подарки, давал деньги на мелкие расходы, водил по ресторанам и часто ночевал в съемной квартире, когда жена уезжала в командировки.

Когда Гена засыпал, Юля частенько обшаривала его карманы. Нет, она не воровала, она хотела знать о нем больше, чем передавали бабьи эстафеты.

В эту ночь ей повезло. Гена спал крепко. Выпил больше меры, и его храп сотрясал стены.

Юля нашла в его кармане конверт. Удачная находка. Письма всегда содержат какую-то тайну.

Она вышла на кухню, зажгла свет и села за стол.

Письмо было адресовано Василисе Андреевне Китаевой, жене Некрасова. Марки иностранные, письмо пришло из-за границы. Но как оно попало в карман Гены? Любопытным его никак не назовешь.

В конверте лежали два листка бумаги. Один со схемой, сделанной цветными фломастерами, второй с текстом, напечатанным на компьютере.

Автор был немногословен:

«Папка номер семь лежит в столе. Там хватит материалов, чтобы твой муж отказался от своей доли. Речь идет об огромных деньгах. Советую воспользоваться. Дачу сожги дотла. Архив необходимо похоронить».

Ни числа, ни подписи. На штампе стояло сегодняшнее число. Значит, Некрасов туда еще не ездил и завтра не поедет. Утром у него конференция, где он должен выступать. Он просил разбудить его в девять. Пропустить важное мероприятие Гена не мог.

Юля тщательно изучила схему проезда до места архива. Там были обозначения, помеченные крестиком, где найти ключ, пробки для электрощитка и код к двери.

Она сумеет его опередить. И если в ее руках окажется мощное оружие, способное заставить Некрасова отказаться от доли, то он вынужден будет заплатить ей за секретную информацию. Жена письма не видела. Оно пришло сегодня, а Василисы больше недели нет в России. Геночке повезло. Он успел перехватить важное послание.

Юля положила схему и письмо в конверт и пошла в спальню. От пришедшей в голову мысли у девушки разгорелись щеки. Схема сложная. Запомнить он ее не мог, иначе уничтожил бы конверт, а не таскал его с собой. Он успел бегло осмотреть содержимое. А значит...

Юля села за письменный стол, достала из ящика фломастеры и лист бумаги. Она нарисовала похожую схему без главных указателей и изменила названия, кроме названия платформы «Сходня». Станция известная, и из всей схемы он мог запомнить только ее название. Пусть остается. Остальное превратилось в абракадабру. Тут черт голову сломает, но ничего не найдет.

Новую схему Юля положила в конверт, а настоящую сожгла.

Кажется, пробил ее час!

В девять утра нежная любовница подала своему барину кофе в постель.

Бедняжка! У него болела голова с похмелья.

Ничего. Скоро он узнает, что такое настоящая головная боль!

* * *

Она действовала согласно схеме. Дорога ее привела туда, куда и должна привести. Все складывалось удачно. Найти бункер без подробных описаний и указаний нереально. Юля в этом убедилась на собственном опыте.

Наконец-то она попала в святая святых.

Обширный архив потрясал воображение. Тут нужны годы, чтобы разобраться, что к чему.

Папку под номером семь она нашла в столе. На ней стоял гриф «Особо секретно».

Юля брезгливо посмотрела на кресло и не стала в него садиться. Папку надо забрать с собой и ознакомиться с ней в спокойной обстановке.

Девушка так и сделала. Она вернулась в Москву и отправилась в коммерческую библиотеку, где имелась возможность делать ксерокопии важных материалов, не подлежащих выносу.

Здесь ей никто не помешает, и она принялась за изучение папки с секретными материалами.

Теперь Гена Некрасов предстал перед ней совсем в другом обличье. Правду говорят: «В тихом омуте черти водятся». Не так все просто, как она себе представляла.

Некрасов тем временем вернулся домой. Схему, нарисованную Юлей, он сжег, так же как это сделала она с настоящей. Конверт не имел никакого значения. Жене приходили десятки писем из-за границы каждый день. В основном это были брошюры и листовки рекламного характера от смежных фирм. Василиса прозондировала почву в тех странах, где можно открыть новое дело и не беспокоиться о том, что тебя экстрадируют на Родину в случае провала.

Упор делался на Великобританию. Но пока фирма в Москве приносила баснословные доходы, трогаться с места она не собиралась. С началом войны в Ираке они очутились на краю пропасти. Некрасов это понимал, а Василиса слепо верила Вассерману и не видела надвигающейся угрозы.

Геннадий Ильич использовал конверт от очередного послания, выбросив из него рекламный буклет. Схему он нарисовал сам, сделав ее яркой и привлекательной. Ловушка сработала. Он давно приметил слабость Юли шарить по его карманам. Досье на самого себя тоже составил сам и даже снабдил его фотографиями. После его ухода из Юлиной квартиры за девушкой наблюдали ребята из личной охраны Некрасова. Им было велено следить за ней в пределах Москвы, но не далее. В итоге он получил отчет, в котором сказано: «Юля села в пригородную электричку на Савеловском вокзале «Москва — Истра». Отправление 10 часов 50 минут. Билет куплен до станции «Сходня».

Отчет Некрасову понравился. Девичья романтика и вера в удачу без должного опыта и анализа никогда еще не приводили мечтательных героинь к успеху. Вывод очень прост. Юля ничем не отличается от остальных алчных красоток и, уцепившись за хвост жар-птицы, ни за что ее не выпустит.

Деньги и богатство не радуют, когда приходится покупать любовь. Некрасов все еще верил в настоящую любовь, но встретит ли он ее? Да и когда? Пятьдесят лет — возраст нешуточный, а его до сих пор привлекали только молоденькие, хорошенькие девчонки, жаждущие красивой, беззаботной жизни. Они готовы на все ради быстрого обогащения и комфорта. Жаль. Увлеченные своими мечтами, они не понимают элементарных вещей.

Некрасов посмотрел на конверт и бросил его в камин. Будь он на месте Юльки, не поверил бы письму. Она знает о бесконечных командировках его жены. Большую часть времени Некрасов живет один. Это должен знать и тот, кто ей отправлял опасное письмо на домашний адрес. Ни один здравомыслящий человек не пошлет письмо с компроматом на мужа его жене туда, где они живут вместе, зная при этом о ее частых отъездах. Девушке такая мысль в голову не пришла. Она слепо верит в свою удачу и удивится, оказавшись на обочине.

Как обычно, вечером Некрасов появился на Большой Бронной с букетом цветов и бутылкой «Цимлянского». Юля любила красное шампанское.

Вечер начался как обычно. Юля сегодня выглядела особенно радостной. Много смеялась, шутила и даже устроила стриптиз на столе. Она все еще подрабатывала в ночном клубе «Серебряная чаша», но уже не из-за денег, а ради удовольствия. Многие девушки втягиваются в профессию стриптизерш, и она им нравится. Так они ощущают свою власть над мужчинами. Юля не сомневалась в своих чарах и способности любого мужчину поставить на колени. Слава богу, девушка знала о существовании конкуренции и возможности Гены выбирать лучших из лучших. На ее место претенденток хватало, штабелями можно укладывать. С ним лучше не ссориться, если не имеешь козырного туза в кармане. Сейчас она заполучила в свои руки «джокера». Некрасову не вырваться из ее клещей. Теперь она сможет вить из него веревки.

— Мне нужно пять миллионов долларов, дорогуша. Я думаю, у тебя есть такие деньги.

Фраза соскочила с ее губ, будто она попросила дать ей конфетку. Некрасов оторопел. Они болтали о пустяках — и вдруг такое отрезвляющее заявление. Наступила пауза, после которой он засмеялся.

— Я бы тоже не отказался от такой мелочи.

— Скажи спасибо, что я не требую вдвое больше. Нельзя оставлять человека без штанов. Начнет кусаться от безысходности. Я не жадная. Все посчитала и решила остановиться на названной сумме.

— Денег много не бывает, Юлечка. Когда не имеешь ничего, миллион кажется пределом мечтаний. Стоит его получить, как захочется иметь сто миллионов, потом миллиард. Миллионеры — это не виллы и не яхты. Это работа на износ.

— Всех денег не заработаешь. Я хочу прожить жизнь в свое удовольствие, и большего мне не надо. На все остальное наплевать.

— Если я дам тебе эти деньги, то ты меня бросишь. Зачем я тебе?

— А сам-то ты как думаешь? Ты в зеркало на себя давно смотрел? Загляни в свой паспорт. Ты старше меня на двадцать восемь лет. Если тебе какая-нибудь дура в моем возрасте начнет распевать песни о любви, переходи к действиям.

— Каким действиям?

— Доставай кошелек и выгребай из него бабки. Чем больше достанешь, тем больше песен о любви и преданности услышишь.

— Честно говоря, я не ждал от тебя таких откровений. Спасибо за урок. Похоже, ты нашла для себя более выгодную партию. Меня пора отправлять в отставку.

— Никто мне не нужен. Меня тошнит от мужиков. Насмотрелась вдоволь. Покрутись вокруг шеста, виляя задницей. Такие рожи вокруг, истекающие слюной, что так и хочется каблуком в глаз заехать. Превратили женский пол в рабынь для услады, женщины — не люди. Только вы должны получать удовольствие от жизни. А мы приложение, как бутылка вина, морской пейзаж, баня, яхта. Вещь в комплексе. Теперь я хочу наслаждаться жизнью, а не быть подстилкой.

— Желание вполне естественное. Только вряд ли ты сможешь его осуществить с моей помощью. К завтрашнему вечеру ты должна освободить квартиру.

— Тебе это не понравится.

Юля вышла в другую комнату и вернулась с папкой.

— Ознакомься. Папочка называется:«И это все о нем». Читал такую книжку? Эта во сто крат интересней.

Она бросила папку на стол.

В ней лежали ксерокопии документов и фотографий. Некрасов читал долго и внимательно. Его лицо изменилось, когда он захлопнул папку.

— Где оригиналы?

— Не считай меня дурой, Геночка. Оригиналы попадут в нужные руки, если ты решишь со мной разделаться. Ты их получишь в обмен на пять миллионов. Счетчик включен. С завтрашнего дня начнут капать пени.

Некрасов встал из-за стола и долго ходил по комнате. Юля сидела в кресле и молча курила. Она знала, что из ее капкана нет выхода.

— Мои деньги находятся под контролем жены. И если ты внимательно читала документы, то должна была понять это. Выдернуть такую сумму со счетов невозможно. Нет, возможно, конечно, но после этого мне придется уносить ноги. От Василисы очень трудно уйти.

— Это твои проблемы, Гена.

— Не только мои. Тебя она тоже достанет. Такие деньги при помощи примитивного шантажа не добываются. За ними стоит сила. Она не успокоится, пока не вернет их. Покоя в этом мире ты не найдешь.

— О себе я сама позабочусь.

— Ладно. Делай, как знаешь. У нас есть неделя до ее возвращения. Номера счетов закодированы и находятся в компьютере моей жены. Чтобы снять деньги со счетов, мне нужны эти номера. Я их не знаю, но пользоваться ими имею право. Так она меня держит на коротком поводке.

— Давно бы взял и пришил ее, вот и решение всех проблем.

— Ничего не получится. Ты же не принесла мне оригиналы, а доверила их третьему лицу на случай своей смерти. Мы тоже подстраховались и теперь бережем друг друга, как зеницу ока. В случае насильственной смерти одного из нас все деньги переходят в благотворительный фонд. На то есть наше совместное заявление. Оставшийся в живых получает лишь проценты и страховку, но это не те деньги, за которые можно бороться.

— И что ты предлагаешь?

— Идея разорить счета пришла мне в голову еще до нашего знакомства. Но я не решался. Зная свою жену, ее хватку, связи и возможности, и находясь при этом в здравом уме, я не могу пойти на нее войной. Теперь ты меня окончательно добила. Придется рискнуть.

— А я тебе о чем толкую?

— Нужен хакер. Опытный взломщик компьютерных систем. С его помощью мы добудем номера счетов. Я думал об этом, и у меня есть подходящая кандидатура. Абы кто нам не нужен. Твоя задача — закадрить этого парня. На меня он работать не станет. Боится. Уже попался на удочку и едва не угодил за решетку. Взломал Лондонский банк. Его вычислили англичане, но наши не отдали парня. Российских граждан могут судить только в России по нашим законам. Но такого не нашлось. Сейчас проснулись. Мы идем с огромным отставанием от Запада и пока не нуждаемся в подобного рода технологиях и понятия не имеем, что такое коммерческая тайна. Тем не менее в нашей стране лучшие в мире хакеры.

— Не заговаривай мне зубы, Гена. Ты получишь номера счетов, снимешь деньги и поминай, как звали, а я останусь ни с чем? Сам сказал, давно вынашиваешь этот план. Смоешься в Австралию или на острова Зеленого мыса и тю-тю!

— Нет. Я не собираюсь тебя обманывать. Овчинка выделки не стоит. Возможно, мне придется вернуться в Россию. Но если досье попадет в руки ФСБ или прокуратуры, то я не смогу этого сделать.

— Мне нужны гарантии.

— Хорошо. Ты их получишь. Есть только один вариант. Приедешь ко мне на дачу с хакером, в то время как я буду находиться на работе. Ключи я тебе дам, собак запру, охрану уберу. Компьютер стоит на втором этаже в кабинете жены. Схему дома ты получишь. Когда подберешься к компьютеру, можешь позвонить мне на работу и убедиться, что я нахожусь в ста километрах от вас. Перешлешь все номера счетов и будешь хранить их у себя. Банк находится на Кипре. Туда поедем вместе. Вместе и деньги обналичим. Тебя устраивает такой расклад? Номера счетов называешь ты, а я ставлю свою подпись.

— Другого способа все равно нет. Я согласна. Где мне найти этого хакера?

— Зовут его Денис Стрельцов, двадцать семь лет. Живет в Текстильщиках. Адрес напишу. Подрабатывает установкой нелегальных программ пользователям. Деньги проигрывает на бегах. Позвони ему и пригласи к себе. Компьютер мы тебе купим. Пусть установит на него базы данных конфиденциального характера. Важно, чтобы он к тебе приехал, остальному тебя учить не надо. И помни, через неделю мы должны закончить операцию и смыться.

— А если ты меня кинешь?

— В твоих руках досье. У тебя есть другое предложение?

— Нет. Пиши телефон этого придурка. Он меня на всю оставшуюся жизнь запомнит.

— Не сомневаюсь, Юлечка. Такую трудно забыть.

4

Частному сыщику выписали пропуск в здание фирмы, и он без препятствия попал в кабинет ее руководителя.

— Присаживайтесь, Павел.

Детектив устроился в кресле, положив на стол конверт.

— Как успехи?

— Ваши сомнения подтвердились, Геннадий Ильич. Девушка имеет связь на стороне. Личность ее хахаля я установил. Некий Денис Стрельцов. Безработный. Года два назад его физиономия попадала в газеты. Компьютерный гений. Запускал вирусы на серверы западных банков, а потом требовал деньги, чтобы их уничтожить. Банки платили. Он просил немного по сравнению с тем, во что обходится простой одного дня финансового монстра. Его вычислили. Отделался легким испугом, но состоит на учете. Последнее время ведет себя тихо. С ним-то Юля и спуталась.

Он приподнялся, взял конверт и вынул из него фотографии.

— Вот, пожалуйста. Здесь они сидят в кафе и мило воркуют. Здесь они входят в дом на Большой Бронной, где она живет. Этот снимок сделан за городом возле особняка. Я думал, это ее дача, но они перелезают через забор. Удалось установить, дом принадлежит Василисе Китаевой. Они пробыли там около трех часов.

На данный момент девушка находится у него дома. Восьмая улица Текстильщиков, дом восемь. Я счел, что вам хватит и дюжины фотографий для доказательств и не стал делать больше.

— Отличная работа, Павел.

— Я не один работаю. У меня есть партнер Афанасий Панарин. Сыщик от Бога. Наше агентство всегда к вашим услугам. Мы профессионалы и долгие годы проработали в уголовном розыске.

— Учту, Павел. Девушек я меняю часто, и за ними надо присматривать.

Он вынул из ящика конверт и подал сыщику.

— Ваш гонорар и чаевые за оперативность. Одна просьбочка. Эти фотографии и письменный отчет пришлите мне по почте на адрес фирмы. То есть сюда.

— Это важно?

— Конечно. Вас видели. Я не хочу, чтобы кто-то посчитал, будто сыщики приходят ко мне на прием. Отчеты надо отправлять почтой. Можете даже свой штамп на конверте поставить.

— Не доверяете секретарше. Хорошо, не вопрос. Но отчет дойдет до вас дня через четыре.

— Не имеет значения. Главное вы мне уже сказали.

— Мы снимаем наблюдение?

— Разумеется. Эта девушка меня больше не интересует.

— Рад был с вами познакомиться. Работаем без выходных, готовность по первому звонку.

— Учту. Удачи вам.

Сыщик ушел, и его место заняла молоденькая секретарша, которую Некрасов называл Капитанской дочкой. На самом деле ее звали Дашей. Девушка закончила медицинский техникум, но экзамены в институт провалила. После гибели ее отца в Чечне Некрасов проявлял к семье большое внимание и заботу. Он был другом Дашиного отца и теперь заботился о ней. Мать умерла от рака годом раньше. Некрасов перевел девушку из пригорода в Москву и купил ей квартиру. В фирме о хозяине и его секретарше ходили всякие кривотолки, но они на это не обращали внимания. Во всем виновата дурная слава начальника. Правда, когда Василиса возвращалась в Москву, Даша уступала свое кресло секретаря «старой грымзе». Лидия Ивановна была очень опытной работницей, но она шпионила за Некрасовым и о каждом его шаге докладывала

Василисе. Бывший генерал и этот недостаток обращал в свою пользу, снабжая жену дезинформацией через залегендированную шпионку.

— Есть новости, Капитанская дочка?

— Да, крестный. Верка с первого этажа сваливает. Нашла себе жениха. Тупой оболтус. Но баба хочет выйти замуж и рожать детей. Ей уже двадцать восемь.

— Отпусти ее. Она хорошо поработала. Сделаем ей подарок к свадьбе. Вера заслужила.

— У меня есть кандидатура на замену. Зовут Любой, двадцать три года. Из Перми. Внешность соответствует. Не избалована, в Москве без году неделя. Но главное — ее профессия. Работала в фотоателье фотографом. С техникой на «ты». Такая консьержка за занавесками — лучший вариант из того, что попадалось нам раньше.

— Проверь ее в деле, Дашутка. Если экзамены выдержит, то можешь ее заселять. Держи ее в ежовых рукавицах.

— Вы прикрепите к ней спонсора?

— Главбух у нас страдает от одиночества.

— Слишком стар.

Некрасов усмехнулся.

— Он на два года старше меня. Но дело не в этом. Он не будет отвлекать ее по ночам от основной работы. У него двое внуков на руках, а дочь навещает их наскоками. Больше часа старик не сможет уделять своим утехам.

— Я не хотела называть вас стариком.

— Это понятно. Когда тебе стукнет пятьдесят, ты тоже не будешь считать себя старухой. Правда, я до этого времени не доживу. Принеси мне горячего чаю.

— Хорошо. Когда вызывать Крысу Иванну?

— Уступишь ей место послезавтра. А денька через три она получит большую благодарность от моей жены.

— Догадываюсь. Отчет от сыщика?

— Ты умница. С твоей внешностью — большая редкость. Где ты его разыскала?

— Через Интернет. Дядя Павла Негоды — действующий генерал МВД. Партнер — бывший майор, сам он бывший капитан. Таких ребят трудно запугать. Надежная крыша. За дело взялись серьезно. Большой кредит получили в банке, арендовали офис в центре Москвы. Я решила, что они вам еще не раз пригодятся.

— Правильно решила. Особенно они во мне будут нуждаться, если не сумеют вернуть кредит в банк. В отличие от моей службы безопасности сыщики не в курсе событий. Им ничего обо мне неизвестно, и о моей жене тоже. Хотя нет. Ее адрес они уже выяснили, и он попадет в отчет.

— Ваши шахматные задачки не для моего ума. Сейчас принесу чай.

* * *

Тесная квартирка в ветхой хрущевке после апартаментов Юлии выглядела смехотворно. Облезлые обои, грязные чашки и кругом компьютеры, диски и коробки с деталями. Сесть негде. Юля была чистюлей и не выносила затхлых запахов. Для гостьи хозяин прикрыл своим плащом ободранное кошкой кресло. Плащ также не отличался особой чистотой, но она все же села на скрипучее сиденье.

— Извини, подружка, у меня не так шикарно, но я не привереда. Не обращай внимания на хаос.

— Хаос начинается с головы, Денис. Читал Булгакова?

— Кино смотрел. Читать мне некогда.

— Почему у тебя нет машины?

— Скоро будет. Вот ты со мной поделишься, и куплю себе «Мерседес».

Юля вынула из сумочки пятьсот долларов и положила на стол.

— На эти деньги не очень разгуляешься, Денис. Твой гонорар, как договаривались.

Парень убрал деньги в карман и продолжил сосать пиво из бутылки.

— Я говорю о настоящем гонораре. Циферки, добытые из компьютера, — банковские счета. И речь идет не о мелочевке. Ты говорила, будто дача принадлежит твоей тетке. Хочешь ее ограбить? Тогда тебе понадобится моя помощь. Самой тебе с такой задачей не справиться. Согласен на двадцать процентов от общей суммы. Мне хватит.

— И что ты можешь сделать?

— Надо выяснить, в каких банках лежат деньги. Остальное я решу сам. Мы откроем свой счет где-нибудь в Литве или Эстонии и перегоним все деньги туда. Как только они поступят на наш счет, мы их обналичим и тут же свалим куда-нибудь подальше. Ход проверенный.

— А в компьютере не было адресов?

— В одном месте всю информацию не держат. Должен существовать еще один ящик или ячейка в банке. Зачем тебе детали? Ты в этих делах ничего не рубишь.

— Если я найду адреса и названия банков, то сама смогу поехать туда и снять деньги. Зачем мне ты?

— Помимо номера счета нужен пароль. Код доступа. Я могу его взломать, а ты что можешь? Задницей вертеть? Меня этим не купишь. Бабы — не моя страсть. Есть — хорошо, нет — и не надо. Я из любопытства с тобой пошел, а не за красивые глазки. Ты их строй озабоченным, мне бесполезно.

— Нет, Денис. Ты не из тех, кому можно доверять. Если тебя интересую не я, а только деньги, то в ответственный момент ты меня кинешь. Тем более что ты прав. Я ничего не смыслю в компьютерах. Хватит с тебя и пятисот долларов.

Юля встала.

— А если я капну твоей тетушке о твоих планах? Адресок мне известен. С банковскими номерами ты ничего не получишь. А за то, что покушалась на состояние тетушки, милую Юлечку лишат сладкого. Или наследства.

— Послушай, ублюдок. Ты сделал пустяковую работу, тебе за нее заплатили. Куда ты еще лезешь? Хочешь, чтобы мои ребята тебе нос прищемили? Запросто. Мало не покажется.

— Ох, как я испугался! Весь дрожу!

— Идиот. Деньги ему подавай. Ты гроша ломаного не стоишь. А сунешься к тетке, — останешься без башки, хакер гребаный!

Юля резко вышла из комнаты. Послышался стук входной двери. С потолка посыпалась штукатурка.

— Пять баллов по шкале Рихтера. Нет, этот дом еще простоит пару лет.

Денис достал из кармана диктофон, промотал пленку и включил.

«...Если я найду адреса и названия банков, то сама смогу поехать туда и снять деньги...»

Он нажал кнопку «Стоп».

— Умница! Дорого тебе будет стоить собственная строптивость.

5

Некрасов приехал в тот момент, когда его не ждали. Юля готовилась к вечернему представлению в клубе и очень удивилась, когда, выйдя из ванной, увидела любовника.

— С нашим отъездом придется повременить, дорогая. Жена вернулась раньше времени. Пока она в Москве, мы уехать не можем. Нас догонят раньше, чем мы успеем замести следы.

— И долго мы будем торчать здесь?

— Минимум две недели.

— Очень хорошо. Мне не придется портить отношения с хозяевами «Серебряной чаши». Именно этот срок они определили для моей замены.

— Почему ты не ушла раньше?

— Слишком скучно сидеть в четырех стенах. Ваше величество появляется три раза в неделю. Чем мне заниматься в остальное время? Завести себе второго хахаля? Меня воротит от мужиков. Я тебе говорила об этом.

— Ничего, две недели не срок. Я сумею лучше подготовиться к нашему отъезду.

— Только помни, Гена. Номера счетов и твое досье все еще в моих руках. Не вздумай со мной в кошки-мышки играть. Я не люблю неожиданностей.

— Всякое может случиться, Юлечка. Василиса — настоящая ведьма. Но ты должна знать, я вытащу тебя из любой передряги. Мы теперь повязаны одной веревочкой. Держись с достоинством. Если моя жена пойдет в атаку, то ей нужно оказать достойный отпор. Она привыкла всех вокруг подминать под себя. Нарвавшись на скалу, она будет обезоружена и превратится в змею без жала. Не так страшен черт, как его малюют.

— Меня трудно напугать, Геннадий Ильич. Подумай лучше о собственной шкуре.

— Я обязан думать о нас обоих. По одиночке мы ничто.

Некрасов встал и ушел.

Юля решила отвезти досье и список счетов обратно в бункер. Самое надежное место. Такой тайник никто не найдет.

Опасения Некрасова имели под собой почву.

Охрана усадьбы показывала хозяйке пленки, записанные с камер видеонаблюдений.

Хозяйка и ее подруга Раиса сидели на диване, а начальник охраны пояснял то, что происходит на экране.

— Запись сделана в среду в одиннадцать тридцать утра. Эти двое перелезли через забор с соседнего участка. Наше слабое место. В кадр они попали возле веранды. Вот они.

— Стоп. Увеличьте! — скомандовала хозяйка.

Приказ был выполнен.

Женщины переглянулись, но ничего не сказали.

— Как они проникли в дом? — спросила Райская.

— Замок не поцарапан. Полагаю, у них имелись ключи.

— Где в это время находился Геннадий Ильич?

— На совещании в Союзе предпринимателей. Его охрана это подтвердила. Ушли эти двое тем же способом через три часа. Они ничего не украли. Появились с пустыми руками и удалились без поклажи.

Василиса закурила.

— Объясните мне, Голованов, почему по территории моей усадьбы разгуливают посторонние люди, заходят в дом, проводят там целых три часа и беспрепятственно уходят. За что вы получаете деньги?

— Собак заперли в клетки. На участке работали строители. Шесть человек. С противоположной стороны дома сооружали беседку по указанию Геннадия Ильича. О ней разговор шел давно. Вы сказали, что не выносите шума и стука молотков, и хозяин решил сделать ее в ваше отсутствие.

— Помню. И возле крыльца не поставили ни одного охранника?

— Нас только трое, а за строителями нужен глаз да глаз. Они бесцеремонно бродят по участку, топчут цветы...

— Хватит. Идите. Я с вами потом разберусь.

Голованов ушел.

— Что скажешь, Раечка?

— Стриптизерша из «Серебряной чаши». Последняя пассия твоего мужа. С какой целью она приходила сюда с парнем, мне непонятно.

— Гена послал. Только он мог дать ей ключи, только он знал о запертых собаках и нерадивых охранниках. Вопрос: зачем? В сейфе ничего нет, кроме денег. Не та сумма, ради которой стоит светиться.

— Ты правильно заметила, Алиса. Светиться! Если бы он их послал, то предупредил бы о камерах видеонаблюдения. Оставил бы открытое окно с боковой стороны дома, где высокие деревья и видеокамеры не установлены. И потом, что такого есть в доме, чего он не мог бы взять сам?

Василиса насторожилась.

— Интересная мысль. Сейчас узнаем. Идем в мой кабинет. Женщины поднялись на второй этаж, и хозяйка села за свой компьютер. Раиса отошла к окну. Она никогда не заглядывала в содержимое электронного ящика, тем более в момент набора кодов и паролей.

— Так оно и есть. Последний вход в систему датирован средой. Стриптизерша приводила с собой хакера. Он взломал коды и проник в документацию.

— Это опасно? — спросила Рая.

— Не очень. Но неприятно. Тревогу бить рано. За три часа он не мог залезть во все папки, особенно скрытые. Они могли получить часть большой схемы, но по частям она бесполезна. Однако прецедент существует, и мы обязаны принять меры. Меня интересует главный вопрос. Работали они по наводке мужа или по собственной инициативе. По пьянке Гена может ляпнуть что угодно, а утром об этом не вспомнить.

На столе зазвонил телефон. Василиса сняла трубку.

— Слушаю вас.

Она слушала в течение минуты, потом коротко сказала:

— Я сейчас приеду. Встретимся, где обычно.

— Что-то случилось? — спросила подруга.

— Звонила секретарша Гены. На его имя в офис пришло любопытное письмо. Я должна его посмотреть.

— Мне ехать с тобой?

— Нет, не надо. Приготовь ужин к моему возвращению. Я не надолго.

Через час Лидия Ивановна отпросилась на обеденный перерыв и ушла. Проехав одну остановку на метро, она вышла на людную улицу и села в стоящую возле перехода машину.

— Что-то случилось? — спросила Китаева.

— Вот. Заказное письмо. Я его вскрыла. Копии делать не стала, тут много фотографий. Передавать его без вашей санкции Геннадию Ильичу не решилась. Такое письмо не может затеряться. Я обязана его передать.

Так в руках Василисы Китаевой оказался отчет частного детектива Павла Негоды.

— Любопытно. Гена устроил слежку за своей пассией и убедился в том, что она наставляет ему рога. Девочке грозит отставка. Но меня в большей степени интересует ее приятель. Теперь я знаю, кто он такой, где живет и чем занимается.

— Значит, я права. Это для вас важно?

— В смысле информации. Можете передавать письмо мужу. Все, что нужно, я узнала. Спасибо, Лидия Иванна. Возвращайтесь на работу.

Женщина ушла.

Василиса достала мобильный телефон и позвонила полковнику Любезнову. Они договорились о встрече. Полковником Любезнов стал благодаря связям Китаевой. Он выполнял все ее поручения, чистые и грязные. Человек без принципов, этим он и нравился Василисе. Разумеется, его услуги она щедро оплачивала, и Любезнов старался оставаться нужным. Он знал, какое влияние в обществе имеет теневая бизнесвумен и знал о ее связях. Своим карьерным ростом он тоже был обязан Китаевой. Майора уголовного розыска взяли с поличным при получении крупной взятки. Тут и появилась Китаева. Дело замяли, а Любезнов пошел на повышение. Тогда-то он и назвал ее доброй феей. Она ей недолго пробыла. Пришлось по ее поручению испачкать руки в крови, но зато он купил себе дачу на берегу озера. Будет, где провести старость с удочкой в руках. Теперь бывший майор стал полковником и работал в министерстве, надеясь стать в скором времени генералом. Фея все может, только доброй ее теперь не назовешь.

Они встретились в выставочном зале Дома художников на Кузнецком мосту и тихо беседовали, разглядывая современных авангардистов.

— Вы запомнили адрес, Игнат Алексеич? Парня зовут Денис Стрельцов. Хакер с большим стажем. Он сумел проникнуть в мой компьютер, и я не знаю, какую информацию ему удалось из него вытащить. Одной попытки, конечно, недостаточно. Значит, он не успокоится. Его надо остановить. Тем более что у таких людей всегда врагов больше, чем друзей.

— Я вас понял, Василиса Андреевна.

— Он действовал по наводке Юлии Ворониной. Стриптизерши из «Серебряной чаши». Последнее увлечение моего мужа. Она не опасна. Девчонку надо изолировать. Я хотела бы задать ей несколько вопросов на прощание. Сработать надо оперативно. Полагаю, мой муж не станет вмешиваться. Он терпеть не может двустволок. Юля ему изменила, и он поставит на ней крест. Надо закрыть это дело и забыть о нем. А новую пассию моему ненаглядному мы подберем.

— Этим занимается бармен из ресторана «Приют»?

— Его можно перевербовать?

— Некрасов хорошо ему платит. Помог получить кредит в банке, и тот выкупил ресторан.

— Но он не помог ему погасить кредит. Ладно. Барменом я займусь сама. В конце концов, он всего лишь сводник, и не имеет особого значения, какую девочку подкладывать под Гену. Была бы хороша собой — этого достаточно. Приступайте к делу. Держите меня в курсе событий.

— Будет исполнено, Василиса Андреевна.

Все свои дела в Москве энергичная дама закончила в течение полутора часов и успела вернуться к ужину.

К ее приходу Раиса накрыла стол.

— Вопрос улажен. О результатах говорить рано. Придется немного потерпеть.

— Мне или тебе? — спросила Рая, разливая вино в бокалы.

— Ты умеешь соблазнять мужчин, Раечка?

— Можно постараться, если нужно для дела.

— В ресторане «Приют» работает бармен по имени Алексей Чистяков. Сводник. Он снабжает девочками Гену. Я хочу, чтобы он снабжал его нужными девочками, прошедшими нашу проверку, а не сбродом вроде этой стриптизерши. Чистяков обязан Гене. Его надо переманить на нашу сторону.

— Я думаю, что у него есть выбор. Мы уже не так молоды и хороши собой, чтобы делать ставку на постель.

— Мне это и в голову не приходило. Ты и мужчина в постели? Не дай бог. Меня кондрашка хватит.

— Тогда что? Есть рычаги влияния?

— Есть. У него непогашенный кредит в банке. Он выкупил ресторан. Мы можем погасить кредит, если он будет служить нам верой и правдой. Только мое имя не должно всплывать на поверхность.

— Догадалась. Задача несложная. Мы с нею справимся.

— Постарайся. Гена не терпит долгого одиночества.

* * *

Домой он вернулся под утро. Открыл дверь своей квартиры, и вдруг появились двое, будто из-под земли выросли. Схватив парня под руки, они втолкнули его в прихожую и заперли за собой дверь.

— Чего вам надо, мужики? У меня нет денег. Последние вчера на бегах спустил. Пустой холодильник, и все.

— Мы не грабители, — тихо сказал высокий.

— Мы из подразделения «К» МВД России. Слышал о таком?

— Слышал. Только наводка ваша не сработала. Я давно завязал со взломами.

— По твоей квартире не скажешь. Компьютерный центр не имеет столько оборудования. Целый склад.

— Собираю машины «чайникам». Надо как-то зарабатывать.

— На хлеб не хватает, а на бега деньжата находятся. Ладно. К делу.

Тот, что пониже, лысый, впихнул парня в кресло и показал фотографию Юли.

— Это она тебя надоумила взломать компьютер Василисы Китаевой? Можешь облегчить свою участь чистосердечным признанием.

— Понятия не имею, кто такая Китаева.

— Вас зафиксировали камеры видеонаблюдений. На клавиатуре отпечатки твоих пальцев. Ездил с ней за город?

— Она сказала, что там живет ее тетка и надо посмотреть на ее завещание. Предложила пятьсот баксов. Частный компьютер. В серверы банков я не лазил. Вскрыл пару папок в машине старухи, и все.

— Этой старухе нет и сорока. Ее компьютер принадлежит крупной фирме, а она ее руководитель. В папках хранится секретная информация. Ты обвиняешься в промышленном шпионаже и хищении информации государственного значения. Тебе понятно, во что ты влип?

— Откуда я знал? У вас нет доказательств, будто я похищал информацию и ею торговал.

— Докажем. Начнем с незаконного проникновения в чужой дом, на частную территорию. Уже статья. Потом докажем остальное.

— Меня туда затащили обманным путем. Юлька сказала, будто живет там.

— И поэтому вы лезли через забор?

— Она ключи забыла.

— Ладно. Бери бумаги и пиши заявление со всеми подробностями. Потом сверим с фактами.

Парень открыл ящик стола, достал лист бумаги и начал писать.

Высокий кивнул напарнику на ящик. Мол, видел? Тот кивнул в знак согласия. В столе лежал диктофон, и оба его заметили.

Они дали дописать парню заявление, убрали его в папку. И сбили Дениса с ног.

Диктофон оказался в их руках. Минуты прослушивания оказалось достаточным.

— Я думаю, он нам больше не нужен, — сказал высокий.

Напарник достал из-за пояса короткую резиновую дубинку со свинцовым наконечником. Резкий точный удар в висок поставил точку в коротком расследовании.

В остекленевших глазах Дениса застыл страх.

* * *

Налеты ОМОНа на ночные клубы стали обыденным явлением. Клуб «Серебряная чаша» подвергался проверкам не очень часто. Здесь умели договариваться с милицией и избегать инцидентов. К тому же клуб посещали высокопоставленные чиновники, которые имели свои рычаги влияния на правоохранительные органы. Заведение держало марку, здесь лучший был в Москве стриптиз и самые красивые девушки. Ничего порочного за клубом не числилось, и его оставили в покое.

Сегодняшний ураган удивил всех. Посетителей, невзирая на лица, уложили на пол. Остальным велели оставаться на местах. Юля была не сцене и так на ней и осталась. Шмон продолжался недолго. В раздевалке девушек проверили все сумочки и личные вещи. В одной из сумочек нашли героин. Двенадцать пакетиков с зельем. Тут знали, чем грозит находка хозяйке сумочки. Там же лежал паспорт. Уже не отвертишься. Понятые, как всегда, рядом. Хозяин клуба отреагировал спокойно. Накрыли Воронину, а ее не жалко, работала последнюю неделю. Дальнейшая судьба девушки его не интересовала. Составили протокол, девушку заковали в наручники, накинули плащ на голое тело и увезли в ближайшее отделение милиции.

Три часа продержали в камере, потом вызвали на допрос. Юля держалась независимо. Она догадалась, чьих это рук дело, и была уверена, что Гена ее вытащит из передряги.

За столом сидел человек в штатском.

— Присаживайтесь, барышня.

Юля запахнула плащ и присела.

— Сто двадцать граммов героина — не шутки. Срок обеспечен.

— Бросьте дурака валять. Кто меня заказал? Признаний вы никаких не получите, адвокаты у меня грамотные, на дешевку меня не купите. Больше я вам ничего не скажу.

— А я и не требую. Берите бумагу и пишите все, что думаете. Вас подставили и так далее. Мне все равно, что вы напишете. Я провел дознание и ни к чему вас не принуждаю. Вас обвиняют, вы защищаетесь, все в порядке вещей.

Он подал ей ручку и кивнул на стопку бумаги, лежащей сбоку. На столе лежала короткая резиновая дубинка с тяжелым наконечником.

— Это так вы выбиваете признания?

Она взяла дубинку, попробовала ее на вес и отложила в сторону, после чего достала из стопки лист бумаги.

— Такой убить можно.

— Вы правы. Только это не милицейские методы. Сейчас демократия и признаний ни из кого не выбивают. Времена силовых воздействий позади.

Юля начеркала полстраницы текста с частицей «не».

— Ну вот и все. Теперь будем разбираться. Вам придется еще какое-то время посидеть здесь. Следователь решит, что делать дальше.

Девушку вывели.

Мужчина открыл портфель, достал платок и пластиковый конверт. Он взял дубинку платком, осторожно, словно та была сделана из хрусталя, и опустил ее в пакет.

Еще один час в холодной темной камере. Юля замерзла. Под плащом ничего не было, а он не спасал от холода.

Лязгнул затвор, и в камеру вошла женщина. Больше всего на свете Юля не хотела именно этой встречи. От всемогущей змеи очень трудно уйти. Много она слышала о жене своего спонсора, но не думала, что та ей займется лично. Где-то они перегнули палку.

— Я задам тебе несколько вопросов, голубушка. Ответишь честно, отпущу. Не ответишь, пеняй на себя.

Как же, такая отпустит, подумала Юля. Завалить Гену — ничего не получить. Она ему нужна, а этой змее надо от нее избавиться.

— Ну что ты на меня волчонком смотришь. Я не кусаюсь. Расскажи мне, девочка, это Гена надоумил тебя залезть в мой компьютер? Если нет, то как ты о нем узнала? Я же не кричу на каждом шагу об этом. Без наводчика дело не обошлось.

— Да. Ваш муж болтнул лишнего по пьянке. Остальное я сама додумала. Он трус и против вас не пойдет.

— И что же ты нашла в компьютере?

— Все, что искала.

— Вряд ли. Для этого вам понадобилось бы не менее двух дней, а вы за три часа управились.

— Вот вы и гадайте, чего мы добились за три часа.

— Не хочешь отвечать?

— Пошла бы ты, мамаша, куда подальше.

— Как знаешь, детка. Жаль. Всю молодость себе сгубила.

Женщина вышла из камеры.

За дверью ее ожидал полковник Любезнов.

— Влепите этой сучке лет десять.

— Можно и больше за умышленное убийство, наркотики и грабеж.

— Мне плевать. За диктофон спасибо. Он на многое раскрыл мне глаза.

— Рад стараться.

* * *

Поздним вечером Василиса приехала к возлюбленной. Рая старалась не бывать на даче, когда дома Геннадий. Она знала, что раздражает его, и он давно знает об их отношениях. Супружеская пара все еще делала вид, будто они счастливы и остаются единомышленниками в делах. При этом каждый жил собственной жизнью, стараясь не раздражать вторую половину.

Раечка ждала подругу за накрытым столом со свечами. Василиса любила уют, комфорт, тишину и хорошую кухню. Сама же она не знала, как заваривают чай.

— Твое следствие закончено? — спросила Рая.

— Да. Можно ставить точку. Виновники наказаны.

— Как же ты наказала мужа?

— Я пришла к выводу, что он невиновен. Вчера ночью я сняла его ключ от дома с общей связки и повесила свой. Ключ осмотрели эксперты. На нем найдены следы пластилина. Девчонка сняла слепок с его ключа. Теперь все встало на свои места. Гена — лох, и его надо оберегать от ядовитых змей. У него никого нет, кроме его шлюх. А потребность в общении есть. Он все еще верит в свою неотразимость. Мечтает о принцессе и думает, будто его по-настоящему любят все, с кем он спит. Мироощущение школьника.

— Надо же во что-то верить. Природа одарила его многими талантами и хорошими качествами. Удача сопутствует ему всю жизнь. Он легко берет от жизни все, что ему нравится. Инстинкт самосохранения в нем спит крепким сном. Даже когда он допускает промахи и делает глупости, ты встаешь на его защиту и выгребаешь за ним дерьмо. Ты его ангел-хранитель.

— Мы десять лет вместе. Он выполняет самую грязную работу и ни на что не жалуется. Без него я такой машиной управлять не смогу. Сегодня нет надежных партнеров. Все тащат одеяло на себя. Мне некем его заменить, и в этом нет нужды. Надо продержаться на плаву пару лет — и можно сворачивать удочки. Ирак уже пал. На Иран я не надеюсь. Как там пойдут дела, неизвестно. Я давно перестала быть оптимисткой. Ладно, хватит о грустном. Давай выпьем.

— Еще пара мазков к общей картине. Бармена я перевербовала. Он готов на сотрудничество. Но мы должны выплатить кредит. Не сразу, а согласно договору — в течение двух лет. Так что он на крючке. Кандидатуру на место стриптизерши я тоже подобрала. Девочка талантливая. Я преподавала танец в театральном училище, она была лучшей и добилась своего. Сейчас танцует в ансамбле «Березка». Солистка, между прочим. По сути, страшная стерва с ангельскими глазками. Она скрутит Гену в бараний рог. Но мы ее обсудим потом. Я подготовлю ее к работе.

— Я в тебе не ошиблась, Раечка. Ты все умеешь и знаешь, как надо поступать. Какое счастье, что Бог свел нас вместе.

Они подняли бокалы.

5

Заместитель начальника женской колонии по воспитательной работе капитан Маргарита Тарасовна Доросенко, а по последнему мужу Тубельская, очень внимательно знакомилась с делами новеньких. Трудно себе представить такую красавицу и умницу на такой должности в зоне, расположенной на краю света. Так сложилась ее судьба.

Рита знала о своих достоинствах и не собиралась всю жизнь мыкаться с отбросами общества. Она еще молода. Недавно ей стукнуло двадцать шесть лет. По карьерной лестнице она взбегала, а не поднималась. Разумеется, не без помощи своего первого мужа — прокурора города Уфы. Потом был другой муж. Он поднял Риту еще на несколько ступеней вверх. Все ее мужья были людьми немолодыми. Однажды она попалась. Любовника стерли в порошок, ее отправили в ссылку. Рита ни о чем не жалела. В жизни надо все испытать на собственной шкуре, извлечь нужные уроки и идти дальше. Она мечтала о карьере в Москве, работе следователя в генеральной прокуратуре. Но не все сразу. На такую работу с улицы не берут. Туда можно просочиться с периферии, если у тебя есть опыт, звание и добрый дядюшка с лохматой лапой. Дядюшку она себе найдет, не проблема. Рита налаживала связи с Москвой, и не без успеха. Недолго ей осталось сидеть в зоне вечной мерзлоты. Еще немного, и она расправит крылья.

В зоне Рита чувствовала себя комфортно, несмотря на суровый климат. Начальника колонии она сумела выдрессировать. Он ей ни в чем не перечил. Старый, усталый волк-одиночка заматерел. Всю сознательную жизнь провел за колючкой. Образования никакого, жизненная школа провела его по всем этапам. Молодая, энергичная красавица с высшим образованием стала для него подарком судьбы. Соловьем в клетке, где царит безмолвие.

Каждая партия вновь поступивших проверялась дотошной капитаншей. Она просматривала все дела и распределяла осужденных по отрядам. Сортировка имела значение. Нельзя убийцу отправлять в барак к аферисткам, а клофелинщиц к детоубийцам.

Особенно ее интересовали дела женщин, прибывших по этапу из Москвы и Питера. Таких было немного. Сюда свозили сибирячек. И если тебе попадалось дело москвички, то оно требовало тщательного анализа. Кому-то хотелось убрать с глаз долой человека опасного. Туда, где его уже никто не достанет и не поможет. К такому контингенту требовался особый подход.

Дело Юлии Ворониной Риту заинтересовало сразу. Шито белыми нитками. Девчонка кому-то наступила на больную мозоль. Умышленное убийство и хранение наркотиков очень плохо сочетались между собой.

Такое возможно, когда наркоман за дозу готов мать родную убить. Но эксперты не сочли девчонку наркоманкой. Судя по всему, денег у нее хватало. Стриптизерша престижного клуба. Зачем ей связываться с наркотой, да еще таскать героин в сумочке? Или мало тайников в клубе? Бред! Убийство тоже под вопросом. Нет мотива. Трудно представить, что двадцатитрехлетняя девчонка таскала в сумочке трехкилограммовую резиновую дубинку, начиненную свинцом. Это не орудие самозащиты. Дубинку надо достать, размахнуться и нанести точный удар. Слишком долгий процесс. Проще отравить или напоить клофелином, а потом делай что хочешь. Так показывала практика. Через Риту прошла не одна сотня дел мокрушниц. В семидесяти процентах случаев фигурировало отравление, в двадцати пяти — огнестрельное оружие и в пяти — холодное. Кухонные ножи, семейные разборки, бы-

товая драка и убийство по неосторожности или при самоза-
щите, которую все еще очень трудно доказать. Но проломить
череп и сделать это умышленно, то есть принести оружие с
собой... Такого в практике капитана еще не встречалось.

С делом Ворониной Рита отправилась к начальнику колонии. Старый волчара на своем веку всякого насмотрелся. С его
опытом и чутьем образования не требовалось. Старик смотрел в корень и никогда не ошибался. Глянет на зека и, как цы-
ганка, расскажет о его прошлом и предскажет будущее.

— Петрович, помоги разобраться. Любопытная рыбка попала в наш аквариум. Дело сфабриковано, без напряга видно.
Глянь своим орлиным взором.

— Затуманенным глаукомой. Не шути надо мной, дочка.

Она положила перед ним папку и тихо села в сторонке.

Подполковник в старом засаленном мундире оседлал
переносицу очками с толстыми стеклами и пролистал дело.
К каким-то страницам он возвращался вновь, что-то пролис-
тывал, а некоторые документы читал внимательно. На зна-
комство с материалами ушел час, после чего он отодвинул
папку на край стола и снял свои кошмарные очки.

— Девчонка его не убивала. Парень кому-то помешал.
Я пошлю запрос на этого малого в Москву по своим каналам.
Как правило, в делах такого рода о жертве пишут подробно.
Суду надо понимать, кого и за что убили. Здесь ничего нет.
Денис Стрельцов безработный, двадцать семь лет. Все. Воронина себя не признала виновной ни по одному пункту обвинения. Девчонка работала стриптизершей. У таких девочек
есть своя крыша. Судя по фотографии, она очень хорошенькая. Стоило ей шепнуть на ухо кому надо, и парня убрали бы
без лишнего шума. Зачем же самой пачкать руки в крови.
Убить человека не так просто. Для этого нужен определенный характер. Выстрелить еще можно, и то от испуга, но
проломить череп... Нет, не верю. Такая ситуация могла воз-

никнуть, если бы он ворвался в ее дом с угрозами. Треснула чем попало — и все. Страх заставил. Но она сама к нему пришла. Что-то эти ребята раскопали. Того, кто знал больше, убили, другую запугали и услали куда подальше. Возможно, до нее еще доберутся. Такие случаи не редкость. В наших местах можно убрать кого угодно за лишнюю пайку. Следствие проводить не станут. Жизнь человека того не стоит. Начальство премии лишится, переходящего знамени. И все.

— Я хочу поговорить с девчонкой.

— Не торопись. Я сам на нее гляну. Дождемся ответа из Москвы, а потом ты ею займешься. С пустыми руками к ней не суйся. Она сейчас злая. Посидит недельки две, поймет, какая жизнь ее ждет впереди, и станет паинькой. Сейчас она еще сырая.

— Ты прав, Петрович. Мне торопиться некуда.

— Я на пенсию собираюсь в следующем году. Пойдешь на мое место?

— Нет, Петрович. Сейчас я могу уйти в любое время, а с твоего поста не отпустят. Не место мне здесь. Сам понимаешь.

— Я дам тебе рекомендации. Высоко с ними не взлетишь, но поддержку получишь.

— Спасибо, Петрович. Мне еще определиться надо.

Рита забрала папку и ушла в свой кабинет.

* * *

Старший прапорщик Нефедова докладывала:

— Кукла оказалась строптивой. Но бабы ее быстро обломают. Пару раз ей уже досталось. Ольга Пригоршина взяла ее под свое крыло. Думаю, из-за зависти. Пригоршина телка клевая, не хуже новенькой, здесь в авторитете. Третья ходка. Пашечку согревает по ночам. Вот и все ее заслуги. А Воронина с гонором. Думаю, Пригоршина получает от нее информацию о жизни в столице. Ей немного осталось париться на нарах.

— В душу к ней лезет?

— Пригоршина это умеет. Хитра гадюка. Знает, что новенькой требуется поддержка. Воронина киснет. За полмесяца из красотки в бледную тень превратилась.

— Ясное дело, не санаторий. Закалки-то нет, как у Пригоршиной. Семь лет по нарам маяться. Ладно, прапорщик, устройте ночью шмон. К утру все заточки должны лежать на моем столе. Мне эта девка живой нужна, а по местным понятиям она не жилец. Переведи Воронину в отряд Пригоршиной. Пусть и дальше сближаются. Они подходят друг другу.

— Разрешите идти, товарищ капитан?

— Завтра после обеда доставишь Воронину ко мне.

— Есть!

— Шагай.

Ночью провели шмон. Девять заточек стандартного образца, шесть ножей с наборными ручками, три опасных бритвы и швейные шила в большом количестве. В ШИЗО никого сажать не стали. Обострять ситуацию не имело смысла. Зона жила достаточно спокойно. Особых происшествий здесь не наблюдалось. Политика, проводимая начальником колонии, себя оправдывала. Бывали, конечно, исключения, и осужденных, бывало, хоронили на пустыре за колючкой. Небольшой холмик и табличка с номером, вот и вся твоя свобода. Трупы не разлагались в вечной мерзлоте. Много лет назад в тайге нашли затерявшуюся экспедицию, так всех участников по фотографиям опознали. Трупы отлично сохранились.

В полдень в кабинет Маргариты Тубельской, или, по местным понятиям, — кумы, привели заключенную под номером Е 6413.

Девушка стояла посреди комнаты, держа руки за спиной, и ее глаза ничего не выражали. Голубоватые ледышки с черными точками вместо зрачков.

Рита сидела за столом и долго разглядывала неподвижную фигуру.

— Скажи мне, столичная примадонна, почему тебя избрали козлом отпущения? Чем и кому ты насолила?

Пересохшие губы девушка зашевелились.

— Значит, даже вы поняли, что я невиновна?

— Толку что. Мы не суд, а орган исполнения наказаний. Тебя изолировали от общества на дюжину лет, а мы должны проследить за твоей изоляцией. Лет через шесть можешь подать прошение об условно-досрочном освобождении. Мы его поддержим, если будешь пай-девочкой. На амнистию не рассчитывай, убийц она не затрагивает. Придется смириться с данностью. Не сладко, конечно, но если доживешь до свободы, то выйдешь еще не старой.

— Я скорее повешусь, чем выдержу такую пытку.

— Так все думают, пока не свыкаются со своим положением. Возможно, кто-то обещал тебя вытащить за твое молчание. Не верь. Блеф чистой воды. О тебе уже забыли. Овчинка выделки не стоит.

— Это я уже поняла.

— Умная девочка. По эту сторону решетки у тебя есть только один царь и Бог. Это я. В ближайшие годы другого не будет. Ну а теперь разъясни мне, что такого натворил талантливый хакер Денис Стрельцов, что его пришлось убить?

— Взломал компьютер, в котором хранилась банковская информация. Номера счетов, адреса банков, коды доступа. Речь шла о сотнях миллионов долларов.

— Проще заблокировать счета.

— Проще убить дурака, не умеющего пользоваться нужной информацией. Заблокировать счета — значит приостановить циркуляцию огромного состояния и потерять на этом миллионы долларов. За день, а не за год. Пока мы с вами разговаривали, со счета ушло миллионов двадцать, а тридцать поступило. Это же не сберкасса, а огромная машина, термоядерный реактор. Его очень трудно запустить и почти невозможно остановить. Представьте себе, если весь Красноярский край останется на пять часов без света. Вся страна окажется парализованной, а об убытках и говорить не приходится.

— Стриптизерша, а голова кумекает.

— Учитель был хороший.

— И ты знаешь, как подобраться к деньгам?

— Знаю. Даже ключик имею от ларца.

— Расскажи мне о своем плане.

— С удовольствием. Но не здесь, а в Москве.

— Хорошее предложение. Я подумаю над ним. А теперь ступай в свой отряд.

Девушка вышла. Рита ей поверила. Так не блефуют. Но в Москве девчонка получит преимущества. У нее там есть покровители. Она как рыба в воде чувствует себя в столице, а Рита в Москве даже проездом не бывала. Нет, в Москву надо ехать на равных с партнером. С таким, как Ольга Пригоршина. Она и порядки знает, и сама со столицей незнакома. Долго Юлька не выдержит. Рано или поздно расколется. Не в этом кабинете, разумеется, а в бараке с кружкой чифиря в руках под свист пурги за окном и страхом за свою судьбу. Ольге она выложит все как на духу. Ну а с Ольгой договориться проще. Она понимает, как могут лечь карты.

Долго ждать не придется.

6

Некрасов выпил еще одну рюмочку и вновь оглянулся. Девушка сидела одна за столиком у окна и попивала коктейль. На улице жарко, здесь прохладно.

Слишком молода и красива для него. Конечно, он в своих чарах не сомневался, но еще больше боялся, что ему дадут отпор.

— Шею не свернете, Геннадий Ильич? — с усмешкой спросил бармен, ставя на стойку блюдечко с нарезанным лимоном.

— Ты ее знаешь, Алеша?

— Классная телка. Не из дешевок. Солистка ансамбля «Березка». Зовут Галей. У них неподалеку репетиционный зал, а вечером они выезжают на представление. Образуется своеобразное «окно» в три часа. Девушки ездят домой на обед, а Галя живет за городом. Не успевает обернуться. Приходит к нам, ест овощные салаты и пьет коктейли.

— Одна? И парня у нее нет?

— Похоже, что нет. Чуть больше месяца к нам ходит.

— Можешь нас познакомить?

— Я же говорю, она не из легкодоступных. Надо сделать все мягко. Давайте попробуем.

Бармен вышел из-за стойки, и они вместе подошли к столику, за которым сидела танцовщица.

— Извините, Галя, что нарушаем ваше одиночество, но я хочу представить вам Геннадия Ильича. Большой любитель и знаток сценического искусства, спонсор и меценат. Имеет свою фирму, солидный бизнесмен без дурных мыслей в голове. Мечтает попасть на ваше сегодняшнее представление. Сумеете посодействовать?

Девушка рассмеялась.

— Я поняла только половину из того, что вы сказали, Алексей. Сегодня мы танцуем в Дубне в Доме ученых. Вряд ли я смогу пригласить вас в наш автобус. Туда даже родственников не пускают. А в зал провести смогу.

Некрасов тут же подсел за ее столик.

— В этом нет никакой проблемы. Я поеду за автобусом на своей машине. Вы можете ехать со мной. В машине удобней.

— Комфортней, но не очень удобно перед подругами. Если только воспользоваться вашим предложением после концерта. Автобус отвозит всех в Москву. А мне нужна Московская область.

— Без вопросов. Алексей, тащи сюда мой коньяк и коктейль для Галины.

— Сию секунду.

— У вас очень выразительные глаза. Жаль, что их не будет видно со сцены.

— Пользуйтесь моментом, смотрите сейчас.

— Боюсь.

— Боитесь чего? Глаз?

— Боюсь влюбиться.

— Значит, вы влюбчивы?

— Не думаю. Но вы же правильно себя оцениваете. И должны понимать, что разительно отличаетесь от серой толпы. Перед вами айсберг растает, а ледяную глыбу не заподозришь во влюбчивости. Я всегда преклоняюсь перед людьми искусства. Нам, технарям, не дано понять, как человек может создавать такую красоту. Вы, целованные Господом, доносите до нас, простых смертных, красоту и величие, от которых душу захватывает.

— Похоже, вы романтик.

— Последний из могикан. Мои друзья роют носом землю. Им нужна нефть, никель, газ, золото, уголь. Приземленные люди. А я все еще витаю в облаках.

— Вы счастливый человек, если можете себе такое позволить.

— Не совсем. Не хватает единомышленников. Тех, кто мог бы понимать тебя и разделять твои чувства.

Он, словно ненароком, положил ладонь на ее изящную ручку с длинными пальцами и продолжал рассуждать о самом сокровенном. Галя руку не убрала. Некрасов понял: он добьется этой женщины. Она того стоила.

ГЛАВА III

Полтора года спустя

1

Машина выскочила из-за поворота с потушенными фарами. Удар получился не очень сильным. Галя успела обернуться. Уличный фонарь осветил лицо водителя. Ее задело правым крылом, и девушку отбросило на тротуар. Острая боль в бедре и глухой выкрик. На несколько минут она потеряла сознание.

«Скорую» она вызвала себе сама по мобильному телефону, но так и не смогла встать на ноги до приезда врачей. Второй звонок она сделала уже из больницы, но номер Гены оказался недоступным.

На следующий день он приехал к ней сам. Галю поместили в общую палату, и они разговаривали тихо.

— Я могу перевести тебя в отдельную палату. Это нетрудно сделать.

— Не надо, Геночка. Травма не тяжелая, меня скоро выпишут. Выздоравливать буду дома. Мне не требуется стационарного лечения. Но мои гастроли накрылись медным тазом, если не карьера в целом.

— Я разговаривал с врачом. Через месяц сможешь плясать.

— Хотелось бы надеяться.

Некрасов погладил девушку по щеке.

— Ты девушка сильная, волевая, выкарабкаешься.

— Возможно, если меня не добьют.

— О чем ты?

— Наезд совершен умышленно. Меня поджидали. Машина ехала с погашенными фарами прямо на меня. Глупо. Если бы фары горели, то меня бы ослепило. Я оглянулась. Машина набирала разгон, вместо того чтобы тормозить. Уличный фонарь осветил лицо водителя. За рулем сидела молодая красивая женщина. Она не была пьяной. Взгляд сосредоточенный, сконцентрированный на цели.

— Ты не преувеличиваешь?

— Нет, Гена. Я видела лицо убийцы.

— Кому ты можешь мешать?

— Догадайся с трех раз. Твоя жена пыталась меня завербовать. Я так и не поняла, что она хочет от меня услышать. Постельные подробности? Похоже, я не оправдала ее высокого доверия. Ей нужна другая подсадная утка. Твое увлечение зашло слишком далеко.

— Я проанализирую твои выводы.

— Анализ несложный. Вспомни о моих предшественницах. Что с ними стало? Где они? Я подружилась с домработницей соседки из квартиры напротив. Она всех помнит. Ни одну из девушек мне так и не удалось найти. Извини, Гена, женское любопытство. Я хотела знать, чем они не угодили тебе, и не повторить их ошибок. Ты мне дорог.

Он поцеловал ее в щеку и встал.

— Я обдумаю твои слова. Мне пора. Важная встреча. Через пару дней я заберу тебя из больницы.

Девушка улыбнулась, и на глазах появились слезы.

* * *

Встречи с бывшим генерал-полковником Райковым носили спонтанный характер и проходили в совершенно неожиданных местах. Некрасов приезжал на них без охраны, по нескольку раз меняя такси.

Ничего сверхъестественного не произошло, обычное рабочее совещание. Подмосковный санаторий, берег водохранилища, удочки и тишина.

— Иран объявил о своей ядерной программе, ни с кем не считаясь. Они игнорируют мировое сообщество и ведут себя дерзко. Настолько дерзко, что это даже нам не нравится. Теперь можно сказать с уверенностью: академик Вассерман сумел заморочить им голову.

— Где они возьмут оружейный плутоний? — спросил Некрасов.

— У них нет многих элементов. Блеф международного масштаба. А если нет? Мы пришли к выводу, что их рано поддерживать. Слишком громко кудахчут. Такие разработки не афишируют. Кого они хотят напугать и чем? Нет, такие партнеры нам не нужны.

— Любой блеф, тем более такого масштаба, должен иметь под собой основу. Деньги не все решают. Из валюты не сделаешь ядерных зарядов. Сами по себе технологии стрелять не будут.

— Я с вами согласен, Геннадий Ильич. В конце концов, Северная Корея умеет держать язык за зубами. Пусть они не так богаты, но надежны и недоступны для иностранных разведок.

— Интересная мысль, Иван Дмитрич. А если Василиса нашла выход на необходимые компоненты для Ирана и Вассерман имеет несколько козырей в кармане?

— Я уже думал об этом. Вместо того чтобы сворачивать деятельность вашей фирмы, она развивает ее.

— Не совсем так. Речь идет о новом предприятии. Фирма будет продана с молотка нашим компаньонам. Она засвечена и не способна выполнять новые заказы. Сейчас мы наводим лоск, чтобы поднять цену. Я не уверен в том, что буду нужен Василисе и Вассерману на новом поприще. Иначе я узнавал бы о создании новой структуры не от агентов, а от хозяев. Василиса молчит, в то время как работа идет полным ходом.

— Я очень рад, что вы пришли к тем же выводам, что и я. Вам пора выходить из игры, пока вас не вывели из нее в принудительном порядке.

— Выйти из игры и остаться в живых?

— Ну зачем же. Вас должны убить. Вот только убийство вы должны спланировать сами. Элементарное, примитивное, связанное с вашими слабостями. Ищите женщину! Классический вариант детективной истории.

— И этой женщиной окажется моя жена.

— Ну, разумеется.

— Она слишком умна.

— Даже очень умные люди часто теряются, встречаясь с примитивной глупостью. В ее глазах вы остаетесь бабником и солдафоном. Не надо ее переубеждать. Вам поверят, если вы будете действовать примитивно, согласно своему имиджу. Мы вас поддержим в трудную минуту. И лишите госпожу Китаеву главной опоры — денег. Без денег она не решит ни одного вопроса глобального характера. В итоге Вассерман лишится главного источника.

— Не преувеличивайте. Василиса одно из звеньев его цепи. У Вассермана развернута целая сеть поставщиков.

— Позвольте нам ими заняться, Геннадий Ильич. Вы же займетесь Василисой. Уверен, этот орешек вам по зубам. За одиннадцать с лишним лет она так и не поняла, что на самом деле представляет собой ее муж. Желаю удачи. И не форсируйте события, у вас достаточно времени. Положение дел в

Иране будет своеобразным камертоном, в некотором смысле флюгером. На него и ориентируйтесь.

Разговор прошел конструктивно, и заговорщики остались довольны итогами встречи.

2

Все еще прихрамывая на правую ногу, Галя подошла к двери, глянула в глазок и тут же открыла ее.

— Раиса Михална? Вы едва не столкнулись с Геной. Он только что ушел.

— Я не стала бы к тебе подниматься, пока его машина стояла у подъезда. Собирайся быстро, нам надо уходить.

— Куда, почему?

— Тебе нельзя здесь больше оставаться. За тобой идет охота, а я не хочу видеть тебя в роли жертвы. Ничего не бери с собой. Твой уход не должен выглядеть побегом.

— Но меня в любом случае будут искать.

— Не будут. Завтра утром тебя уже найдут, и о тебе забудут.

Девушка ничего не поняла, взяла плащ с вешалки, сумочку и направилась к двери.

— Паспорт с собой?

— Он всегда со мной.

— Очень хорошо.

Они спустились вниз. На дворе стояла ночь. Возле дома их ждала «Газель». Они сели в салон, и Рая постучала по перегородке, давая знак шоферу, что можно ехать.

Машина тронулась с места. Глаза привыкли к полумраку, и Галя заметила лежащее на полу тело, прикрытое брезентом. Девушка вздрогнула.

— Кто это?

— Ты, Галочка. Девушку сбила машина. Насмерть. Ее отвезли в морг. Но я договорилась с санитарами и выкупила у них труп. Теперь мы отвезем его в другое место. Утром его найдут, а рядом будет лежать твоя сумочка с документами. Ансамбль на гастролях, опознать тебя некому. До поры до времени ты посидишь в укромном местечке. Когда все уладится, я отпущу тебя, но с другим паспортом. Лучше так, чем оказаться на месте этой несчастной.

— Кто же за мной охотится? Гена? Я в это не верю. Его жена? Но вы же на ее стороне.

— Сейчас я на твоей стороне. И ты мне небезразлична. Скучать тебе не придется. Я дам тебе много книг для чтения. Точнее не книг, а документов. Придет время, и они помогут тебе вернуть собственное имя. А сейчас помолчи. У нас много работы в ближайшие два часа. Тебе придется мне помочь.

— Куда мы едем?

— За город. Поближе к железной дороге.

* * *

«Капитанскую дочку» срочно вызвали в известный дом на Большой Бронной.

Девушка тут же приехала. В квартире первого этажа ее ждала Люба, новая консьержка, которая вела наблюдение из окна и фиксировала все передвижения.

— Докладывай, что случилось?

Даша прошла в комнату и села на диван.

— Девчонку хозяина пришили.

— Гальку? С чего ты взяла?

— Геннадий Ильич уехал от нее в половине первого. Тут же к дому подъехала «Газель» с красным крестом. Из нее вышла красивая баба лет тридцати пяти. Ты мне показывала ее фотографию. В моем списке она числится под номером девять.

— Я поняла, о ком ты говоришь. Дальше.

— Поднялась в квартиру Галины. Лифт остановился на четвертом этаже. Через десять минут они вышли, сели в машину и уехали. Я не знаю, какими калачами этой бабе удалось выманить Галку из дома. Некрасов ей дал жесткие инструкции. За порог квартиры ни шагу. В десятичасовых новостях сегодня передали сюжет. Поезд сбил девушку в районе станции «Дачная» по Савеловской дороге. Я видела куртку и сумочку Галины. Имени в новостях не называли. Труп тоже не показали. Но ее куртку я тут же узнала, она в ней уехала. Таких немного в Москве. Галка одевалась ярко и нестандартно. Думаю, новости будут повторять. Еще проще узнать подробности через областное УВД. У хозяина везде есть связи.

— Думаешь, он захочет светиться? Найдутся люди, способные проверить твою информацию. Молодец, Любаша, хорошо начинаешь. Премиальные тебе обеспечены.

К вечеру новость облетела всех заинтересованных лиц.

Некрасов выслушал доклад Даши спокойно.

— Не уберег. Почему она вышла из дома?

— Райская — хитрая гадюка, а Галка была слишком легковерной. Одно понятно: они были знакомы. Галка не пустила бы постороннюю женщину на порог и уж тем более не пошла бы с ней на улицу.

— Чем она могла им помешать? Из всех моих девушек Галя была самой безвредной. Ничего не просила, не требовала. Совершенно одинокое существо, любящее искусство. Я, как мог, скрашивал это одиночество. Вот и все. Ну а ты что думаешь, Капитанская дочка? Женский взгляд имеет свои преимущества.

— Убрать безобидную овцу можно только с одной целью. Прочистить дорогу конкуренту. Ждите, скоро вам на глаза попадется новая красотка. Случайно. Как бы невзначай. Каблук сломает, наткнувшись на вас где-нибудь поблизости от уютного кафе, куда вы ее тут же пригласите.

— Я не знакомлюсь с женщинами на улице.

— Я знаю, крестный, где вы знакомитесь. Довожу до вашего сведения, наблюдения показали следующее. Раису Райскую замечали в ресторане «Приют». Зафиксировано шесть контактов с Алексеем Чистяковым. Это не мимолетная болтовня, а серьезное общение.

— Так, дорогуша, а ну-ка выкладывай, кого ты завербовала в шпионы?

— Очень хорошего парня. Он даже мне немного нравится. Зовут его Костя. Он подрабатывает фотографом в кабаке. Очень ценный агент.

— Агент под носом у агента? Нестыковка. Бармен — бывший чекист, майор контрразведки. У него глаз наметанный, всех насквозь видит. Зачем ему фотограф?

— Он и сам пользуется его услугами. С появлением Кости в ресторане многие стали завсегдатаями. Один эпизод: жена просит мужа не пить много. Его всегда развозят, но тот бьет себя в грудь и кричит, будто вообще не пьяный. Костя предлагает жене сделать серию фотографий ее мужа. От первой рюмки до последней в конце вечера. Эффект феноменальный. Муж в стельку, а у жены на руках доказательства. Ему неплохо платят. Теперь все жены водят своих мужей под объективы Кости. Сарафанное радио. От клиентов нет отбоя. Чистяков вник в суть вопроса, не подозревая, что Костя не такой простачок, каким кажется. А в меня он просто влюблен.

— В тебя трудно не влюбиться. Твой паренек нам может сослужить хорошую службу. Его надо снабдить диктофоном. Любой видеоряд требует пояснений. Иногда их делают те, кого фотографируют.

— Хорошая идея. Костя — шпион от природы. Любопытство заставило его взяться за фотоаппарат. Он обожает совать свой нос в чужие дела.

— Хорошо, если об этом знаешь только ты. Чистяков опасен. С ним надо держать ухо востро.

— Я проинструктирую своего агента. Он мальчик сообразительный.

— Надеюсь, у тебя не будет с ним проблем.

— А если проигнорировать кандидатуру, подобранную вам Чистяковым и Райской, а подобрать такую, которая их напугала бы? Что они будут делать?

— Тебе примера Гали мало?

— Вы заработаете славу Синей бороды. Тот убивал надоевших ему жен и искал себе новую жертву.

— Ты сегодня напичкана идеями. И что это мне даст?

— Не знаю. Идея есть. Идея и ничего больше.

Даша ушла, а Некрасов задумался.

3

Кто-то резко дернул Раису за рукав и затащил в кусты.

— Тихо, Раиса Михална, мы здесь не одни. Давайте переберемся за сарай, там можно поговорить.

Галя кивнула на дальний конец участка.

Они проползли по-пластунски и поднялись на ноги только за шатким деревянным строением. Белая блузка Райской была испорчена зеленым соком травы.

— Что за паника, Галя?

— Вы мне говорили, будто об этой даче никто не знает и здесь я буду находиться в полной безопасности. Ничего подобного. За две недели она была здесь восемь раз. Хорошо, что я устроилась на чердаке. Один недостаток: крыша днем перегревается, и я провожу время в саду. Людей здесь нет. Забытое Богом место, это вы правильно сказали. И тут я как-то рано утром выглянула в слуховое окошко и увидела ее. Молодая красивая блондинка лет двадцати пяти или меньше. Похожа на художницу. Огромный этюдник на плече. Она шла в сторону леса. Поравнявшись с нашим домом, остановилась, оглянулась и быстро направилась к калитке. Я опомниться не успела, как услышала в сенях шум. В дом зашла быстро. Значит, имела свой ключ. Чердак ее не интересовал. Когда все затихло, я тихонечко спустилась вниз. Люк погреба, из которого вы достаете мне папки для прочтения, был открыт. Девушка просиживает там по шесть-семь часов, после чего уходит. Кроме этюдника в руках ничего нет. Похоже, она интересуется теми же документами. Так что вы не все знаете об этой даче.

— Скажу прямо, Галя, ты меня ошарашила. О даче никто ничего не знает. Много лет назад здесь побывала жена Некрасова. Дача принадлежит ей. Досталась по наследству от умершего отца. Она видела архив, но сочла его хламом и больше никогда сюда не возвращалась. На ее месте я сожгла бы дачу вместе с бумагами, да еще страховку получила. Но она о доме быстро забыла. А зря.

— Как же вы хотите воспользоваться архивом?

— Придет время, и ты все узнаешь. Сиди тихо. Не мешай девушке работать. Я привезла тебе продуктов на неделю. Наблюдай за ней. Через пару дней мы будем знать о художнице больше, чем она сама о себе знает.

— Вон она, видите? Выходит из дома. У нее есть ключи.

— Вижу. Кажется, я ее раньше где-то видела. Возможно, не одну. Но с кем?

Вопрос повис в воздухе.

* * *

Не прошло и двух дней, как Раиса объявилась в ресторане «Приют». Бармен встретил ее радушно с широкой улыбкой на лице. Для этой женщины он готов был сделать что угодно.

— Здравствуй, Алеша. Давно не виделись. Сделай мне, пожалуйста, хороший коктейль и ответь на пару дурацких вопросов.

— Всегда к вашим услугам, Раиса Михална.

— Можно без отчества. Память у тебя профессиональная, человек ты наблюдательный. Должен вспомнить одну мордашку. Наверняка ее видел где-то. Скорее всего, здесь.

Райская выложила из сумочки фотографию на стойку бара.

— Видел ее?

— Да. Примечательная особа. В моем вкусе. Таких я не забываю. Встречались раза три. Один раз на ее свадьбе. Она вышла замуж за талантливого парня. Дизайнер одежды из Дома моды «Каприз». Раньше назывался «Кристина». Ее сделали лицом фирмы. Потом видел ее на похоронах мужа. Парень скоропостижно скончался от сердечного приступа. Полгода прожили. Теперь она вдова. Зовут ее Ольгой, фамилия Левина по мужу. Живет на Полянке в квартире умершего. Больше я о ней ничего не знаю. Продолжает работать в Доме моды, но не как лицо фирмы. Заменила себя двойником. Жалкое зрелище. Дешевое переиздание хорошего романа. Серьезная девушка, не глупа. В моем заведении не появляется. Не тот уровень. Деньги у нее есть, любовников нет. Предположительно. Похоже, она любила мужа.

— Дорогая, дорогой, дорогие оба. Дорогая дорогого довела до гроба. Она же умная.

— Не тот случай. Витя Левин был хороший малый, не разгильдяй. Свободный художник. За таких выходят замуж по любви. Ольга могла найти себе партию и получше. Жила бы сейчас на Рублевке и купалась в золоте. Похоже, этот вопрос ее не очень интересует.

— Плохой ты психолог, Алеша. И работу свою плохо делаешь. Эта фотография сделана в ресторане «Яр». Ольга сидела там со своей подругой. Они очень внимательно наблюдали за Некрасовым, который приперся туда с новой телкой, мне до сих пор неизвестной. За что тебе деньги платят? Я зайду к тебе завтра, и ты мне выложишь все подробности об Ольге, ее подруге и новой шлюхе Гены. И попробуй не сделать этого.

— Какие проблемы. Все будет сделано.

— Проблемы могут быть только у тебя, Леша. У меня проблем нет и не будет.

Коктейль она пить не стала.

* * *

Теперь Галя приходила на встречи к опушке леса. Раиса не рисковала заходить на участок.

— Как дела?

— Художница приезжает по расписанию. Понедельник, среда, пятница. По пятницам появляется вечером, после восьми. Это связано с расписанием автобусов, по остальным дням к девяти утра.

— Я привезла тебя сюда в понедельник под утро. Труп на железке нашли обходчики. Значит, художница видела оцепление из окна вагона. В это время она должна была ехать сюда.

— Я уснула около семи утра и проспала до вечера как убитая. В этот день я ее не видела.

— Нам повезло, что вы не столкнулись лбами. Вот тебе телефон. Держи его прижатым к телу. Звук выключен, срабатывает виброзвонок. Я буду звонить тебе, и ты мне звони, когда эта девчонка появится на горизонте. Она для нас остается тайной за семью печатями. А теперь я хочу, чтобы ты глянула на фотографию ее подруги. Чутье мне подсказывает, что ты ее уже видела.

Раиса достала снимок и протянула его Гале.

Девушка, увидев фотографию, вздрогнула.

— Это она!

— Кто она?

— Та, что сбила меня на машине. Ее лицо я уже никогда не забуду.

— Теперь кое-что начинает проясняться. Хорошо. Художницу мы спугнем. Больше она здесь не появится.

— Как?

— Я знаю, как это сделать. А заодно и предупредим, что ее затея дорого будет ей стоить.

— Какая затея?

— Она торопится занять твое место в постели Некрасова. Мы тебя вовремя спрятали.

— Значит, Гена не собирался меня убивать?

— И никто другой тоже. Появились две волчицы с очень серьезными планами, а не глупая стриптизерша с королевскими амбициями.

— Мне страшно.

— Ничего не бойся. Мы предупреждены. А значит, удара в спину не получится.

— Жила себе, не тужила, и вдруг земля вокруг встала на дыбы. И что людям не живется спокойно?

— Спокойно живут те, у кого нет денег, дорогуша.

Раиса погладила девушку по волосам.

* * *

Вид женщины по шкале настроений приближался к разгневанному. Чистякову было чем ее утешить. Он встретил Раю с дежурной улыбкой на лице.

— Выкладывай, Алексей, чего нарыл?

— Ольга в Москве больше года. Приехала сюда с паспортом на имя Ольги Федоровой из Кургана. Появилась в «Серебряной чаше» и передала привет Гарику от Юлии Ворониной. Он ее пристроил в кордебалет стриптиз-шоу. Как мне известно, Воронину посадили, и она по непонятным причинам погибла в колонии. Из этого можно сделать определенные выводы. В той же колонии погибла родная сестра Левина, мужа Ольги, но он об этом так и не узнал до самой кончины. Ольга на Некрасова не выходила, что очень странно, если она как-то связана с Ворониной. Юльку подставили. Но сделал это кто-то другой, не Некрасов.

— Не валяй дурака, парень. Называй вещи своими именами.

— Засадила девчонку Василиса Китаева. Как я догадываюсь, ты работаешь на нее.

— Я работаю на себя, Алексей. Остальное тебя не должно интересовать. Ты ведь тоже работаешь на Некрасова.

— Я работаю на тех, кто больше платит. Мои принципы рухнули вместе с Советским Союзом. Сейчас каждый сам за себя.

— Что за брюнетка опекает Ольгу?

— Без понятия. Она берется ниоткуда и проваливается в никуда. Известно только имя. Ее зовут Ритой. Полагаю, что и Ольга не знает, где ее искать.

— А ты найдешь. Теперь о той, что присосалась к Геннадию.

— «Мисс Киев 2000». Сексапильная баба. Где ее подцепил Гена, я не знаю. Впервые о ней услышал от тебя. Сюда он больше не приходит. Девчонку готовят к скандальному шоу на телевидении. Похоже, красотка будет заниматься громкими разоблачениями с экрана. В этом плане Гена ее может интересовать, потому она так легко и легла под него. Уже живет на Бронной и чувствует себя там хозяйкой.

— Шпионок нам еще не хватало. Уберешь ее по моему сигналу. Нам она не нужна.

Бармен открыл рот и не мог произнести ни слова.

— Ну, что уставился. Используй своего головореза. Не строй из себя невинную овечку. Думаешь, я не знаю о ваших похождениях в Интуристе?

— За отдельную плату.

— Договоримся. Труп я сама должна видеть. Привезешь мне его в багажнике, а потом я скажу тебе, что с ним делать. Ориентируйся на пятницу. В тот же вечер ее похороним. Своего головореза за собой не води. Меня тошнит от него.

Раиса резко повернулась и направилась к выходу.

Из-за занавески появился здоровяк лет сорока пяти с плешью на затылке.

— Слышал, Митя, как тебя здесь поливали?

— Я бы для нее самой могилу выкопал.

— Успеется. Пока корова дает молоко, ее на бойню не ведут.

— А что ты скажешь Геннадию Ильичу? Это, я понимаю, мужик. Для него все можно сделать.

— Никакого вреда мы ему не делаем. Но она права. Хохлушка опасна, а Гена доверчив. Мы найдем ей достойную замену.

— Так что будем делать с «Мисс Киев»?

— Ты слышал. Приказы не обсуждаются.

4

Он встретил ее на выходе из «Останкино». Похоже, девушка никуда не торопилась. Обычно она брала такси, а тут решила поехать на маршрутке до метро.

— Женя?

Она оглянулась. Перед ней стоял высокий интересный мужчина лет сорока с обаятельной улыбкой.

— Хорошо, что я догнал вас. В студии мне сказали, что вы ушли минуту назад.

— Я вас не помню.

— Я из мужского журнала «Он». Слышали о таком?

— Конечно, слышала. Солидное издание.

— Хорошо, что вы понимаете это. У главного редактора есть идея. Мы просматривали кандидаток в будущие телезвезды и решили остановиться на вашей кандидатуре. К тому, что вы красавица, вы еще и умница. Мы подобрали неплохие снимки с конкурса красоты, где вы получили главный приз «Мисс Киев 2000». Нашим читателям вы понравитесь. В этом никто не сомневается. Но мы хотим открыть вас совсем с другой стороны. Не только как обладательницу короны, но и как подающую надежду журналистку. Статья, интервью, хороший видеоряд, три полных полосы. Пусть мужчины знают, какими сегодня должны быть бизнесвумэн. Что скажете?

— Тут и сказать нечего. Может быть, когда-нибудь и наступят времена, когда такие предложения станут привычным явлением, но сейчас о таком можно только мечтать.

— Отлично. Моя машина стоит рядом. Такие вещи в долгий ящик не откладывают. Главного редактора мы застанем за обедом. Удобный момент, его никто не будет дергать.

— Удобно ли?

— Но если он меня за вами послал, значит, удобно.

У девушки словно выросли крылья. У Чистякова тоже имелись крылья. Только он был черным ангелом. Что делает слава с людьми: они теряют голову, многие в прямом смысле.

В восемь вечера бармен позвонил Райской.

— У меня все готово. Она в багажнике.

— Подъезжай к метро Менделеевская по Дмитровскому шоссе. Там я к тебе подсяду.

— Будет исполнено.

Раиса перезвонила Гале.

— Ну что, моя девочка?

— Она здесь. Из подвала сочится свет.

— Отлично. Следи за опушкой леса. Через сорок минут появится машина. Тебе подадут сигнал фарами. Урони какое-нибудь ведро, чтобы она услышала, и спрячься. Нам надо выманить ее наверх.

— Я все поняла.

Через двадцать минут они уже мчались по шоссе.

— Зачем так далеко ехать с трупом на борту. Леса и вокруг хватает, — волновался Чистяков.

— Молчи, Алексей, и следи за дорогой. Скоро будет поворот. Мы не избавляемся от трупа, а устраиваем показательные похороны.

— Показательные — значит, при свидетелях.

— Какой догадливый. Только ты свидетеля не увидишь. А если и заметишь лишнее, то не обращай внимания. Ты глух, слеп и нем.

— Попасть кому-то на крючок? Век не расплатишься.

— Еще как расплатишься. Даже удовольствие получишь, а может, и деньги, если повезет. Свидетелю понадобится твоя помощь. Помогай по мере своих сил. Она сама к тебе придет. Имея на тебя компромат, наша хищница будет уверена в том, что возьмет тебя за глотку. Не сопротивляйся. Все карты лягут на отведенные им места. Что касается трупа, то мы его перезахороним через пару дней, и ее компромат превратится в детский лепет.

— Речь идет об Ольге Левиной?

— Какой ты умный, Алеша. Поразительно.

— Хочешь вывести ее на Некрасова?

— Она и без нас на него выйдет. Эта девочка умеет добиваться своих целей. Но лучше будет, если ты ей поможешь. Ольга должна видеть в тебе своего раба. Только тогда ты будешь знать обо всех ее планах.

— Такую девочку нелегко обвести вокруг пальца.

— И не надо. Делай все, что она захочет. Помогай ей. Она сама приведет тебя к золотой жиле. Ей нужен умный и сильный партнер. Она одинока и не очень в себе уверена. Без поддержки ей не обойтись. На тебя она сможет положиться, думая, что у нее есть на тебя управа. Она же свидетель. Мало того, она знает, кого мы будем хоронить. Ольга следит за Некрасовым и видела хохлушку не один раз. Сегодня она поймет, что место свободно, и начнет форсировать события. Гена не терпит одиночества. Все его повадки и привычки ей известны. Больше года вынашивает свой план.

— Ты забываешь про Риту. У Ольги уже есть партнерша. Рите палец в рот не клади, руку откусит.

— Вот видишь, ты сам ответил на собственный вопрос. Ольга даже не знает, где живет ее партнерша. Нет, Алексей. Я думаю, что Ольга находится под колпаком Риты и с удовольствием от нее избавилась бы, но не знает, как это сделать.

— Не могу понять, чего же ты добиваешься. Кому нужна эта игра?

— Моей хозяйке. Некрасов давно смотрит на сторону. Пока фирма действует, он должен находиться здесь. Если он упорхнет за кордон, то вся система обрушится. У Некрасова есть доступ к финансам. Речь идет о миллиардах. Мы обязаны держать его под контролем и знать все его мысли и планы. А ими он может делиться только со своими кошечками в кроватке. Слабость у него такая. Мечтает о молодой, любящей жене и беззаботной жизни на островах Тихого океана... Сворачивай. Теперь прямо через лес.

— Далеко?

— Считай, приехали.

Чистяков не мог понять, зачем Райская ему рассказала о деньгах и планах Некрасова. Ее никто за язык не тянул. Он и сам о Некрасове знал немало. Даже мог предположить, будто Гена хочет дать деру из страны и ему есть на что жить. Но такого откровения он не ждал. То ли Райская сболтнула лишнее, то ли намеренно проболталась. Что она задумала?

— Стоп, Леша! Мигни фарами пару раз и выходи. Представление начинается.

5

Даша тихо сказала:

— Атака началась.

— Ты ясновидящая? — спросил Некрасов.

— Нет. Все шито белыми нитками.

Они стояли у окна офиса в кабинете руководителя фирмы и смотрели на улицу сквозь жалюзи.

— Ты ее видела?

— Ту, что сидит в красном «жуке»? Конечно. Вы не разочаруетесь, крестный. Девушка соответствует вашему вкусу. Третий день сидит у вас на хвосте. Ловит момент.

— Что о ней известно?

— Ничего. Если вам ее представит Чистяков, то она какое-то время продержится. Если девочка действует на свой страх и риск, то ее быстро уберут. Такие никому не нужны. Женечка их здорово напугала, теперь они чужих к вам не подпустят.

— Женечка пропала три дня назад.

— А я вас предупреждала. Слава Дракулы или Синей Бороды вам обеспечена. Теперь только самые отчаянные решатся полезть к вам под одеяло.

Даша приоткрыла папку, которую держала в руках, и достала фотографию.

— Последний шедевр Костика. На дальнем плане телецентр. На ближнем Женя мило беседует с Чистяковым. Снимок сделан три дня назад. С тех пор «Мисс Киев» не только вы, но и другие не видели. Девушка срывает дорогостоящий проект. Это не шлюха, исчезнувшая с панели.

— Значит, и до меня доберутся.

— Навряд ли. Она скрывала связь с вами. Боялась потерять имидж.

— Рано я ее поселил на Бронной. Жаль. Милая девочка.

— Эта милая девочка растоптала бы вас в первой же своей передаче. Ее интересовала только слава. Собственное «я». Мне ее не жаль. Вовремя ею пожертвовали.

— Не думал, что у тебя такое черствое сердце.

— У меня? Хотите случай из практики. Принцип Жени очень прост. Если нет сенсации, то ее надо сделать. Вы знаете, на что она тратила деньги, которые вы ей давали?

— На что девушки могут тратить деньги...

— Ошибаетесь. Она нанимала головорезов, а те устраивали бойню в общественных местах. Избивали известных людей, чьи имена на слуху. Бандиты сбегали, а их место занимала бригада телевизионщиков, свалившаяся с неба. Интервью с побитой звездой и долгие рассуждения о причинах случившегося. За что его так? Не потому ли, что он спит с женой другого звездного мальчика? И тут всплывают подробности личной жизни популярных людей да еще и с фотографиями. Попробуй, отмойся потом. Вас, крестный, она держала на десерт.

— Я помню, Женьку ты мне подсунула. А как же сама на нее вышла?

— Через Костика. Он и делал те самые компрометирующие фотографии для нее. Женька ему хорошо платила. Костик умеет ловить момент. Настоящий папарацци. Но даже его тошнило от этой стервы.

— Ладно, забудем о ней. Постарайся узнать побольше о девушке из красного «Фольксвагена». Пусть Костик возьмет ее на прицел своей камеры. И какова ее связь с «Приютом»?

— Сделайте проще. Посетите «Приют» сами. Чистяков достает для вас какие-то лекарства. Позвоните ему и скажите, что приедете. Вот тогда все и встанет на свои места.

— Хорошая мысль.

6

Очень красивая девушка, стройная, черноглазая, вошла в кафе «Мимоза» и села у окна. Официант тут же принес ей кофе и бокал красного вина. Похоже, она часто сюда заглядывала и делала один и тот же заказ.

Все ее внимание было приковано к зданию напротив, где находилась какая-то фирма. Она наблюдала за входом и видела всех входящих и выходящих из здания. От ее внимания не ускользнул и красный «жук», стоящий поодаль от общей стоянки.

За ее спиной заерзали стулья, она услышала голоса. За соседним столиком рассаживались мужчины. Они ее не интересовали, и девушка даже не оглянулась. Совсем по-другому она среагировала, когда один из них произнес фамилию «Некрасов».

Красавица напряглась и стала вслушиваться в разговор.

— Я не знаю, какой мне еще придумать способ вернуть все на свои места, Алеша. Практически он выгнал меня ни за что. Обычные придирки. Я должен был получить солидные проценты с четырех последних сделок, которые состоялись благодаря моим усилиям. Речь идет о больших деньгах. Гена отказывается мне платить. Меня на порог к нему не пускают. Такими адвокатами, как я, не разбрасываются. Штучный товар. И уж тем более не делают из них врагов. Я слишком много знаю. Он думает своей головой? Хочет неприятностей?

— Не с того конца лучину жжете, Феликс Зиновьевич. Некрасова бесполезно пугать. Он всесилен. Проглотит вас и не подавится. Если вы ему нужны, он вас простит, если нет, то ни один суд вам не поможет.

Девушка достала зеркальце из сумочки и поправила прическу, а заодно разглядела тех, кто сидел за ее спиной.

Мужчине с приятным низким голосом было под сорок. Это его звали Алексеем. Приятный парень во всех отношениях. Такие женщинам нравятся. Мужественное лицо, спокоен, уверен в себе, ямочка на подбородке, крупные карие глаза с густыми длинными ресницами. Второй был полной противоположностью. Толстоватый, лысоватый, нервозен, безлик, с трясущимся двойным подбородком. На вид ему было больше пятидесяти. К плюсам можно отнести умный проницательный взгляд и хорошо сохранившиеся зубы, если только они не были вставными.

Рассмотрев соседей, она убрала зеркальце в сумочку.

— Не то говоришь, Алеша. Я немало для тебя сделал. Помог оформить все документы на владение рестораном, а консультациям и вообще счет потерян, и заметь, я не брал с тебя ни гроша. Пришло время пойти мне навстречу. Ты имеешь влияние на Гену. Поставляешь ему девочек, и он это ценит.

— С девочками сплошные неприятности. Теперь они от него шарахаются, как от прокаженного. Всех постигает один и тот же конец. Кому хочется лишаться жизни за пару месяцев комфортного бытия. Одно несчастье можно посчитать случайностью, два — уже настораживают, а три смерти кряду превращаются в закономерность.

— О третьей я ничего не знаю.

— Никто не знает. Однако живой Женю Коркошко никто не видел. Могу с уверенностью сказать, что уже и не увидит. Сейчас Геннадий тоскует от одиночества. Достойной замены нет. Никто не хочет совать голову в петлю. Сегодня вечером он придет в «Приют» за лекарством. Я его обеспечиваю редкими пилюлями. Если сумею подсунуть Гене стоящую красотку и поднять ему настроение, то можно и о вас ему напомнить.

— Постарайся, Алеша. Я не хочу терять свои деньги, заработанные тяжким трудом. Так просто я не успокоюсь. Лучше ему не иметь врага в моем лице. Не надо доводить меня до крайностей.

— Эмоции оставьте при себе, Феликс Зиновьевич. Они заведут вас в тупик. Один вы ничего не решите. Хотите объявить Некрасову войну, объединяйтесь с его женой и ее любовницей. Это фигуры, а не пешки. Пока Гена им нужен, они будут его оберегать. Скорее всего, гибель его подружек на их совести. Ничего не берусь утверждать, но они боятся, как бы мужик не натворил глупостей. Его психическая неуравновешенность может привести к необратимым последствиям. Речь идет о миллиардах, а не о копейках. Мужика надо держать в узде.

— Если он не вернет мне деньги, я оставлю его без штанов и знаю, как это сделать.

— Скорее все останутся без головы, чем Некрасов без штанов.

Девушка положила деньги на стол, взяла сумочку и вышла из кафе. Далеко уходить она не намеревалась. Зашла в магазин по соседству и надломила каблук у своих шикарных туфель. Жертва неслыханная.

Она дождалась момента, когда мужчины вышли на улицу и, пожав друг другу руки, простились.

Молодой ее не интересовал. Она знала, где его можно найти, а вот потенциальный враг Некрасова может стать союзником.

Адвокат Миркин был расстроен неудачным ходом переговоров и пребывал в рассеянной задумчивости.

Непонятно, как это получилось, но он наткнулся на девушку и сбил ее с ног. Та упала, сломав себе каблук. Ее платье задралось до нижнего белья, оголив стройные ноги. У Миркина отвисла челюсть.

— Может, руку подадите?

— Да, да, простите. Как это я так...

Он помог девушке подняться.

— И что, мне теперь босиком идти домой? Я живу не близко.

— Ну что вы... О чем разговор. Я вас подвезу и компенсирую ущерб.

Он указал на стоящий у тротуара «Мерседес».

— Прошу вас.

Девушка взяла его под руку и, ковыляя, дошла до машины. Престарелый кавалер открыл перед ней дверцу.

— Куда прикажете ехать?

— В салон «Гуччи» за новыми туфлями, а потом отвезете меня домой.

— Я готов. Меня зовут Феликс Зиновьевич Миркин. Адвокат.

Он протянул ей свою визитную карточку.

— Я нуждаюсь в туфлях, а не в адвокатах. Зовут меня Рита.

— Вы очень красивая женщина, Рита.

— Настолько, что вы меня не заметили и сбили с ног.

— Непростительная рассеянность. Готов искупить свою вину любыми средствами.

— Мало шансов. Впрочем, не будем забегать вперед. Жизнь часто преподносит сюрпризы.

— Только что я в этом убедился.

Машина медленно тронулась с места.

* * *

Вся информация о разговоре в кафе была передана Ритой ее партнерше по грандиозным замыслам, и ближе к вечеру

Ольга объявилась в ресторане «Приют». Встреча с барменом ее немного смутила. Этот мужчина ей нравился. Она хорошо его помнила. Он ее тоже не забыл и даже окликнул по имени. Удачный расклад. Ольга никогда не бывала в этом ресторане, и ее появление здесь надо чем-то оправдать. Свидание с портнихой, живущей по соседству, звучало убедительно.

Кто-то сел на соседний табурет за стойкой.

— Извините, я не помешал?

Ольга бросила мимолетный взгляд в сторону. Рядом сидел Некрасов.

— Мне нет, — тихо ответила она.

— Добрый вечер, Геннадий Ильич. Мне оставили для вас посылочку.

— Я за ней и пришел.

— Коньяк?

— Двойную порцию. Устал сегодня. Тяжелый выдался день. Хочу немного расслабиться. — Он повернул голову к девушке и спросил: — Мы не могли с вами видеться раньше?

— Вряд ли.

— Может быть, здесь?

— Впервые в этом заведении. Деловая встреча.

— Девушку зовут Олей, — вмешался бармен, ставя рюмку с коньяком на стойку. — Она вдова. Я знал ее мужа. Очень талантливый художник. Ольга работает в модельном бизнесе и очень успешно.

— Вы решили всю мою подноготную выложить?

— Не обижайтесь. Иногда полезно ставить точки над «i», чтобы вас не приняли за кого не нужно. Геннадий Ильич высоко порядочный человек и все понял правильно.

— Надеюсь.

В зале появилась молодая полная женщина с растерянным взглядом.

— А вот и моя портниха.

Ольга соскользнула со стула и пошла навстречу толстушке. Они сели за уединенный столик у окна.

— Выкладывай, Алексей, подсадная утка Василисы?

— Богом клянусь, Геннадий Ильич, чистая случайность. Эта девчонка никаким боком не связана с вашей женой. Я подобрал для вас совсем другой вариант. Василиса его одобрила. Обычная развязная дурочка. Об Ольге я даже не помышлял. Девчонка крутой породы, не уверен, что она клюнет на соблазн. У нее всего хватает. Деньги для нее не приманка. О ней мало информации.

— Такая мне и нужна. К тому же она очень хороша. Строгость, достоинство. Не похожа на профурсеток из общей когорты охотниц за счастьем. Нет в ней фальши. На такую можно положиться, если она станет твоей.

— Похоже, вы правы. Не буду спорить. Но если она откажется играть на стороне Василисы Андреевны, то ее конец предсказуем. Мне ее жаль.

— Она еще не моя.

— А как же быть с утвержденной кандидатурой?

— Пугни ее Синей Бородой, и она сама откажется.

— Смотрите сами. Миркин вам еще нужен?

— Он всегда мне нужен, но надо держать его на дистанции. Пусть поиграет на стороне врагов. Там от него больше толку на сегодняшний момент. Его опять поставят в дурацкое положение, и, пытаясь мне навредить, он принесет пользу.

— Боюсь, я вас не понял.

— Придет время, поймешь.

— Что мне сказать Василисе? Она зачастила в бар.

— Ты выпустил вожжи из рук. Неблагоприятное стечение обстоятельств. Такую девушку в рукаве не спрячешь.

— Они собираются уходить.

— Я уйду первым.

Некрасов, забыв свою посылку, заторопился к выходу.

Чистяков видел через окно ресторана, как Геннадий подошел к девушке и они о чем-то разговаривают. Кончилось все тем, что Ольга села в его машину.

— Виртуоз! — произнес бармен и взялся за телефонную трубку.

Раиса Михайловна Райская осталась довольной докладом Чистякова. Все шло согласно разработанному плану. Пора обсудить сложившуюся ситуацию с Василисой. Многие подробности придется опустить, но главную линию можно проталкивать с особым усердием.

7

Девушки стояли у окна и наблюдали, как Ольга и Некрасов садятся в его машину и уезжают.

— Ну что скажешь, Любаша?

— Крутая девка. Ушлая во всем. Живет в доме чуть больше двух недель, но навела свои порядки. Она и меня раскусила. Ворвалась в квартиру и врезала мне так, что до сих пор зуб качается. Потребовала с меня отчет обо всех, кто здесь живет и кто с кем спит. Я ей представила такой отчет. Теперь она все обо всех знает. Служанку из квартиры напротив приручила. Та у Ольги убирается тайком от своей хозяйки. Делает что хочет.

— Серьезный опыт для двадцати пяти лет.

— Я ее боюсь, Даша. Похоже, хозяин втрескался по уши. По-настоящему. Девка что-то затевает.

Люба достала фотографию брюнетки и показала Даше.

— Эта краля появлялась здесь трижды после переезда в дом Ольги. Поднималась на четвертый этаж. Значит, к Ольге. Кто такая, неизвестно. Приезжает на «Пежо 307». Номер я записала на обратной стороне снимка. Советую ее проверить. В открытую они не встречаются. И еще. Ольгу видели в баре на Малой Бронной с мужиком. Ты его знаешь. Шестерка хозяина, бармен из «Приюта». Похоже, у них своя игра.

— Возможно. Лешка беспринципный тип. Его интересуют только деньги. Баб у него своих хватает, и на девок шефа он западать не станет. Смысла нет. Ольга ищет поддержку на стороне. Купить Чистякова ей не по карману. Может только обещаниями кормить. А тот не так глуп и наивен, чтобы верить бабским обещаниям.

— Значит, она умнее его.

— Трудно сказать, Любаша. Время покажет. Скоро все встанет на свои места. Долго в такие игры не играют. Терпения не хватит. Ольга знает, что ходит по канату над пропастью. Инстинкт самосохранения сработает.

Даша задернула занавеску, и девушки отошли от окна.

* * *

Ольгу остановили на улице при выходе из Дома моды и предъявили удостоверение. Она не очень удивилась и без сопротивления согласилась проехать в управление.

Она знала, что в милицию ее никто не повезет. Так оно и случилось. Девушку привезли в загородный парк, где на тихой аллее ее поджидала жена Некрасова.

Ухоженная дама, женская красота и фигура сохранились очень неплохо. Старше сорока она не выглядела, сколько ей на самом деле лет, девушка не знала, но хорошо себе представляла, на что способна эта хищница.

— Вы со всеми подружками мужа проводите душеспасительные беседы, госпожа Некрасова?

— Моя фамилия Китаева. Но это не важно. Не со всеми, а только с избранными.

— Польщена высокой оценкой. Полковники милиции у вас на побегушках. Большая честь для меня.

— Какую цель вы преследуете, Ольга?

Василиса взяла девушку под руку и повела по тенистой аллее вдоль заросшего пруда.

— Я думаю, вы уже знакомы с моей биографией?

— Конечно. Колония строгого режима вас закалила. Вы не похожи на пустоголовых предшественниц. Думаю, что и цели у вас не столь примитивные.

— За деньгами я не гонюсь. У Гены их нет. Всем капиталом управляете вы, ему он недоступен. Он знает номера счетов, но не знает, где лежат деньги. Я ставлю перед собой только реальные задачи.

— И в чем же они заключаются?

— Я обязана перед вам отчитываться?

— Если ваша цель не окажется для меня неприемлемой, то я вам помогу. Если вы намерены нарушить мои собственные планы, то я верну вас в колонию. Еще лет на десять. Может, поумнеете за это время.

— А я хочу посадить в колонию Гену, как он сделал это с моей подругой Юлей Ворониной, которая там же и погибла по заказу с воли. Думаю, это его рук дело.

— Как же я сразу не догадалась. Так вы сидели с беднягой в одной зоне? Мне и в голову такое не приходило. Что же, цель благородная. Только неосуществимая.

— Ну почему же. У меня есть компромат на вашего мужа и на вас. Если вы меня уберете, его передадут в Управление ФСБ, где у вас нет крепких связей. Они давно точат зуб на вашу фирму. Советую вам не мешать мне. А я не затрону ваших интересов.

— Полагаетесь на свою подружку.

— Вы имеете в виду Риту? Она мне не подруга. Рита верит в свою судьбу и удачу. Вот ее-то кроме денег ничего не интересует, и она верит в то, что и я добиваюсь того же. Таким дурам не доверяют своих сокровенных планов. Им надо потакать и использовать, пока они могут приносить пользу. Если со мной что-то случится, то она поспешит занять мое место. У нее это получится. С ее данными, настойчивостью и коварством ни одна змея не сравнится. Остановить ее может только выстрел. В лоб и наповал.

— Я помогу вам отомстить Некрасову, но не сейчас. Наберитесь терпения. Сейчас мне скандалы не нужны. Падение цен на акции фирмы приведет к ее разорению. Мы должны ее выгодно продать и получить прибыль. После этого Гена ваш, и делайте с ним что хотите. Новую структуру я буду создавать с чистого листа без него. О ФСБ забудьте. Сами не отмоетесь. Некрасова надо сажать по примитивной уголовной статье. Скажем, за умышленное убийство. С хорошей доказательной базой, неопровержимыми уликами, железными фактами. Но вам придется потерпеть полгода или чуть больше.

— Полгода я могу подождать. Ждала дольше.

— Я знаю.

— Я знаю, что вы знаете.

— Да, я знаю, что вы знаете о том, что я знаю.

— Полное взаимопонимание.

Василиса улыбнулась.

— Мы еще увидимся. Держите меня в курсе дел. Можете мне звонить, если понадобится помощь. Только без самодеятельности. Не надо портить со мной отношения.

— Я учту все ваши замечания.

Василиса резко развернулась и пошла в обратную сторону. Через минуту Ольга осталась одна.

8

В наше время постельной сценой никого не удивишь. Он свободен от всяких обязательств, она ни перед кем не отчитывается, оба обладают приятной внешностью и сексуальным магнетизмом. Они нравились друг другу уже давно и в конечном результате оказались в одной кровати. Она получила все, что хотела, и он остался доволен романтической встречей. О развитии вспыхнувшего романа никто из них не думал.

Ольга поднялась с кровати и накинула на себя его сорочку. На столике стояли рюмки, бокалы и напитки. Она налила себе водки, выпила, села в кресло и закурила.

— Я не видел тебя раньше с сигаретой, — с томной улыбкой сказал Чистяков.

— Так, балуюсь иногда после выпивки. Курить бросила год назад, берегу цвет лица.

— Ну да. Ты же лицо Дома моды.

— Отказалась. Провели кастинг из сотни двойников и нашли мне замену. Оказывается, таких, как я, пруд пруди.

— Таких, как ты, нет. Жалкие копии.

— Есть и лучше. Только без моего взгляда. Юные создания не имеют опыта, жизненной школы, а за мной тянется шлейф событий.

— Я знаю о твоем прошлом. Некрасову говорить ничего не стал. И вообще, я не болтлив.

— Зато все выложил его жене. Работаешь на два фронта. Гене это не понравится.

Алексей помолчал и сказал:

— Это она мне о тебе рассказала. У нее больше возможностей добывать нужную информацию, что касается меня, то я никому на верность не присягал. Живу, как мне нравится.

— И перед тем, как сватать очередную куклу Гене, сам снимаешь с нее пробу. Ты не бармен, а повар.

— Случалось, скрывать не стану, но на каждую у меня нет времени, а главное — желания. В отличие от Гены, я очень разборчив.

— Комплимент принимается. И все же ты мелко плаваешь, Алеша. Ласковый теленок двух маток сосет. Но серьезных денег ты не видел. Мелочевкой перебиваешься. Серьезные деньги на другой глубине роются. Тебе до них не докопаться.

— Сколько мечтательниц вроде тебя пытались сделать подкоп под капитал Некрасова, и все кончили одинаково.

— Всему свое время и место. Из Китаевой ничего не высосешь. А из Гены можно вытянуть все. Он податлив, авантюрен, не боится риска, умен и хитер. Вот почему Василиса его бережет как зеницу ока. Она знает, на что он способен. Гена ей нужен. Потому он и живет. Через полгода его миссия закончится, и о нем никто не вспомнит. Суть заключается в том, что он об этом тоже знает. Вот что значат слова о своевременности моего появления. И еще: я знаю место, где лежат деньги, но ему это неизвестно.

— Ты умнее всех?

— Удивлен? А почему нет? Помнишь Юльку из «Серебряной чаши», которую Василиса упекла в колонию? Там девчонку и пришили. За что наказали безобидную малолетку? Ревность, что ли? Нет, Алеша. Юльке удалось с помощью хакера заглянуть в компьютер Василисы и срисовать все данные о счетах и банках. Парнишку убили люди Василисы, а убийство повесили на Юльку. Покопайся в старых газетах и найдешь подтверждение моим словам.

— Я и без газет помню эту историю.

— А теперь подумай о положении Гены. Пришла пора сваливать, а у него за душой ни гроша. Я не говорю о российских счетах. Два десятка миллионов для него не деньги, когда речь идет о миллиардах.

— Сколько лет прошло. Счета и банки сменились.

— Глупость. Деньги работают подобно муравьиной куче. Их движение не может остановиться ни на секунду. К тому же переброска денег лишит владельца процентов. Китаева не из тех, кто пойдет на потери. Патологическая жадность у нее в крови. Она с добычей не расстанется, как та обезьяна, что держит орех в лапе, просунутой в узкое горлышко сосуда. Некрасов пойдет на любые условия, чтобы вырвать куш из рук жены. У него нет выбора. Он знает, какой конец его ждет. Я его ангел-хранитель.

— И он с этим согласен?

— Согласится, когда придет время. Ждать осталось недолго.

— Ты ничего не успеешь сделать. Тебя раздавят, как муху на стекле.

— А если я умру раньше, чем у кого-то возникнет мысль меня раздавить? За последний год я многому научилась. Перелопатила гору полезного материала из истории масонов. Могу провести тебя по престижному кладбищу и показать немало могил очень известных людей, а потом докажу тебе, что все они живы, и расскажу, чем они теперь занимаются. В чем смысл? Они вовремя ушли со сцены, а значит, от преследования. И все ради того, чтобы продолжать начатые дела в спокойной обстановке, не боясь дамоклова меча, нависшего над головой.

Чистяков встал с кровати, обернулся полотенцем и присел в кресло напротив Ольги.

— Весьма любопытно. Ничего похожего мне и в голову прийти не могло. Ты веришь в то, что Некрасов с тобой поделится?

— Рассчитывать на его великодушие я не собираюсь. Тут как в голливудском вестерне. Кто первый выстрелит. Но сначала надо снять деньги со счетов, а это может сделать только Гена.

— Китаева его не выпустит из страны.

— Выпустит. По одной простой причине. Она не допустит скандала, если муж вляпается в грязную историю раньше времени. С убийцей никто связываться не захочет. Ей придется продать фирму за гроши. Акции рухнут. Придется от него избавляться в срочном порядке. Как? Вывезти за рубеж. Там с ним можно посчитаться. Тихо и без шума. Важно, чтобы все знали о его отъезде и это подтверждалось документами.

— Китаева не даст ему и дня прожить за кордоном.

— Ничего. Пару дней он урвать сумеет. Важно другое. Его гибель свяжут с Китаевой, и на то будут веские основания. В Москве придется устроить настоящий скандал с настоящим следствием, тогда Василиса всерьез напугается.

Чистяков плеснул себе коньяка в фужер и выпил залпом.

— Почему ты мне все это рассказываешь?

— Слишком много денег для меня одной. Работа предстоит тяжелая. Мне нужен компаньон. Опытный сыскарь, знающий языки, умеющий ориентироваться на Западе, без особых заморочек и с отсутствием совести. Ты мне подходишь. И еще. Помимо Китаевой у меня есть другие враги. Те, кто может помешать моим планам. Бывшая надзирательница из зоны. Баба глупая, но обладает природным чутьем, хитра, настырна и очень опасна. Тебе придется взять ее на свое попечение. Она займет мое место после того, как я умру. Гена будет в курсе дела. Он ее пустит в свою постель. Но о тебе он ничего знать не будет. Останешься его шестеркой, готовой исполнять любые капризы за мелкие подачки. Ты должен быть вне всяких подозрений. Рита будет козлом отпущения в Испании, а дурачка для следствия мы найдем здесь.

— Почему в Испании?

— Потому что там у Некрасова и его жены есть недвижимость. Потому что до Крита, Кипра и Мальты рукой подать. На этих островах расположены основные банки. Рядом Ближний Восток, откуда поступают деньги.

— Эта Рита в курсе событий?

— Она будет знать только то, что я ей скажу. Знакома лишь с общей картиной. Для нее я тоже должна умереть. И неплохо бы сделать так, чтобы она попала в поле зрения следствия. Некрасов должен оставаться одним из подозреваемых в моем убийстве, но не единственным. Иначе его арестуют раньше, чем Китаева решится его выпустить из страны. Мы запутаем следствие. Я уже все продумала. Как это сделать, я знаю. Наслушалась историй в зоне. Одна мокрушница успела дюжину своих врагов завалить, пока ее взяли, а под подозрение попала после первого убийства. Тут много нюансов существует.

— Как же мы будем их обсуждать? Гена тебя не упустит из виду, если пойдет с тобой на сговор.

— Найди козла отпущения в своем ресторане. Я стану его завсегдатаем.

Ольга дотянулась до своей сумки и вынула из нее фотографию.

— Это Рита. Она сама к тебе подплывет. Ей тоже понадобится надежный сообщник. Сейчас она обхаживает адвоката Миркина. Его мы тоже используем в своей операции. Но как компаньон он Риту не удовлетворит. Мелкий пакостник. А ей понадобится герой.

— Миркина нельзя недооценивать. Тебе с ним тоже стоит познакомиться. Найми его в свои адвокаты. Он с радостью пойдет к тебе в услужение, лишь бы нагадить Некрасову.

— Вижу, ты начал соображать в нужном направлении. Можно считать наш союз заключенным?

— Мне непонятно, как на меня выйдет Рита? И почему она выберет меня?

— Потому что ты мне не нравишься и вызываешь подозрение. Любой мой враг — ее друг. Я говорила ей о тебе с неприязнью. Так что жди. Теперь она мимо тебя ни за что не пройдет. Итак, работаем вместе или забыли друг о друге?

— Ты очень убедительна. Оригинальные идеи, хорошее видение обстановки и правильные ставки. Ты права в главном. Из Некрасова не надо делать дурака. Он должен стать главным фигурантом. Только не старайся быть умнее его. Он такого не потерпит. Преподноси ему свои замыслы так, будто они родились в его голове. Ты жертва, и он может стать жертвой — вот что вас должно объединять и толкать на совместные мероприятия по защите от общего врага. Родственные души. И вся эта история сдобрена страстной любовью. До такого еще никто не мог додуматься.

— Давай обсудим планы на ближайшее будущее.

Он не возражал. Ольга видела его горящие глаза. Вербовка удалась. Речь шла о сумасшедших деньгах, и этот аргумент не мог оставить Чистякова равнодушным. Ольга сделала правильные ходы и выиграла партию.

9

Кажется, его бригантина напоролась на рифы и теперь ее разносит в щепки. Долго на плаву ему не продержаться. А как все хорошо начиналось. Но светлая полоса, видимо, закончилась. Одно наваждение за другим.

Чиновник пока вел себя пристойно, не хамил и разговаривал мягко. Пока. Деньги легко не достаются.

— Я обязан вас предупредить, Афанасий Иваныч, если вы не погасите кредит, мы опишем ваше имущество. Мы не требуем всех денег сразу, но в течение трех месяцев вы должны погасить задолженность по выплатам.

— Сейчас лето. Пик безработицы. Клиентов нет, и взять мне их негде.

— Я могу вас выслушать, но проблемы остаются вашими. Ничего нового вы мне не расскажете. У каждого должника есть убедительные оправдания. Но у нас финансовое учреждение. Входить в положение каждого — значит самим стать банкротами. Посмотрите на свой офис. Вы один занимаете пять комнат в хорошем доме, да еще в центре Москвы. Смените помещение на более скромное. Согласны?

— Невозможно. На раскрутку нашего детективного бюро ушла половина средств из полученного кредита, реклама, пиар, объявления. Наш адрес указан во всех справочниках. Куда же я уеду? На пустое место? И начну все заново? Тогда мне и гроша не заработать.

— Я вас предупредил, Афанасий Иваныч. Описывать будем все. Вплоть до личного имущества. Все, что числится как ваша собственность. Квартиру в том числе.

Клерк забрал свою папку и ушел.

Афанасий остался один. Эти дармоеды и впрямь отнимут у него квартиру. Переписать ее на Оксану? Шиш ей. Она его бросила, когда он бедствовал после увольнения с Петровки. Сошлась с ресторатором и забыла о нем. Нет. Надо что-то делать...

В дверь постучались.

— Войдите.

В кабинете появился статный солидный мужчина средних лет. От него за версту несло деньгами и дорогой туалетной водой.

— Я хотел бы повидать детектива Павла Негоду.

— У вас есть для него работа?

— Совершенно верно. Он уже выполнял мои задания, и я остался доволен результатами. К сожалению, его мобильный телефон постоянно отключен, и мне пришлось приехать.

Еще одна промашка, — подумал сыщик. Телефон Павла валялся у него в столе и не включался со дня гибели парня. А ведь многие заказчики могли звонить ему напрямую.

— Извините, Паша погиб при исполнении служебного задания. Два месяца назад. Мне этим делом не позволили заниматься. Его дядя — генерал милиции, и они взяли расследование в свои руки. Очень жаль. Я его компаньон, зовут меня Афанасий Иванович Панарин. Майор милиции в запасе. Может, я смогу вам помочь?

— Жаль Павла. Хороший был парень. Что ж, пути Господни неисповедимы. Дело несложное, и я могу доверить его вам.

— Конечно. Раз вы наш клиент, вам будут предоставлены скидки.

— Только на вашу работу скидки не распространяются. Придется попотеть. Речь идет о молоденькой девушке. Большая Бронная шесть, квартира тридцать два. Ее фотографию я принес. Катается на красном «жуке». Да так, что не угонишься. Я должен знать каждый ее шаг. Ей могут угрожать. У девушки есть враги. Любовники тоже возможны.

— Следить, фиксировать и охранять.

— Точная формулировка. Работа круглосуточная. Свободны только тогда, когда я нахожусь с ней рядом. Если мы встречаемся, то я сам отвожу ее домой и остаюсь ночевать. Ухожу от нее в восемь утра. Вы должны сменять меня и оставаться возле ее дома. Смысл задания понятен? Зовут девушку Ольга Левина, двадцать пять лет. Недавно отметили.

— Задание стандартное, работа знакомая. Карьеру в милиции я начинал с наружки. Все будет сделано на высшем уровне. Пятьсот долларов в сутки плюс расходы по чекам. За эксклюзивную информацию, имеющую под собой доказательную базу, отдельная плата.

— О чем речь?

— О фактах, записанных на аудио или видео, а также фотоматериалы, изобличающие объект и служащие доказательством, которым вы можете воспользоваться в разоблачительных целях.

— Ну и накрутил ты, приятель. Меня зовут Геннадий Ильич Некрасов. Вот моя визитная карточка, фотография Ольги и две тысячи долларов аванса.

Клиент положил пухлый конверт на стол и ушел не прощаясь.

Панарин облегченно вздохнул.

— Есть все же Бог на небе!

Он перекрестился.

10

Оркестр объявил перерыв.

Работы для музыкантов на сегодняшний вечер выпало немного. Публика собралась скучная. Внимание привлекала только одна красотка, трижды заказывавшая старые джазовые композиции. Хороший вкус, но где она могла слышать такую музыку? Странно. К тому же девочка находилась под кайфом.

У Олега было плохое настроение. Денег ноль, «дурь» купить не на что, бармен в долг не дает. Играть для собравшегося быдла ему не хотелось.

Иван кивнул на девчонку.

— Смотри, Олежек, она одна сидит. Весь вечер с тебя глаз не сводит. Попытай счастья. Клевая телка.

Решил попробовать.

— У вас хороший вкус, кумекаете в джазе?

— Кумекаю. Садись. Меня Олей зовут.

Олег, не ожидавший такого радушного приема, присел за столик.

— Хорошо лабаешь, парень. Ты мне нравишься.

— Мне бы кайф словить, тогда бы услышала настоящую музыку. Не могу видеть эти постные рожи.

— Какие проблемы, приятель. Кока пойдет?

— А у тебя есть?

Она ткнула его коленкой и сунула в руки пакетик.

— Иди понюхай, и посмотрим, на что ты способен.

— Ты мне нравишься, Ольга.

— Зови меня Лялей.

— А я Олег. Загниваю в этой дыре. Туфтачи всю Москву заполонили, музыка не в цене.

— Хочешь, я буду твоим спонсором?

— Очень богата?

— Вдова. Муж оставил целое состояние, а меня тошнит от этой жизни. От всего тошнит.

— Спасаешься кокаином?

— Не твое дело. Ты лабай, я пришла слушать не тебя, а музыку.

— Ты мне нравишься, Лялька. Для тебя постараюсь. Вот и стимул нашелся.

— Если ты не туфта, а настоящий сакс, я тебя подожду и позволю отвезти меня домой.

— С радостью, если пригласишь.

— Приглашение заслужить надо. Вперед, герой!

И он заслужил приглашение.

* * *

Девушка пила коктейль, бармен ей улыбался, она улыбалась ему, но в контакт они не входили. Ресторан пустовал, время обеда закончилось, время ужина еще не наступило. Заблудшие овцы часто забредали в ресторан среди бела дня, прячась от изнуряющей жары, чтобы выпить холодный коктейль. Она пила второй «Коблер» и думала о своем.

К стойке подошел молодой парень и положил на нее пухлый конверт.

— Леша, это распечатки фотографий вчерашнего вечера, то, что не продано. Передай Костику. Может, они ему сгодятся для архива.

— Хорошо, оставь. Вечером передам.

Молодой человек ушел, а бармен высыпал на стойку содержимое. Несколько снимков соскользнули с полированной поверхности и упали на пол возле табуретов.

Девушка поставила бокал, наклонилась и собрала снимки. Две фотографии привлекли ее внимание. На них была изображена Ольга, сидящая за столиком с молодым парнем. Похоже, они веселились.

— Вы шпионите за своими посетителями? — спросила она, возвращая снимки бармену.

— Ну что вы. У входа висит объявление. Желающие могут сфотографироваться на память. У нас работает штатный фотограф. Он не прячется и не фотографирует из-за угла. Многим такая услуга нравится. Шпионажем эту работу никак не назовешь.

— Их покупают?

— И очень многие.

— Почему же эта парочка не купила свои снимки? Она указала на фото, поднятые с пола.

— Здесь все понятно. Со своих денег не берут. Молодого человека зовут Олег Вербицкий, он играет в нашем оркестре. Так что снимки он может забрать бесплатно. А рядом его девушка. Я ее не знаю. Но, кажется, ее зовут Ольгой.

— А меня зовут Рита.

— Рад, что вы заглянули к нам.

— Вкусные коктейли.

— Спасибо, стараюсь.

— Призвание?

— Двадцатилетний опыт. Более пяти тысяч смесей держу в голове. Мне нравится доставлять людям радость.

— Получается. Жаль, что у вас нет выбора. Приятное надо делать хорошим людям, а не всем подряд.

— Я так и делаю. Те, кто мне несимпатичен и кого я не хочу видеть в качестве своих клиентов, получают такую смесь, которая удерживает их от повторного посещения нашего заведения.

— Вот как? Тогда я отношусь к другой категории, если судить по вкусу коктейля.

— Такую девушку всегда приятно видеть. Вы очень красивы. Извините за банальность.

— Отчего же. Приятно слышать. Я не очень избалована комплиментами. Долгие годы занимала должность, не вызывающую симпатий.

— Есть и такие?

— Имеются. Пришлось ее оставить, чтобы не закончить жизнь старой девой.

— Вам такая участь не грозит. Вы не москвичка?

— Теперь москвичка. Но привыкаю к шумному мегаполису очень трудно, теряюсь в пространстве.

— Могу помочь, если пожелаете. У Москвы, как и у каждого города, есть свои особенности и секреты. Если их знать, можно чувствовать себя как рыба в воде.

— В аквариуме тоже есть вода, но нет простора и свободы.

— Сегодня вечером меня подменят. Хотите, я покажу вам город с неожиданной стороны.

— Соблазнительно. Я подумаю.

— В семь вечера.

— Возможно, я подъеду.

И она подъехала. В вечернем костюме Алексей Чистяков выглядел очень элегантно. Рита тоже выглядела потрясающе в пурпурном платье от Дома Диор. В итоге получилась эффектная пара. Они друг друга стоили.

* * *

Ольга приехала в Сокольники на метро. Несколько переходов, пересадок, перебежки из вагона в вагон — и ей казалось, что она избавилась от возможной слежки.

С Миркиным они встретились на аттракционах и покатались на «чертовом колесе». Кабинка для двоих их вполне устраивала.

— Вы приехали без Риты?

— Конечно. Вы просили соблюдать осторожность. Вас не должны видеть вместе. И потом, я подумал, что вы хотите мне сказать чуть больше того, о чем может знать она. Я опытный адвокат и чувствую дух соперничества. Наша встреча состоялась по ее инициативе. Она мне сказала, будто вы хотите иметь надежного адвоката. Я тот, кто вам нужен.

— И я так решила, учитывая ваши отношения с господином Некрасовым.

— Теплыми их не назовешь.

— Наводящий вопрос, Феликс Зиновьевич. Порвав отношения с Некрасовым, вы должны по закону подлости переметнуться на сторону противника. Я под эту категорию еще не подхожу. А если и подхожу, то вам об этом ничего не известно или не было известно. По идее, ваше внимание могло переключиться на Василису Китаеву. Враг ее мужа становится другом жены. Не так ли?

— Вопрос понятен. Не работаю ли я на Китаеву? Это вас интересует? К великому сожалению, нет. Вы не очень хорошо понимаете ситуацию. И не только вы, но и многие другие. Дело все в том, что я работал на фирму, принадлежащую им обоим, а не конкретно на Некрасова. Согласен, я допустил ряд ошибок, но не по своей вине. Адвокат должен знать всю правду, чтобы владеть ситуацией. В фирме Некрасова ситуацией владеет только он. Он один царь и Бог. Без него вся система развалится. Василиса решает вопросы международного уровня. Внутренние дела ее мало интересуют. Они дополняют друг друга и образуют монолит. Вот причина, по которой они все еще вместе. Цепь невозможно разорвать, когда речь заходит о выгодной продаже полного пакета акций. Рынок очень капризен и чувствителен, как флюгер. Малейшие колебания могут развалить грандиозные планы. Мои ошибки повлияли на ухудшение обстановки. Меня тут же выставили за дверь, лишив всех гонораров и выплат. Выгоняли меня оба, а не один Некрасов. Я нанес вред фирме, а не конкретной личности. Зачем же я нужен

Василисе? Ее подпись стоит под приказом о моем увольнении. У меня нет компромата на Некрасова. Я для них не опасен. Речь идет о другом. Мы много лет проработали вместе. Мне известны все сильные и слабые стороны владельцев фирмы, включая тактику и стратегию управленческой системы. Я неплохой психолог и могу предсказывать действия Китаевой и Некрасова в определенных ситуациях. Во всяком случае, лучше многих других. Воевать с такими людьми мне не под силу. Но консультировать тех, кто встал на тропу войны, вполне могу. Я трезвый человек и не верю в мираж. Победить Некрасова и его половину невозможно. Борьба добра со злом ведется с переменным успехом в течение тысячелетий, и победителя до сих пор нет и быть не может. Вы способны выиграть на определенном этапе, если трезво оценили свои силы и ситуацию и нашли самый подходящий момент для нанесения удара. Такая кратковременная победа возможна. Один миг из вечности. Попадете в десятку, хвала вам и честь. Хватайте свой кусок пирога и бегите как можно быстрее и как можно дальше. Споткнетесь — и все пропало. Вы готовы к такой борьбе?

— Готова.

— С удовольствием вам помогу. Считайте, что я вам преподал первый урок и вы должны его помнить, как таблицу умножения. Я злопамятный. Мне доставит удовольствие оставить в дураках того и другого.

— В моих планах нет места дуракам и самонадеянным шлюхам. Они могут все испортить. Мне трудно от них избавиться.

— В вас, Ольга, говорит злоба. От этого недуга надо избавляться. Существует холодный расчет, все эмоции надо отбросить в сторону. Речь идет о Рите, как я догадываюсь. Согласен. Не очень умна, но очень настойчива. Используйте ее лучшие качества в свою пользу. Вам враги не нужны.

— Она хочет занять мое место. Ждет удобного момента.

— А как вы хотели? Вполне естественное желание. И это не от жадности. Дай ей сто тысяч, и она будет счастлива. Деньги для нее в новинку, она не знает им цену. Девушка всю жизнь прожила с мелочью в кармане. Дикое животное, для которого цивилизованный мир в новинку. Конечно, она не борец. Я на нее не поставил бы и ломаного гроша. Но почему бы все ее недостатки не обернуть на пользу. У нее и достоинств хватает, которыми можно жонглировать, исходя из обстоятельств. Нет и не бывает ничего лишнего, когда строится фундаментальное здание. Всему найдется свое применение.

— Эта мысль уже приходила мне в голову. Мы найдем с вами общий язык, если вы не будете вести двойную игру.

— Я играю за деньги. Рита меня использует и изредка скрашивает мое одиночество. По ее мнению, этого достаточно, чтобы превратить меня в половую тряпку, о которую можно вытирать ноги. Я же говорил, она видит мир по-своему, а я не пытаюсь ей противоречить. Не вижу смысла. Каждого из нас устраивает собственное положение.

— Договорились. Вы получите задолженность Некрасова с процентами. Мои планы обсудим позже. А сейчас я хотела бы оформить с вами официальный контракт на сотрудничество. Рита будет знать, что наша встреча прошла недаром, а я получу официального адвоката, который будет соблюдать мои интересы, согласно вашей адвокатской этике.

— Все нужные бумаги я привез с собой.

— Не сомневаюсь в вашей предусмотрительности.

Разговор занял шесть кругов. Кабина остановилась внизу, и они покинули «чертово колесо».

Да, колесо закрутилось, и его можно назвать «чертовым», но на аттракцион оно походило мало.

11

Гулянка в ресторане продолжалась до половины третьего. Посетители давно разошлись, и сыщику Панарину пришлось выйти со всеми. Он продолжил вести наблюдение с улицы через окно. Оркестр в полном составе вышел в зал, где был накрыт отдельный стол. Заправляла компанией Ольга и, судя по всему, платила тоже она.

Музыканты не могли позволить себе черную икру. Пили водку, никаких вин и шампанского, закусывали икрой и холодным зажаренным поросенком.

Ждать пришлось долго. Когда компания высыпала наружу, Панарин сел в свою машину. Следить за молодой распутницей удовольствие не из приятных. Придется повысить расценки. Бессонные ночи выбивали его из колеи. Он уже не так молод, чтобы выносить такие нагрузки. В пору отказаться от работы, но нельзя. Деньги нужны позарез. Придется терпеть. На составление отчетов не хватало времени. Спал в машине. Девчонка попалась прыткая. Дважды с легкостью уходила от слежки, будто знала о ней. Хотя вряд ли. Вот она села в своего «жука» и посадила в машину саксофониста. Зная о наблюдении, она не стала бы так наглеть.

Ольга привезла долговязого лохматика на Большую Бронную. Совсем свихнулась девка. Теперь она попалась.

Панарин потер руки, вышел из машины, взял из багажника спортивную сумку и вошел в подъезд.

Чердачная дверь легко открылась отмычкой. Сыщик выбрался на крышу, рассчитал расстояние, достал из сумки веревку и привязал один конец к штанге антенны, а вторым концом обвязал себя вокруг пояса, после чего повесил на шею фотоаппарат.

Расстояние небольшое. С крыши шестиэтажного дома надо попасть на балкон четвертого этажа. На доме имелись выступы из лепнины. Вещь хрупкая, пришлось соблюдать осторожность и большую часть пути спускаться на руках. На балкон он приземлился мягко.

В квартире парочка сидела в гостиной и продолжала пьянку, начатую в ресторане, потом перешли в спальню. Парня пришлось раздевать. Он был невменяем. Ольга тоже разделась. Панарин щелкал затвором. Самых вкусных фотографий не получилось. Музыкант тут же отрубился. Но кто об этом узнает? Свет погас.

Панарин начал свое восхождение. Сил потребовалось немало. Пара кусков лепнины откололась и упала на балкон. Какое счастье, что они пьяны и ничего не слышат.

Взобравшись на крышу, сыщик собрал снаряжение и ушел.

Ночью ему было не до сна. Он распечатал два десятка фотографий, больше половины из которых получились отличного качества. Панарин остался доволен своей работой. За такие улики платят большие деньги. Ему повезло. Бессонные ночи дали свой результат.

Теперь он ни о чем не жалел и с интересом ждал встречи со своим нанимателем. Ему есть чем гордиться. Теперь можно выспаться. Один день прогула погоды не сделает.

* * *

В восемь утра музыканта выставили за дверь, не дав ему похмелиться. Ольга вела себя резко и раздраженно. Кокаина он тоже не получил. Девушка обещала заглянуть в ресторан вечером, если будет время.

Олег все понял. К молодым женщинам надо приходить трезвым и дарить им ласки, а не свое бесчувственное тело.

Побрел восвояси не солоно хлебавши.

Оля вышла следом. Бежевой «девятки» и детектива во дворе не оказалось. Сорвал куш придурок и успокоился. Она его хорошо помотала за последние дни, пусть отдыхает. Молодость, энергия, выносливость были ее пусть не главными, но очень важными козырями.

Девушка воспользовалась метрополитеном и вскоре приехала по назначению.

Чистяков принял ее при полном параде и сделал завтрак.

— Ну, как тебе моя подружка? — спросила она, наливая себе кофе.

— Склонна к садизму. Приходится разыгрывать из себя мазохиста и восторгаться ее силой. Ты права. Мозгов у нее немного. Некрасов ее не оценит.

— Оценит, и по достоинству. Он принял мой план. Я ему намекнула, как можно использовать тебя и твоего головореза. Взял тайм-аут. Жди от него предложений. У Гены не очень большой выбор, я уверена, что он остановит его на тебе.

— Поражаюсь. То, как работает твоя голова, является величайшей тайной природы. Ты подчинила себе всех, даже тех, кто против тебя.

— Теперь ты не сомневаешься в моих способностях?

— Давно не сомневаюсь. Если не ты расколешь Некрасова, то кто же? Тебе нет равных.

— Я год готовилась к прыжку. С наскока такие вещи не делаются. Других шансов не будет.

Чистяков положил ключ на стол.

— Сделан по слепку. Ее адрес: улица Русакова, дом девять, квартира сорок один. Это в Сокольниках. В твою квартиру на Полянке она никого не водит. Осмотреться я не мог. Не хотел вызывать подозрений. Днем она приедет ко мне в бар. Можешь использовать момент. Постараюсь ее подержать возле себя часа два.

— Очень хорошо. Мне много времени не понадобится. Я ей позвоню на мобильник и назначу свидание. Она давно добивается встречи со мной. Приезжать к себе я ей запретила.

— Она может появиться где угодно. Рита действительно устроилась массажисткой по вызову в легальную контору. Отличное прикрытие.

— Некрасову она об этом не скажет.

— Он и без того слишком много знает.

— И будет знать еще больше. Мое безропотное доверие к нему окрыляет мужика. Ему кажется, что все он сам придумал, чтобы в конце концов остаться в дураках.

— Не много ли ты на себя берешь?

— Что ты. Гена — умнейший человек. Без него мы пустое место. Он настолько умный, что может даже найти честного человека в Москве.

— Может. Но кому они сегодня нужны? Все построено на лжи. Кругом ложь. Только по таким правилам сегодня можно играть. Они всем понятны. На них все построено. Правда никому не нужна, и ей никто не поверит.

— Некрасову очень скоро понадобится честный человек. Он должен принять весь огонь на себя. В любых правилах должны быть исключения.

— Почему ты не раскрываешь мне все планы?

— Я и сама о них не все знаю. Надо оставлять место для экспромтов.

Ольга пересела к нему на колени.

— Кажется, я тебя ревную, — тихо сказала она.

— К садистке? Она мизинца твоего не стоит. Может, и мне поревновать тебя? К молодому саксофонисту?

— Меня тошнит от него. Он до меня еще пальцем не коснулся. Не успевает. Клофелин выручает.

— А Гена?

— Гена — святое! Наш спаситель. Мы должны молиться на него. Он наше будущее.

— Согласен. К святым не ревнуют. Будем молиться, пока не наступит время взяться за топоры.

Они весело рассмеялись.

* * *

Ханов постучал в дверь и вошел в крохотный кабинет Чистякова. О своих делах они предпочитали разговаривать наедине, подальше от барной стойки.

— Ты стал часто отлучаться, Леша. Многие клиенты приезжают в кабак ради твоих коктейлей.

— Скоро навсегда отлучусь, Митя.

— Нашел золотую жилу?

— Я не отдаю большего за меньшее. Мне сделали предложение, от которого я не смог отказаться.

— Столько сил вложить в дело и бросить его? Ушам своим не верю.

— Зачем же бросать, если есть достойный продолжатель.

— Не я ли?

— Ты, Митя. Все на тебя оставлю. Правда, тебе придется сделать для меня несколько важных дел.

— Опять мокруха?

— И не только. Я сказал «несколько». Риск невелик.

— Когда знаешь, за что рискуешь, ничего не страшно.

— Примешь дела. Ресторан переведем на твое имя. Начнешь с замены вывески и кончишь персоналом. Музыкантов в шею. О них мы еще поговорим отдельно. Переходишь в другую категорию. Никаких дискотек и плясок. Главный профиль — кухня, а не напитки. Поваров выпишешь из Франции и Испании. Я давно собирался это сделать, руки не доходили. Теперь этим займешься ты.

— Правильное решение.

— Бизнес-план остается тебе в наследство.

— Мне встать на колени? Так я и так хожу в твоих халдеях, куда же ниже гнуться.

— Хватит гнуться. Пора голову вверх задирать. Ознакомишься с документацией, а я пошел в зал.

Чистяков похлопал по стопке пухлых папок.

Рита уже сидела возле стойки в полном одиночестве.

Издали посмотришь — сногсшибательная женщина, в нутро заглянешь — одна гниль.

Чистяков изобразил улыбку на лице и приготовился к объятиям.

* * *

Осмотр квартиры никаких открытий не принес. Ольга знала, как делают шмон в колониях, и понимала, где свои секреты может хранить Рита. Они прошли одну школу. Одна знала, как прятать, другая, где искать. К тому же Рита была уверена в том, что о ее пристанище никто не знает. Речь не шла о любовниках. Они интересуются ее телом, а не вещами и кухонной утварью.

Ольгу интересовало дело по подозрению в двойном убийстве, которое она не совершала, заведенное на нее в колонии. Похоже, Рита блефовала, никакого дела и следов от него в квартире не нашлось.

На кухне за решеткой воздуховода лежала заточка. Она ее уже видела в зоне на столе Риты. Типичное оружие для тех мест. Зачем она привезла ее с собой? Такая улика указывает на причастность ее владельца к касте зеков. Если заточку использовать по назначению, а потом подбросить бывшему заключенному, то следствию больше ничего не понадобится для обвинения. Тут долго думать не надо, чтобы понять, кому предназначалось перышко. Хитрит баба.

В книге у кровати Ольга нашла письмо без конверта, паспорт и фотографию молодого парня. На задней стороне снимка стояла надпись: «Володя Калядин. 4-й курс журфака». На студента не очень похож. На вид лет тридцать или чуть меньше. Таких студентов Ольга на пересылке встречала в солдатских бушлатах. В скобках стояло другое имя: Семен Баркасов. Зона 34/13 Оренбург, статья 188 и 195. Паспорт с той же фотографией, выданный в городе Кургане на имя Петра Николаевича Ковалева. Точно такой же паспорт и той же серии в Кургане сделали Ольге по протекции Риты. Значит, и этому парню паспорт сделала она.

Вряд ли Рита возьмет себе в помощники желторотого юнца.

Ольга отложила паспорт в сторону и развернула письмо. Оно было адресовано ей, и она узнала знакомый почерк. В письме лежал еще один снимок, очень старый, сделанный давно. Оля прочла послание:

«...Ты стала крутой телкой, Лялька. Слухи и до нас долетают. Забыла, сколько ты мне должна? Я трижды спасала твою шкуру от пера. Лежать бы тебе сейчас в номерной могиле под Уссурийском и кормить червей, а ты крутишь задницей перед сытыми лохами и стрижешь с них бабки.

Я не завидую. У меня свои пироги. Но и корешей забывать нельзя. В столицу едет мой брательник, зовут его Сема. В наших краях на него открыли охоту. Мужик деловой, толк понимает, на туфту не клюет. Пристрой парня, обогрей, дай денег на разгон. Сема умеет ценить заботу. Под его прикрытием можешь быть спокойна за свою шикарную попку. Он тебе понравится. А как работает! Золотые руки. Подельников не держит. Одиночка.

Если его сдашь, тебе хана. Подумай, подружка. Через недельку жди визита. И не дрейфь. Его твоя личная жизнь не волнует, и в дом к тебе он не попрется.

Сама найдешь тихое местечко для встречи. Мы на тебя рассчитываем. Не облажайся, кукла. Долг платежом красен. Целую. Твоя Пашечка».

В письме имелась фотография. Две женщины в телогрейках, кирзовых сапогах и вязаных шапочках стояли у железных ворот рядом с проходной. Солдат с автоматом и табличка на высоком заборе: «Женская исправительно-трудовая колония строгого режима РС 21/6».

Отложив лист в сторону, она задумалась. Безусловно, письмо написано Пашечкой. Вопрос — когда? Не могла же старая дура передать свою маляву с кумой на волю. Старуху могли вынудить написать письмо еще в зоне. Пару дней в карцере — и что угодно напишешь.

Что дальше... Пашечка не могла знать ее адреса. Как же этот парень сумел бы найти ее в Москве? У Ольги новая фамилия, и адрес менялся не раз. В зону она никому не писала, и кто мог знать, в каком конце света ее искать. Но все это не имеет значения. Важно другое. Рита хочет подослать к ней шпиона. А может, и убийцу, что более правдоподобно. Для того и заточку привезла из зоны. Мол, нашли убийцу подружки из зоны и решили расквитаться. Убедительно. Очень убедительно. Только время еще не пришло. Рита должна прийти на все готовое, а Ольга не торопит события.

Собирается пришить ее на квартире, а письмецо подбросить в почтовый ящик. Тут и вскроется ее темное прошлое. Никакой мороки с трупом. Картина ясна.

Ольга положила все на свои места. Оглядевшись еще раз, она задержала взгляд на журнале мод, лежащем на тумбочке. На обложке красовалась ее фотография крупным планом.

Лицо Дома моды «Кристина». Вот как ее можно найти. Она и забыла о том, как ее тиражировали на всю страну. Поздно сообразила, чем все может кончиться. Теперь уже бесполезно руками размахивать. Все четко. Ничего не заподозришь. Приходит к тебе паренек с письмом от Пашечки и просит убежища. «Как нашел?» — а он тебе журнальчик в руки. Куда деваться? Надо помогать. А у мальчика заточка в кармане. Можно и не так. Дурачок с ней вряд ли справится. Его козлом сделают, а работу Рита сама исполнит. О ней вообще никто не слышал. Хорошая задумка.

— Что ж, подружка, я помогу тебе исполнить твой план с точностью до наоборот. Стерва!

Уходя, Ольга хлопнула дверью так, что штукатурка посыпалась с потолка.

12

Проходя мимо скамейки, где сидели девушки, ребята открыли рты.

— О! Какие классные сестрички! Боженька не поскупился и дал им больше, чем другим.

— А какие ножки! Я хочу их обеих и сразу.

— Телочки, идем с нами, не пожалеете. Как вас зовут?

Одна из девушек встала, подошла к самому крикливому парню и нанесла ему сильный удар коленом в пах. Тот вскрикнул и согнулся пополам.

Трое его друзей оторопели.

— Меня зовут Оля, мою сестру Яло. Ты еще хочешь нас двоих и сразу?

— Психопатка! — простонал потерпевший.

— Прикуси язык, гнида, не то вырублю.

Друзья молчали. Что они могли сделать среди бела дня. Прохожие начали останавливаться.

Оля взяла свою сумочку и сказала подруге:

— Идем отсюда. Тут нам не дадут поговорить.

Вторая девушка встала и последовала за Ольгой. Она была поражена не меньше ребят такой смелостью. Они дошли до конца Гоголевского бульвара и заглянули в кафе «Шоколадница». Прохлада, полумрак и мало посетителей. То, что надо.

Девушки сели за столик и заказали кофе.

— Вы потрясающая женщина, Оля. Разве кто-нибудь сможет с вами сравниться.

— Надо уметь за себя постоять, Марина. Забудь. Мелочи жизни. Так вот. Наш Дом моды собирается в турне: Питер—Рига—Таллин—Вильнюс. Поездка рассчитана на два месяца. Дисциплина строгая, отбор моделей провожу я. Много всяких тонкостей. У меня съемки, и я остаюсь в Москве. Предлагаю тебе ехать вместо меня. Заработаешь кучу денег.

— Господи, я даже не верю собственным ушам. Возможно ли такое? Когда вы проводили конкурс своих двойников, на меня никто внимания не обратил. Там были девушки ярче и лучше меня.

— Мне всегда виднее, Марина, кто подходит, а кто нет. Мое имя не должно быть опозорено. Я перебрала личные дела всех кандидаток и остановилась на тебе. В твоей анкете что-нибудь изменилось?

— Ничего.

— Ты до сих пор не работаешь?

— Нет. Официанткой быть не хочу. На панель не пойду, для секретарши не хватает образования. Везде требуется знание языка и компьютера. А подавать кофе в кабинет и быть подстилкой жирного борова не собираюсь. У меня есть приятель. Хороший парень, и его зарплаты нам хватает.

— Не вздумай брать его с собой. Тут же выгонят. И вообще, не распространяйся о моем предложении. Один из твоих плюсов заключается в том, что ты не местная, родных поблизости нет, свободна и к тому же натуральная блондинка, как и я. Ты едешь вместо меня, и никто не должен догадываться о подмене. Держи язык за зубами. О том, что вместо меня едет двойник, знает только руководство фирмы. Подиум — отель, отель — подиум. Никаких журналистов, интервью и тусовок.

— Я все сделаю, как вы скажете.

— Надеюсь. Тебе придется сдать анализы. Кровь на СПИД, на сифилис и прочее. Мелочи. Медсестра к тебе придет на дом. В день отъезда за тобой приедут и отвезут прямо в аэропорт. К группе присоединишься в самолете. В Питере ты уже сойдешь с трапа Ольгой Левиной.

— А если раскусят?

— Вряд ли. Ты очень похожа на меня. Даже цвет глаз совпадает. Только рот не разевай. Репортеры знают мой острый язык. У тебя так не получится.

— На какое число намечен отъезд?

— Скоро. Будь на связи. Ты можешь понадобиться в любую минуту.

— Из дома ни на шаг. Все поняла.

— Ты умная девочка, Марина. Помни, о чем я тебе сказала. Хвастаться будешь потом, когда вернешься из поездки.

— Не беспокойтесь. Вы себе не представляете, как я вам благодарна. Мечты сбываются.

— Если все пройдет хорошо, я позабочусь о твоей карьере. Совсем недавно я тоже могла лишь мечтать о своей работе. За место под солнцем нужно бороться. Под лежачий камень вода не течет. У меня получилось. И у тебя получится. Жди звонка. Все, мое время истекло, мне пора.

Оля положила деньги на стол и ушла.

Марина смотрела ей вслед через окно. Она была счастлива. За ее столик сел молодой паренек с курчавой шевелюрой.

— Классная телка.

— Черт, напугал. Зачем ты следишь за мной, Максим?

— Думаешь, я поверил, будто ты с подругой встречаешься?

— Теперь-то веришь?

— Ты мне не говорила, что у тебя есть богатая сестра.

— Дуралей. Она и впрямь очень богата. Как догадался?

— Посмотри, в чем ходишь ты и в чем она. Твое барахлишко с Черкизовского рынка, а ее из дорогих бутиков. Уж я-то в этом знаю толк. Пять лет челночил, пока на ноги не встал.

— На ходули. Тоже мне, бизнесмен. Скоро я богаче тебя стану.

— Вот как? О чем вы говорили?

— О бизнесе, Максим. Тебя это не касается.

— Когда речь идет о тебе, меня все касается.

— Ладно, не злись. Потом расскажу. Я обещала ей молчать.

— Чем она промышляет и как ее зовут?

— Не сейчас, Макс. Не порть мне настроение. Такое предложение делают один раз в жизни.

— Кто ты такая, Маришка, чтобы тебе делать пристойное предложение. Пригласили в притон?

— Дурак! В Дом моды.

— Ну-ну, уже интересно.

Девушка не сумела смолчать. Эмоции переливались через край.

13

Когда кабинет директора ресторана занял Ханов, никто этому не придал особого значения. Ничего не изменилось. На первый взгляд, разумеется. Ивана Сочникова перемены коснулись в первую очередь. Странно. Многие посетители приходили в «Приют» из-за талантливого квартета, исполняющего старые блюзы и джазовые композиции времен сороковых-пятидесятых. Сейчас такая музыка была редкостью.

Руководитель группы не мог понять, чем они не угодили и кому.

— Послушайте, Дмитрий Николаевич, если вы выставите нас за дверь, то лишитесь половины своих клиентов. Такие ребята, как мы, на дороге не валяются.

— Согласен с тобой, Ваня. Вы ребята очень талантливые, кто спорит? Но перестройка системы коснется всех, а не только вас. Ресторан выходит на другой уровень. Музыка в нем не предусмотрена. Сюда будут приходить бизнесмены крупного калибра ради хорошей кухни и тишины, чтобы в спокойной уютной обстановке вести деловые переговоры.

— Куда же нам деваться? Вы думаете, легко найти работу?

— Вы же талантливые и уникальные.

— Это лишь усложняет наше положение.

— Послушай, Ваня, у меня есть возможность вас пристроить. В казино. Там другие деньги. Получать будете втрое больше, но я боюсь, что ты откажешься от моего предложения.

— Это почему же? Мы похожи на психов?

— Нет, конечно. Проблема в другом. У них есть свой саксофонист. Племянник директора казино. Талантливый малый. Вас возьмут, но только троих.

Иван засуетился, мечась по крошечному кабинету.

— Мы не можем избавиться от Олега. Это он нас собрал. Без Вербицкого группы не существовало бы. Олег создавал репертуар, я ведь формальный руководитель. Умею считать деньги и договариваться с заказчиками, но по музыкальной части Олег выше нас всех, вместе взятых. Мы без него ничего не стоим.

— Ерунда. Репертуар у вас уже сколочен. Тебе трех сотен композиций мало? Пора бы становиться самостоятельными. Хватит вам под его дудку плясать. Ты хороший организатор и можешь стать не номинальным руководителем, а настоящим. Пора бы. Тебе же за тридцать, а ты в шестерках ходишь.

— Согласен, согласен. Но ребята пойдут за Олегом, а не за мной. Они музыканты, а не слесари.

— Ну, этот вопрос решаемый. Олег может потерять способность играть. Всякое случается. И учти, я это могу сделать из уважения к тебе и твоему таланту.

Иван, словно оглушенный, опустился на стул и замер в задумчивости. Молчание длилось долго.

— Как вы это сделаете? — хриплым голосом прошептал музыкант.

— Придумаем. Тебе надо помалкивать. Ребята ничего не должны знать. Был человек, и нет человека. От тебя много не потребуется. Олег употребляет наркотики?

— К сожалению. Теперь стал колоться. Раньше только нюхал. Как появилась эта взбалмошная баба в его жизни, так все покатилось под откос. Стал героином баловаться.

— Героин не баловство, Ваня. Гиблое дело. О его подружке мы тоже позаботимся. На нее все грехи спишем. Как ее зовут?

— Ольга. Она ему аппаратуру купила. Сорит деньгами налево и направо. Влюбилась. С ней он точно с катушек слетит. Дурак! В последнее время совсем невменяемый стал.

— Вот видишь, Ваня. Мое предложение как нельзя кстати оказалось. Ты же умный парень. Сейчас не воспользуешься моментом, потом поздно будет.

— Все, заметано. Вы правы. Пора на самостоятельный путь вставать.

— Отлично. Правильное решение. Пора, Ваня, пора.

Ханов достал из сейфа бутылку коньяка и рюмки.

— Выпей немного. Успокаивает.

Иван выпил. Угрызения совести его недолго мучили. Вечером за работой он смотрел на Олега как на что-то лишнее и ненужное. Его девчонка опять сидела в зале и издавала пьяные вопли. Кошмарная баба.

14

В университете шел последний экзамен. Впереди каникулы. Большинство студентов журфака работали. Одного диплома мало: если ты не пригрел себе местечко заранее, останешься ни с чем. Володя Калядин заканчивал предпоследний курс и работал в «МК». За свое будущее он был спокоен. Крупных статей он еще не печатал, заметочки, очерки проходили, но не часто. Мечта о собственной разгромной статье на первой полосе оставалась мечтой не только студента, но и зрелого репортера. Везло далеко не всем и не всегда, однако стремлений и амбиций у журналистов не отнимешь.

Ольга не ошиблась адресом. Нужного студента она нашла быстро и дождалась конца экзамена. Окликнув парня, Ольга отвела его в сторонку.

— Есть интересное предложение. Мечтаешь о бомбе? Ты ее получишь на определенных условиях.

— Девушка, тема проституток была интересна в начале семидесятых. Сейчас...

— Заткнись. Вот, почитай один листочек. У меня таких много. Тысячи. На десять книг хватит, а не на статью.

Парень пробежал глазами по тексту, потом прочел его внимательно.

— Фантастика. Такого быть не может. Дешевая утка. Ядерное оружие — не марихуана, чтобы им торговать.

— У меня есть доказательства.

— А почему ты пришла ко мне, а не в ФСБ или редакцию.

— Хочу тебя перекупить. За работу получишь пять тысяч баксов и архив. Надо набраться терпения и строго следовать инструкциям.

— Не тяни кота за хвост.

— Идем, присядем на лавочку.

Им удалось найти уединенное местечко. Ольга показала парню фотографию.

— Знаешь эту красотку?

— Кончено, знаю. Зовут ее Рита. Целый сценарий написала. Любопытная история. Из нее можно слепить хороший сюжет.

— Ты мне покажешь этот сценарий?

— Нет, подруга. Чужими сценариями не торгую.

— Сколько она тебе обещала?

— Штуку баксов.

— Обманет. У нее нет денег. Нищета. А тебя подставит. Она умеет это делать.

Ольга достала из кармана рулон долларов, стянутый резинкой.

— Здесь три штуки. Получишь прямо сейчас. Еще столько же после операции. Рита собирается меня пришить с твоей помощью. Только в такие детали она тебя не посвящает.

— Трудно поверить.

— Покажи сценарий, и я тебе его расшифрую так, как его надо читать между строк.

Парень не отрывал взгляда от денег.

— И хочется и колется.

— Могу помочь. Ты должен изображать беглого зека. Приехал из Кургана и хочешь затеряться в московской толчее. У тебя есть весточка к бывшей заключенной, и она должна тебя пристроить. Так?

— Ты же все знаешь.

— Не все. Рита направит тебя ко мне. Со мной тебя везде засветят, а потом ты исчезнешь. Мой труп найдут на следующий день с заточкой в спине. И записочку найдут из зоны, и вспомнят о парне, что неожиданно появился и быстро исчез.

— Я же ее сдам, если она пойдет на убийство.

— Твой труп найдут в сточной канаве днем позже. Вот так она с тобой расплатится.

— Ты это серьезно?

— Сможешь сам во всем убедиться. Вот только спектакль мы сыграем по-другому и оба целыми останемся. Не пора ли перейти к делу?

— Убедила. Согласен.

Ольга подбросила вверх скрученную пачку долларов, а студент ее поймал.

— Не влипнем мы в историю?

— Обязательно влипнем. Я даже думаю, что тебя арестуют. Скажем, на сутки. За тобой приедет мой адвокат и вызволит тебя из-за решетки.

— За что арестуют?

— За побег из тюрьмы. За твою роль, от которой ты вовремя откажешься. Но как свидетель ты окажешь следствию большую услугу. Они тебя простят.

— Ничего не понял, но все равно интересно. Экзамены сданы, я свободен, как птица, и готов на любые аферы. Хлебом не корми, дай вляпаться в какое-нибудь дерьмо.

— Не проблема. Чистые тропы у нас в дефиците, все загажено. Пойдем читать сценарий, бывший зек.

15

Как хорошо, когда жена в отъезде. Так ли это на самом деле, он точно не знал, но его этот вопрос не сильно трогал. Важно, что Василиса в доме не появлялась.

Любимая секретарша и главная помощница Дашенька принесла папку в кабинет Некрасова.

— Досье Колокольникова.

— Ты в него заглядывала?

— Пролистала. У вас, крестный, чутье. Порядочный мужик. Лучшей кандидатуры не подберешь.

— Все мы порядочные, пока речь не заходит о деньгах. О больших деньгах. И куда она тогда девается, эта пресловутая порядочность. Пощупать бы ее хоть разок да на зуб попробовать.

— Честные герои есть в кино, книгах, пьесах. Потому их и читают. Надо же поддерживать веру в людей и торжество добра над злом.

— Я никогда не обращал внимания на своего шофера. Он часть интерьера, приложение.

— Вы ему квартиру в центре Москвы подарили.

— Помню. Могла сгореть, вот и отдал т~~о~~   ~~г~~лаза попался.

— Я думаю, он оценил вашу щедрость. Д~~а~~
Колокольников — кандидат наук. На вид не с~~
чун. Без нужды слова не обронит. Ничего не прос~~
на износ, опрятен и машину содержит в идеальном сос~~

— Ну хватит, дочка. Я тебе и так верю. Скажи мн~~е
долго работала медсестрой?

— Четыре года. Я же вечерний техникум закончила.

— С донорами работала?

— Забор крови — самое простое дело.

— Поедешь к одной девушке и возьмешь граммов двести крови. Только не удивляйся ее сходству с Ольгой.

— Я все поняла.

— И пусть твой Костик присмотрит за ней пару дней.

— Я сама присмотрю. Костику не надо знать о существовании двойника.

— Ты права. Я не додумал.

* * *

Все правильно. Василиса никуда не уезжала. В то время, когда Некрасов разговаривал со своей секретаршей, его жена прогуливалась по аллее парка, беседуя с Ольгой.

— Почему ты сочла эту бумагу важной? — спросила она, разглядывая листок с напечатанными цифрами.

— Мне так показалось. Геннадий Ильич подарил мне свою фотографию в рамочке. Она стоит на моей тумбочке возле кровати. Надевая халат, я задела ее, рамка упала и развалилась на части. Ничего страшного, я купила такую же. За фотографией лежал этот листок, сложенный вчетверо. Я его развернула, и мне показалось, он будет вам интересен.

— Ты угадала. Только не надо своего любовника называть по имени-отчеству. Для нас обеих он Гена. Положи этот листок на место. Я думаю, у него есть дубликаты.

— Хорошо.

Василиса успокоилась. На листке напечатаны номера счетов, но нет кодов доступа. Сами по себе они ничего не значат, если только муж не окажется в нужном банке без ее ведома. А такое невозможно.

Ольга пришла к выводу, что правильно сделала, успокоив Василису, а заодно продемонстрировав ей свою лояльность и понимание.

Любовницы часто общаются с женами. У них всегда найдется тема для разговора. Все лучше, чем быть врагами.

Прогулка длилась до вечера. Ольга поняла, что в ближайшее время коварная змея не намерена наносить ей смертельный удар. Если его не нанесет ее любовница Райская по собственной инициативе. Такое возможно. У Райской свои взгляды на жизнь. Темная лошадка.

* * *

Когда медсестра ушла, в комнате появился Максим.

— Послушай, детка, она выкачала из тебя ведро крови. Зачем им столько?

— Ты подглядывал?

— Не нравится мне твоя затея.

— Затея не моя. Ты когда-нибудь сдавал кровь на СПИД? И я нет. Предложение мне сделала серьезная фирма, а не шарашкина контора. Я понимаю, Максим, тебе не хочется меня отпускать. Но я не откажусь от такого предложения. Ты мне не муж и не отец. Если тебя что-то не устраивает, можешь катиться ко всем чертям. Мне надоела твоя подозрительность.

— Я поеду вместе с тобой.

— И не мечтай. У меня уговор. Зря я тебе все рассказала. Дура! И ты хочешь создать семью? Я с ума сойду через месяц. Мне такой муж не нужен.

— Да? Раньше ты говорила по-другому. Я тебе был нужен только ради денег. Жить было не на что. Предложили работу, и меня можно послать куда подальше? Больше я тебе не нужен?

— Таким ты мне не нужен. Деспот. Рано мне еще с пеленками возиться. Я должна сама встать на ноги, а не молиться на кого-то всю жизнь, связанная детьми по рукам и ногам. Хочешь загнать меня в ловушку? Ничего не получится. Вот когда мы будем на равных, тогда и поговорим.

— Вот как запела! Ну и черт с тобой.

Максим ушел, хлопнув дверью.

Даша никуда не ушла. Она сидела на скамеечке детской площадки и наблюдала за домом. Когда она пришла к Марине, то заметила мокрую мужскую ветровку, висящую в коридоре на вешалке. Остальная одежда была сухой. Совсем недавно прошел сильный дождь. У Марины кто-то находился и, судя по ветровке, пришел незадолго до нее. Во время забора крови приоткрылась дверь соседней комнаты. Этот кто-то наблюдал за процессом. Даша сделала вид, будто ничего не заметила. Выйдя из квартиры, она сняла парик, очки и вынула ватные тампоны из-за щек, делающие ее лицо округлым. Белый халатик убрала в сумку и достала из нее дождевик. Теперь в ней трудно узнать медсестру, приходящую за анализами.

Парня, вышедшего на улицу, она узнала. Три дня наблюдений за Мариной принесли результаты. Этот парень не отходил от нее ни на шаг. Судя по его виду, голубки поругались. Он даже ветровку свою забыл.

Даша встала и последовала за парнем. Его нельзя терять из виду. Один такой молокосос может испортить всю игру. Глупо. Такая грандиозная задумка может провалиться из-за элементарной оплошности.

Парень не оглядывался. Он шел, погруженный в свои мысли, и не подозревал, что за ним наблюдают. Так он привел Дашу к своему дому. Осталось выяснить, чем занимается любопытный тип.

* * *

В тот момент, когда Даша следила за парнем, ее шеф, Геннадий Ильич Некрасов, сидел в кафе «Мимоза» и тихо беседовал с сыщиком.

Руки бизнесмена заметно подрагивали в тот момент, когда он перебирал фотографии.

— Как вам удалось их сделать?

— Это моя работа. Иногда приходится становиться скалолазом. Глаза и уши сыщика должны быть везде, где они нужны.

— Сколько вы хотите за них получить?

— Не знаю. Рисковать жизнью за мелочь не хотелось бы.

— За смелость пять тысяч и по двести долларов за снимок. Я возьму семь фотографий.

— Достойная оценка. Вы умеете ценить хорошую работу.

— Умею. Деньги получите при следующей встрече. Продолжайте наблюдения.

Некрасов достал связку ключей и снял один из них с брелока.

— Этот ключ от ее квартиры. Послезавтра мы едем с Ольгой за город кататься на теплоходе. Сделайте в ее квартире аккуратный обыск. Времени у вас будет предостаточно. Меня интересует ее дневник. Она хранит его под матрасом. Мне нужны копии некоторых страниц, написанных ею в этом месяце.

— У меня есть портативный ксерокс. Не проблема. Технически моя фирма оснащена по высшей категории.

— Да. Ваш напарник, царствие ему небесное, уже хвастался дорогим оборудованием. Теперь у вас есть возможность воспользоваться им. Пора ему себя окупать.

— На этом моя работа закончится?

— Нет. Ольга все еще меня волнует.

— Какой же смысл в компромате?

— Это мое дело! — резко ответил Некрасов и ушел.

Панарин потер руки. Отлично. Если этот тип платит такие деньжищи за фотографии, то сколько он выложит за порнофильм с участием его подружки? Кажется, дела идут на лад. Подфартило!

16

Пьяные красные глаза пугали девушку. В уголках рта собралась пена.

— Ты не в себе, Гена. Слишком много выпил.

— С тебя пример брал.

— Хорошо. Давай выпьем еще. Может, ты подобреешь? Принеси шампанского из холодильника и лед, а я переоденусь в твой любимый пеньюарчик. Ты же любишь прозрачные вещи и черные чулочки на поясе. Я не хочу с тобой ссориться.

Девушка ушла в спальню, а он отправился на кухню.

Ольга достала сотовый телефон из-под подушки и набрала номер, одновременно скидывая с себя вечернее платье.

Некрасов вернулся в гостиную, взял бокалы со столика на колесах и открыл бутылку.

Девушка вернулась в соблазнительном наряде, ее отточенные формы отчетливо просвечивали сквозь тонкую прозрачную ткань. Но его реакция оказалась непредсказуемой.

— Знаешь, во сколько мне обошелся этот наряд?

— Какая разница. Мне он не нужен. Я люблю спать голой. Это ты нуждаешься в искусственных возбудителях.

— Молодые любовники не интересуются женским бельем? Они в любом виде тебя принимают?

— О чем ты говоришь? Рехнулся на старости лет.

Некрасов достал из кармана фотографии и швырнул их в лицо Ольге.

— Что ты на это скажешь?

Девушка отреагировала спокойно. Она подняла пару снимков с пола и глянула на них.

— Шпионишь за мной? И что дальше? Я тебе ничем не обязана. Ты сам приволок меня в эту квартиру и заставил жить здесь. У меня есть свой дом, и я ни в чем не нуждаюсь. Становиться твоей наложницей и заложницей я не собираюсь. Мы уже обсуждали этот вопрос. Сплю с кем хочу и когда хочу. Не нравится, можем разбежаться в разные стороны. Жалеть не стану. Не ты первый, не ты последний.

— Ты грязная шлюха!

— На себя посмотри. Я хоть не вру, как твои предыдущие кошелки. Песен про любовь не пою. Они за любую подачку готовы были удавиться. Тем все и кончилось. Ты их удавил. Маньяк! Посмотри на себя в зеркало. Твое место не в тюрьме, а в зоопарке, в вольере за прочной решеткой. Надо собирать молодых дурех и водить их на экскурсии. Может, поумнеют.

Ольгу понесло. Она уже не соображала, что говорит. Ее тоже трясло, словно в лихорадке.

Некрасов не выдержал. Реакция сработала мгновенно. Он схватил со стола бутылку и что было сил ударил девушку по голове.

Ольга вскрикнула, пошатнулась и упала на пол. По лицу полилась кровь.

Некрасов заметался по комнате, что-то бормотал, потом схватил пиджак, висевший на спинке стула, и бросился к выходу.

Затишье. Видеокамера, стоящая на трюмо в углу комнаты, продолжала работать.

Прошло не больше минуты. Ольга медленно поднялась с пола, на котором лежала клеенка, залитая кровью. Она взяла с дивана полотенце, вытерла лицо, скинула с головы парик, под которым лежал разорванный целлофановый пакет с остатками красной жидкости. Присев на стул, она повернулась к камере лицом.

— Не беспокойтесь, мне не больно. Бутылка попала по пакету, полному красной краски и смягчившему удар, и при этом разорвала его. Плюс парик с резиновой прокладкой. С близкого расстояния все видно, а на пленке убийство будет выглядеть очень убедительно.

Похожая история произойдет в этой квартире в ближайшие дни. Это спектакль. Сценарий написал Гена. Убийство во спасение. Только так я смогу остаться в живых. Мои враги должны знать, что меня больше нет. Я умерла. Только тогда на меня прекратится охота. Бывший капитан юстиции Маргарита Тарасовна Тубельская, больше известная под именем Маргариты Валентиновны Юдиной, чтобы убить меня, запаслась заточкой, добытой в зоне, где она служила. Ей не терпится занять мое место. Она жаждет денег. У этой женщины нет принципов. Другая угроза затаилась по соседству. Жена Гены долго терпеть меня не станет. Мои предшественницы уничтожены ею. Хороший следователь может докопаться до истины. Возникает закономерный вопрос: каким образом мы найдем свидетелей убийства? Все очень просто. За мной наблюдает частный сыщик. Он очень нуждается в деньгах. Что теперь, по-вашему, он будет делать? Правильно! Установит в квартире видеокамеры. Послезавтра мой приятель его сфотографирует, когда господин сыщик явится сюда. Я рассказываю вам эти подробности, потому что не хочу, чтобы моего любимого человека обвинили в убийстве. Схема составлена сложная и запутанная. И все лишь для того, чтобы следствие не завершилось в течение короткого времени. После моей мнимой смерти нам придется прожить в Москве не меньше месяца, после чего мы уедем. Хотелось бы уехать живыми и невредимыми. Риту придется взять с собой. Она опасна и непредсказуема. Пусть временно занимает мое место. Так я буду спокойнее за Геннадия Ильича. В нашем плане участвуют и другие очень опасные фигуры, для которых человеческая жизнь ничего не значит. Возможно, следствие на них выйдет и успеет обезвредить. В противном случае придется сделать это самим. Итак, нам надо продержаться месяц, и мы вынуждены будем запутывать следствие разными способами, но лишь с целью оградить себя от лишних обвинений и ради спокойной жизни в дальнейшем. Спасибо за внимание.

Ольга встала и выключила камеру.

В комнате появился Некрасов. Девушка бросилась ему на шею.

— Ну как?

— Ты великолепная актриса. Я тебе верил. Может быть, мне убить тебя по-настоящему, после того как ты создала мне такое шикарное алиби.

— Нет. Ты меня не убьешь. Я знаю адреса банков, а ты номера счетов. Мы одна команда. И потом, как быть с любовью и мечтами о будущем. Не хочу верить, будто ты променяешь меня на деньги. Они не принесут тебе радости.

— Моя жена думает иначе. От нее избавиться будет труднее. Скорее она нас достанет, чем мы ее.

— И на старуху бывает проруха. Существует архив, о котором знаю только я. Все документы, касающиеся тебя, уничтожены. Остальные касаются ее и академиков. Ты знаешь, о чем я говорю.

— Опасную игру затеяла. Нашла потайную комнату академика Вассермана?

— Да. Отца Василисы.

— Ты и впрямь много знаешь.

— Так точно, мой генерал.

Он прижал ее к себе.

— Тебе очень идет этот пеньюар и черный цвет. Твоя кожа на его фоне похожа на белый бархат.

— Только не испачкайся в краске. Мне лучше принять душ.

Он поднял ее на руки и понес в ванную комнату.

Они не сомневались в успехе мероприятия, план должен сработать, продумана каждая мелочь, любая случайность. Срывов быть не должно.

Правда, Ольга готовила несколько сюрпризов, о которых Некрасов не подозревал, но они, по ее мнению, пойдут на пользу дела, а не во вред. Поживем — увидим...

ГЛАВА IV

Убийцы и свидетели

1

Люба не заметила, как следом за ней в подъезд вошел парень. Она поставила сумки, открыла дверь квартиры и тут же влетела вовнутрь и упала. Кто-то толкнул ее в спину.

Девушка обернулась. Следом за ней вошел молодой человек с ее сумками в руках. Он неторопливо запер дверь и повесил цепочку.

— Это ты меня толкнул?

— Глупый вопрос. Ты видишь еще кого-нибудь?

— Что тебе нужно?

— Не надейся, не ты. Два дня за тобой наблюдаю. Хахаль уехал до четверга? Вот до его возвращения я у тебя и поживу. И не дергайся. Я не кусаюсь. Первым, во всяком случае. Будешь дурака валять, на перо посажу.

Он достал из кармана нож с выкидным лезвием, присел на корточки и помахал им перед лицом хозяйки.

— Не советую со мной ссориться. Будь пай-девочкой и доживешь до глубокой старости. Насиловать тебя не собираюсь.

Только с обоюдного согласия. Я посимпатичней твоего старпера. Тебе решать. В сумках много продуктов. Не пора ли нам заняться обедом. Я малость проголодался.

Он подал девушке руку, но она поднялась без его помощи.

— Тебе жить негде?

— Мне не жилье нужно, а наблюдательный пункт. Меня твоя соседка с четвертого этажа интересует.

— Ольга, что ли?

— Допустим.

— Попадешься на глаза ее хахалю, он тебе башку открутит, и ножичек не поможет.

— Ее хахаль меня не интересует. И она тоже. Должок надобно с нее получить.

— Зря ты с ней связываешься. Она девка крутая.

— Посмотрим на ее крутость. Для того и пришел к тебе.

— Она ко мне заходит, между прочим.

— Очень хорошо. Здесь и поговорим.

— У нее пистолет лежит в сумочке.

— Узнает, кто я, стрелять не будет. Да и вообще, с мокрухой она связываться не станет. Что такое зона, ей хорошо известно. Вольную богатую жизнь на клетку по собственной воле не меняют. Тебе не понять. Идем на кухню.

Девушка немного успокоилась. И не так уж он и страшен, даже симпатичен. Больше нагоняет ужаса, хочет выглядеть крутым. Пусть кривляется. Ольга его быстро на место поставит.

— Ладно. Картошку будешь чистить, а я мясом займусь.

— Хорошая идея. Может, у тебя и выпить найдется?

— Найдется, если после рюмки под юбку не полезешь.

— А я пью стаканами.

Люба хихикнула. Будет приставать, клофелинчика подсыпет, не впервой. А может, и нет. Парень-то ничего.

***

Ольга сидела в своем кресле и, не снимая любимых солнцезащитных очков, перелистывала журнал. Картинок она не видела. Глаза шарили по стенам. Она осматривала каждый сантиметр. Наконец-то заметила первую видеокамеру. Ее прикрепили к наличнику над входной дверью. Теперь она понимала, где должны развиваться события, чтобы оставаться в поле зрения объектива. Вторую камеру она обнаружила в спальне. Ее установили на люстре прямо над кроватью. Придется держаться ближе к центру комнаты или сидеть на постели. Мелочи. Важно другое. Все готово, и можно начинать. Главное уже сделано.

Оля переоделась, взяла сумочку и вышла на улицу. Бежевая «девятка» стояла на своем месте. Панарин на посту. Бдит. За такие деньги надо стараться.

Девушка села в свою машину и позвонила Миркину.

— Есть разговор, стряпчий.

— Можешь приехать ко мне в контору.

— С хвостом вместе?

— Он и за мной давно наблюдает. Взвешивает, могу я приносить пользу или вред. Если я на твоей стороне, то весы перетягивают в сторону пользы. Когда жареный петух его клюнет, он сам придет ко мне.

— Хитер, все наперед видишь.

— А как же иначе, дорогая. Профессия обязывает.

— Вот, вот, а Гена думает, что я сама такая умная. А без твоих консультаций и шага ступить не могу.

— Мелочи. Важен результат. По одиночке его не добьешь. Мы команда. К твоей игре у меня нет замечаний.

— Посмотрим на твою игру. Скоро ваш выход, маэстро.

— Я готов. Приезжай, жду. И проверь, не прилепил ли этот «самоделкин» микрофончик к твоему платью? Наблюдать за нами со стороны он может сколько угодно, а слушать наши разговоры ему не следует.

— Каждый раз проверяю. Даже лифчик с трусиками.

2

Специалист по электронике и видеотехнике встретился с заказчиком прямо в его офисе. Молодая секретарша сопроводила его в кабинет высокого начальника.

— Присаживайтесь, Евгений Алексеич. Разобрались в моих проблемах?

Мужчина сел на предложенное ему место.

— Разумеется, ничего сверхъестественного я не увидел, Геннадий Ильич. Техника установлена качественная, из последних достижений, но не лишена недостатков. Я думаю, ваша жена наняла частного сыщика из солидного агентства. Аппаратура дорогая.

— Вы сами-то в кадр не попали?

— А это не имеет значения. В таких случаях пленка отматывается назад и на старую запись накладывается новая. Или стирается одна и записывается другая.

— А еще лучше отснять эпизод заранее. Я весь вечер буду читать газету в кресле, а на следующий день приведу к себе любовницу, пусть снимает. Когда любовница уйдет, я поменяю пленку местами.

Мужчина рассмеялся.

— Остроумно. Можно поступить проще. Ничего не трогать. Пленка сыщика может иметь метки, о которых вы ничего не знаете, и он обнаружит замену. В этой системе есть более существенный недостаток. Она рассчитана на разоблачение. На сам факт появления в доме любовницы или кого-то еще. Дело в том, что пленка в записывающем устройстве не бесконечная. В аппаратах стоят шестидесятиминутные кассеты. Камера срабатывает на запись при помощи обычного выключателя света. Днем камеры не работают, потому что вы не пользуетесь люстрой. Приводите любовницу и сидите с ней при свечах, не зажигая света. Либо читаете вечером газету в течение часа, а потом принимаете гостей, и они не попадут в кадр, так как лента уже кончится. Идея основана на том, чтобы вас поймать врасплох на начальном этапе, а не снимать полнометражное кино. В квартире установлено две камеры. Одна в гостиной, вторая в спальне. Вполне достаточно. Час съемки в гостиной, час в спальне. Решили согрешить, наверняка попадетесь. Советую приводить любовниц в дневное время, когда камеры мертвые.

— Или включать везде свет и выжидать.

— Можно по секундомеру. И еще. У сыщика должен быть ежедневный доступ к аппаратуре. Пленку сменить недолго, но он должен проникнуть в квартиру и быть уверенным, что его не застигнут в ней.

— Хорошо. Большое спасибо за консультацию, Евгений Алексеич.

— Всегда пожалуйста.

Гость ушел. Даша проводила его и вернулась в кабинет руководителя.

— Интересные новости, крестный?

— Ничего особенного. Придется работать по строгому графику. Сериал должен закончиться на самом интересном моменте.

Он подошел к стенному шкафу и открыл его.

— Хочешь глянуть на маскарадный костюмчик?

Девушка подошла ближе.

— Леди-фантом! Женщина в черном. Ужасающая шляпа.

— Слишком большие поля? Василиса купила этот комплект в Москве, а не в Милане, но так ни разу его и не надела.

— Свои вещи женщина всегда узнает.

— Не тот случай. Ее гардеробная занимает три комнаты. Одежда покупается чемоданами. Больше одного раза она ничего не надевает. Видеокамеры расположены под потолком. Поля шляпы полностью перекроют лицо. И все же темный парик не помешает.

— В итоге женщину примут за мужчину.

— Этого не хотелось бы.

— Нужны туфли на шпильках.

— Убедительный аргумент. Ты подмечаешь такие детали, о которых я даже не думаю, Капитанская дочка.

— Я давно уже не ребенок. Для некоторых кавалеров уже старуха. Двадцать шесть лет для женщины — серьезный возраст.

— Тебе недолго осталось сидеть в девках. Через пару месяцев все кончится, и ты станешь свободной обеспеченной женщиной и завидной невестой.

— Я никуда не тороплюсь. Вы мне заменили отца.

— Но не стал им. С отцовством мне не повезло. Я мечтал о сыне, согласился бы и на дочь, но не получил ничего.

— Еще не поздно.

— Хотелось бы надеяться. Нужна достойная мать. Но всех интересуют только деньги. О семье сегодня никто не хочет думать. Глупые бабы. Одинокого пятидесятилетнего мужика, любящего детей, очень легко поймать на такую наживку. Надо лишь сказать: «Мне от тебя ничего не надо. Я хочу родить от тебя ребенка». Ловушка тут же захлопнется. Но ни одной охотнице ничего похожего в голову не приходило.

— Вполне естественно. Лучше быть молодой, богатой и свободной, чем матерью-одиночкой, зависимой от алиментов. Все знают, что вы женаты и сами зависимы. Надо ловить момент. Использовать ситуацию. Год, месяц, неделю. На долгую связь никто не рассчитывает.

— Мышление сегодняшнего чиновника. Садится в кресло руководителя ради быстрой наживы. Успеть урвать как можно больше, пока не выкинули. О каком процветании может идти речь?! Я устал от всего этого и ни во что давно не верю.

— И никому?

— Себе верю. И еще одному или двум особям.

— Пессимистическое настроение. С таким большие дела не делают.

— Я исправлюсь.

Некрасов обнял девушку за плечи, прижал к себе и поцеловал ее в лоб.

3

Она вела себя вызывающе, если не сказать по-хамски, и получила пощечину при всем честном народе. Похоже, Ольгу выпад любовника немного отрезвил. Она немного растерялась.

— Все! С меня хватит!

Некрасов бросил на столик деньги, схватил подругу за руку и поволок к выходу.

Посетители ресторана смотрели им вслед. Здесь всякое случалось, и частный случай никого не вывел из равновесия. Через минуту о мелком событии забыли.

Единственный, кто отреагировал на происшествие с негодованием, был саксофонист из оркестра. Он сбился с ритма и даже выругался в микрофон. Товарищи его быстро одернули. Сцена — не место для личных эмоций.

Те, кто сидел у окна, видели, как солидный мужик, годный в отцы девчонке, запихивает ее в машину.

Оценки прозвучали разные: «Так ей и надо!», «Дура!», «Доигралась!», «Мерзавец!», «Сейчас она еще получит!»

Машина уехала, веселье продолжалось.

Прошли времена рыцарей. Сейчас не принято лезть в чужие дела. Убивать будут, все отвернутся.

* * *

Марина спустилась во двор, держа в руках небольшой чемоданчик. Возле подъезда стояла шикарная машина. Шофер вышел и спросил:

— Это вы? Впрочем, теперь вижу. Вы действительно очень похожи на Ольгу.

Он взял из ее рук чемоданчик и положил на заднее сиденье.

— Паспорт, документы не забыли?

— Все взяла.

— Садитесь вперед.

Девушка села в машину.

— Мы едем прямо на вокзал?

— Нет. Нам надо заехать за администратором — он ужинает в ресторане. А потом поедем на вокзал. Поезд уходит поздно. Девушки приедут туда прямо с показа. Рабочий день им никто не отменял.

Ехали неторопливо. Шел первый час ночи.

— Ольга Вениаминовна интересуется, знает ли кто-нибудь о вашем путешествии?

— Нет. Я же обещала. Даже со своим парнем поругалась, чтобы он от меня отлип на какое-то время.

— И он отлип?

— Я и не знала, что он меня так ценит. Привык чувствовать себя королем, а тут его послали куда подальше. Все ему не нравится, все ему подозрительно. Боится моего успеха.

— Значит, у самого дела идут плохо.

— Средне. У него три палатки в подземных переходах. Торгует пиратскими дисками. Есть точка на Горбушке. Там он стоит сам, но только в выходные дни. Остальное время свободен. Слишком ленив, чтобы делать хорошие деньги.

— Он вам не пара. Скоро у вас отбоя не будет от кавалеров. И денег хватит, чтобы не думать о хлебе насущном. Вы очень красивая девушка. Вас ждет большое будущее.

Машина въехала во двор. Причем железные ворота открыл мужчина в плаще, что не вязалось с погодой.

— Здесь ресторан?

— Да. Въезд со двора. Нам надо взять фрукты и напитки для команды. С центрального входа никто не грузится. Можете подышать воздухом.

Девушка обернулась. Перед ней стоял тот тип в плаще. Все, что она успела разглядеть, это белая сорочка и бабочка.

Удар, яркая вспышка в глазах, и все померкло.

Шофер подхватил падающую красавицу, на светлых волосах которой появилась кровь.

Ее перетащили в стоящий рядом фургон и завернули в клетчатый плед. Машину заперли и вернулись к шикарной иномарке.

За все время они не обмолвились ни словом.

* * *

Адвокат вернулся домой ровно в час ночи.

Рита сидела у телевизора в вечернем платье. То ли она куда-то собиралась, то ли откуда-то вернулась.

— Заставляете себя ждать, дорогой.

— Извини. Ты торопишься?

— Я никуда не тороплюсь. Сегодня останусь у тебя.

— Сюрприз. Хочешь сделать мне приятное или отработать деньги?

— Не хами, Филя.

Адвокат достал из кармана конверт и положил на стол.

— Из-за денег я и задержался. Клиент приехал с пустыми карманами. Пришлось ему напомнить, что я не берусь за дела без выплаты аванса. Поехали к нему домой за деньгами. Люди не понимают элементарных вещей. Очень трудно работать с невеждами.

— Сколько тут?

— Две тысячи.

— Ты думаешь, мне этого хватит?

— Потерпи, дорогуша. На следующей неделе будут еще деньги. Кризис. Летний сезон. — Он скинул пиджак и полез в холодильник. — Хочешь выпить?

— Сто граммов водки.

Рита убрала конверт в сумочку.

— Я тоже выпью рюмку водки. Устал сегодня.

— Может, мне не оставаться?

— Тебя моя усталость не касается. Стоит тебе до меня дотронуться, как мой дух и плоть возрождаются. Я чувствую себя вновь молодым и пылким.

Рита усмехнулась, разглядывая лысого толстячка с женской задницей и покатыми узкими плечами.

Миркин разлил водку и подал на стол нарезанную селедку с репчатым луком.

В эту минуту зазвонил телефон.

Он глянул на часы.

— Четверть второго. Мне так поздно не звонят.

— Может, кто-то еще хочет с тобой переспать?

Адвокат снял трубку.

— Слушаю вас.

Слушать пришлось недолго.

Спустя несколько секунд он в растерянности отошел от телефона.

— Что случилось, Филя?

— Похоже, у твоей компаньонки неприятности.

— Какие? Под поезд бросили, из окна выкинули?

— Не знаю. Но нам не мешает узнать подробности. Если мы возьмем Некрасова с поличным, он пропал. Догола разденем. Я ему мелочи на трамвай не оставлю.

— Оставь свой бред, говори толком, что случилось.

— Звонила Ольга. Нам надо ехать, — он вновь глянул на часы. — За сорок минут доберемся. Ты едешь или остаешься?

— О чем речь, конечно, еду!

Адвокат потянулся за пиджаком.

* * *

Лимузин притормозил возле дома с аркой. Из подворотни вышла женщина в строгом черном костюме и широкополой шляпе. Цокая высокими каблуками, она подошла к машине и села на заднее сиденье рядом с крепким лысоватым мужчиной.

— Как дела, господа?

— Все идет по графику, Дарья Григорьевна.

Машина быстро добралась до места и въехала во двор. В тот же момент от дома отъехал «Бентли» Некрасова.

— К подъезду не надо. Остановитесь и погасите фары.

Ее указания были выполнены.

Даша достала сотовый телефон и набрала нужный номер.

— Василиса Андреевна? — начала она взволнованным голосом. — Это Оля. Я заперлась в ванной. Гена напился и буянит. Он невменяем. Я боюсь!

— Ты на Бронной?

— Да. Он запустил в меня бутылкой...

— Сейчас приеду. Не выходи из ванной.

— Ключ под ковриком.

Даша убрала телефон и глянула на часы.

— Ждем еще пятнадцать минут.

* * *

Парень опустил занавеску и спросил:

— Ты видела этого психа?

— Что с ним случилось? Кипятком облили?

— Вот что, Любаша, продолжай наблюдать, а я поднимусь наверх, проверю обстановку.

— Она тебя увидит.

— Рано или поздно она должна меня увидеть. Притворюсь пьяным. Ошибся квартирой. Она сама была в лоскуты. Ничего не поймет.

— Попробуй.

Семен Баркасов, он же Петр Ковалев, согласно поддельному паспорту, и Владимир Калядин по настоящим документам, тихо вышел из квартиры.

Поднявшись на четвертый этаж, он увидел дверь открытой. Так Ольга и сказала, войдешь без проблем.

Зрелище, увиденное им с порога, впечатляло. Окровавленный труп женщины в кошмарной позе валялся на полу. Живописная получилась бы фотография. Любую первую полосу украсить может.

Студент погасил свет и подошел к девушке.

— Идиот, зачем свет погасил? — прошептал труп.

— Машинально. Включить?

— Теперь поздно. Бери кольцо и сваливай. У меня уже ноги затекли. Завтра поговорим.

— Я тебя не вижу.

— Вытяни руку вперед.

Он поводил рукой по воздуху и наткнулся на протянутое ему колечко.

— Все, сваливай. И не забудь включить свет.

Парень исчез.

* * *

Даша вновь глянула на часы.

— Пора. Остановитесь прямо напротив подъезда.

Машина с выключенными фарами мягко подплыла к дому.

Девушка вышла из машины и, наклонив голову, прошла в подъезд. Она воспользовалась лифтом. На руках были надеты белые лайковые перчатки.

Дверь квартиры оставалась приоткрытой. Даша вошла и направилась в гостиную.

Ольга лежала неподвижно на окровавленной шкуре белого медведя.

Несколько секунд она стояла над телом и о чем-то думала, потом достала из кармана телефон.

— Поднимись наверх. Мне без твоей помощи не справиться.

Ханов вышел из машины и отправился на вызов. Чистяков остался за рулем, наблюдая за обстановкой.

Ханов помнил, ему нельзя поворачиваться к двери лицом и поднимать голову вверх.

Труп выглядел очень естественно. Он чуть ли не рассмеялся. Склонившись над телом, он попытался нащупать пульс.

— Она мертва! — громко произнес он.

— Выноси. Пора ей в морозильную камеру.

Они ненадолго замерли. У покойницы сработал будильник на ручных часах. Ольга открыла глаза.

— Все! Пленка кончилась! Помогите подняться. Все тело затекло.

— Сочувствую.

Ханов подал руку трупу.

— Возьмите плед с моей кровати, только не включайте свет.

Мужчина кивнул.

— А ты, как я понимаю, Даша?

— Правильно понимаешь.

— Гена мне о тебе рассказывал. Костюмчик пришелся тебе впору. На мне бы он висел, как на вешалке.

— Умеренная упитанность. Я зарабатываю деньги трудом, а не телом. Пора спускаться вниз. Они приедут с минуты на минуту.

Все спускались пешком. На площадке первого этажа остановились. Ольга закурила. Голова и лицо перепачканы в крови. Вид не из приятных, да еще сигарета. Эпизод из фильма ужасов.

— Так и засветиться недолго, — сказал Ханов.

— Два часа семь минут, — прокомментировала Даша. — Они задерживаются.

— Значит, подъедут две машины одновременно, — выпуская дым, добавила Ольга. — Василиса — человек дисциплинированный.

Прозвучал зуммер в кармане Ханова.

— Так, ребята, кто-то приехал, Лешка дал сигнал.

Ольга выбросила сигарету, Ханов обернул ее в плед и поднял на руки.

Даша осталась в подъезде.

— Ну, с богом, ребята.

На улице стояла непроглядная темень. Шофер вышел из машины и открыл багажник. Лица людей сливались с мраком ночи.

Возле машины плед упал и обнажил женское тело. Длинные белокурые волосы, ноги, свисающий пеньюар. Свет уличного фонаря упал на лицо покойницы, будто ее специально подставили под освещение. Девушку небрежно бросили в багажник, следом полетел плед.

Дверца захлопнулась. Мужчины сели в машину и уехали.

За ними следом устремилась другая машина, выплывшая из темноты.

Рита и Миркин сидели в третьей и не могли пошевелиться. Похоже, их парализовал шок от увиденного.

— Ты видел, Филя?

— Я все видел. Кто-то за ними поехал.

— Почему за ними? Может, с ними. Но какое это имеет значение. Ольгу пришили.

— Некрасов постарался. Быстро следы заметает.

— Всех следов не заметешь. Меньше часа прошло. Надо проверить квартиру. Я знаю, где лежат ключи. Идем.

— Страшновато!

— Ты же пистолет с собой взял, старый пень.

— Иду, иду.

Они вышли из машины. До подъезда оставалось двадцать шагов, когда из него вышел человек в черном. По стуку каблуков они догадались, что перед ними женщина. Лица не рассмотреть. Оба замерли.

Женщина повернула в другую сторону и растворилась в темноте.

— Кто это? — спросила Рита.

— Похожа на Китаеву. Такой же костюмчик я видел на Василисе. И рост тот же, осанка, походка.

— Она убирает мусор за своим мужем?

— Вынуждена. Ей скандалы ни к чему. За Геной следят ее люди. Не удивительно, что чистильщики появились здесь раньше нас.

— Я хочу знать, что там произошло.

— Попробуем глянуть, если там не работает команда уборщиц со швабрами.

В квартире никого не оказалось, но обстановка могла рассказать о многом.

— Что будем делать, Филя?

— Ничего не касаться руками. Если мы вызовем ментов, то Гене крышка. С него уже ничего не получишь. Трупа Ольги, как и предыдущих содержанок, уже не найдешь. Василиса умеет прятать концы в воду. Нет трупа, нет убийства.

— А кровь? Вся шкура ею пропитана.

— Для обвинения этого не хватит. И где основание обвинять в убийстве Некрасова?

— Ты же юрист, Филя. Такие элементарные вещи даже я знаю. Посмотри на фотографии, рассыпанные по полу. Окровавленная бутылка на полу, бокалы, его портсигар, зажигалка, море отпечатков.

— И что мы будем с ними делать? Кому предъявлять?

— Некрасову.

— Ты не ему объявишь войну, а его жене. Она нас в порошок сотрет. Ничего не получится. Придется пользоваться старой схемой. Местечко освободилось. Самое время тебе его занять.

— И все же пару улик нам придется с собой прихватить.

— Тихо!

Они замерли. Кто-то пытался открыть входную дверь.

— Ложись на пол вместо Ольги. Живо. Я в ванную.

— Глупо!

— А что тут еще придумаешь?

Адвокат скрылся за дверью.

Девушке ничего не оставалось делать.

Она заняла место трупа.

* * *

Машина въехала на огороженную решеткой территорию ресторана «Приют». Василиса Андреевна остановилась на противоположной стороне улицы с очень плохим освещением, что играло ей на руку.

Приблизившись к ограде, она видела, как двое мужчин вытащили труп из багажника и понесли его в помещение. Ресторан уже не работал. Дверь они открыли своими ключами, и вскоре она за ними захлопнулась.

Придется выждать какое-то время. Бармена из «Приюта» она давно перетянула на свою сторону и выплачивает за него кредит. Если он сам не расскажет о случившемся, то значит, продолжает работать на мужа, используя ее деньги. Такие вещи не прощают.

Китаева вернулась в свою машину.

Она еще долго сидела, не трогаясь с места, пытаясь понять, что произошло на самом деле, как она должна себя вести и что предпринимать.

Ситуация складывалась нелепо. Василиса не любила экспромтов, она привыкла все просчитывать заранее и иметь ответы на все вопросы. Сейчас она чувствовала себя безоружной. Даже таким людям, как она, кирпичи падают на голову.

* * *

В четвертом часу утра хождение по дому кончилось. Все, кто приходил, ушли. Никого не осталось.

Люба и ее жилец задернули занавески и сели на диван.

— Что скажешь, Петюня?

— Ольгу убил Некрасов. Больше некому.

Он достал кольцо с бриллиантом и показал девушке.

— Это Ольгино кольцо.

— Конечно, я сам снял его с руки покойницы. Ей оно больше не нужно. Ему цены нет. Продам, получишь долю.

— Не нужна мне твоя доля. Оно ворованное.

— Только продать его будет непросто. Гравировкой испорчено. Оправу можно переплавить, а камень загнать. Опасно, но риск того стоит.

Девушка его не слышала.

— Если Геннадия Ильича арестуют, нас всех из дома вышвырнут на улицу. Мы останемся без работы.

— Рано паникуешь, подруга. Таких убийц не ловят. Это же его людишки вывезли труп. Для чего? А для того, чтобы подбросить его в другом месте. Поднимут на десятый этаж какого-нибудь дома и выкинут из окна подъезда. Одно месиво останется. Самоубийство. Ищи потом концы. Все сходится. В час они вернулись. Некрасов спьяну огрел девчонку по башке бутылкой. Вызвал чистильщиков, те приехали и забрали труп.

— А кто были те двое, что приехали позже?

— Уборщики. Улики уничтожали. А потом приехал долговязый на машине Некрасова проверять их работу. Они пробыли в доме около часа. Все вычистили. Менты сюда не доберутся. Даже если они установят личность погибшей, то кто им даст этот адрес? Ольга жила здесь нелегально, как и все вы.

— А если все же найдут?

— Квартиру? Допустим. Я в это не верю, но если менты придут сюда, то здесь все чисто. Ольга ни с кем не общалась, ты сама говорила. И ни одна дура им ничего не расскажет. Да и кто что видел, кроме нас? Ночь на дворе. Тишина. Все сделано грамотно и по-тихому. Зацикливаться на ее квартире следствие не будет. А ты ничего не видела и никого не знаешь. Твоя квартира и вовсе ни при чем. Ты живешь на первом этаже. Сняла квартиру по объявлению. Но до этого дело не дойдет.

Он обнял девушку за плечи. Ее трясло, словно в лихорадке.

— Успокойся, Любаня, и забудь эту историю. Идем спать.

— Я боюсь.

— А ты не бойся. До возвращения твоего хахаля я поживу с тобой. Попробую найти покупателя на камень, а потом умотаю на юга. Сейчас на море в обычном поселке людей больше, чем в Москве. Легко затеряться.

— Давай выпьем.

— Отличная идея. Но выпить можно и в постели. Сюда больше никто не вернется.

Через пятнадцать минут в квартире погас свет.

* * *

Когда Даша покидала дом, она знала, что за ней наблюдают Рита и Миркин. Но даже с близкого расстояния ее невозможно было узнать. В этот момент она больше походила на жену Некрасова, чем на его секретаршу. Ей удалось сымитировать походку Василисы, ее горделивую осанку и уверенную поступь. Они не осмелятся к ней приблизиться.

Даша прошла через двор к дому, стоящему напротив, и поднялась на четвертый этаж. Шляпу и костюмчик пришлось снять и положить в целлофановый пакет. Под строгим костюмом на девушке была надета вишневая футболка и мини-юбочка. Парик она выбросила в мусоропровод вместе с туфлями, а за трубой мусоропровода лежали поношенные кроссовки и театральный бинокль, спрятанные здесь заранее.

Теперь она могла наблюдать за событиями со стороны. Прошло немало времени, пока все улеглось, и на первом этаже погас свет.

Даша взяла пакет и спустилась вниз. Сейчас она выглядела девчонкой-десятиклассницей, а не солидной дамой, хотя в данный момент никто ее уже не мог видеть. Она тихо вошла в дом Ольги

В квартире горел свет. Все оставалось на своих местах. Она вошла в спальню. Свет и здесь горел. Даша достала черный костюм и шляпу и убрала в шкаф. На тумбочке стояла фотография Колокольникова, но в старой рамке. Первая допущенная ошибка преданного шофера. В гостиной валялась бутылка, но разбитая. Странно. Если бутылка разбилась о голову Ольги, то та не смогла бы выжить. В остальном картина выглядела так, как должна была выглядеть. Колокольников честно выполнил свою работу.

Даша встала на колени, заглянула под стол и оторвала от крышки прикрепленный на липучке диктофон. Прослушивать запись она не стала.

На кушетке лежала сумочка Ольги. Все содержимое осталось нетронутым, на столике валялись большие темные очки в белой оправе. К ним очень подойдет голубое платье в белый горох.

Девушка прошла в спальню и, не раздеваясь, прилегла на кровать. Надо вздремнуть, чтобы хорошо выглядеть утром. Немного, часика три.

* * *

После того как Ханов нанес девушке второй удар по голове монтировкой, девушка перестала дышать. Он расстелил на земле плед с Ольгиной постели, положил на него труп, замотал и понес в здание ресторана.

Вход в подвал шел через кухню. Он спустился вниз, открыл кладовку и уложил тело в ящик. Таких здесь стояло четыре. Морозильные камеры, похожие на гробы, где хранились мясные туши. Место хватило бы для четверых человек в каждом из ящиков, но для Марины выделили персональный.

Покончив с формальностями, Ханов запер кладовку и поднялся наверх. В его кабинете сидели Ольга и Чистяков, они пили коньяк.

— Мне тоже не помешает выпить.

Ханов достал из сейфа водку и налил себе полный стакан.

— Сними резиновый фартук, мясник, — с усмешкой произнес бармен.

Ханов едва не поперхнулся.

— Топорный у тебя юмор, Леша.

— Ничего, станешь хозяином, посмотрим, как ты юморить будешь.

Ольга держала пакетик со льдом на голове.

— Больно? — спросил Ханов.

— Терпимо, но шишка выросла. Гена от души постарался, ни парик, ни пакет с кровью не спасли.

— Тебе пришлось делать высокую прическу, чтобы замаскировать цистерну с кровью. Зачем так много? Ты ходишь с распущенными волосами, и эта копна на голове выглядела нелепо.

— На париках, Алеша, прически не делают. Какой он есть, такой он есть. Хорошо, что не съехал набок при ударе. На клей сажать пришлось. В квартире на стене висит моя фотография с такой же прической. Может, я ее делаю по особым случаям.

— Я придираюсь, не обижайся. В таком деле без придирок не обойтись. Одна оплошность, и все труды пойдут насмарку.

Ханов выпил еще стакан и вышел из тесной комнатушки.

— Когда закончите с этой катавасией?

— В пятницу.

— Почему не завтра?

— Мы работаем не только на вас, Ляля. Василиса ехала за нами следом до ресторана. Она знает, что мы привезли твой труп сюда. И я не знаю ее следующих шагов. Такое событие без внимания не оставляют. Не думаю, что она поделится своими новостями с полковником Любезновым. В этом нет необходимости, но Райскую на разведку пришлет. Если у Василисы и есть какие-то сомнения в твоей гибели, то их надо развеять.

— Ладно. Я свою задачу выполнила. Мне пора домой, устала и голова болит.

— Митя тебя проводит через черный ход. Там стоит вишневая «девятка». Вот ключи.

— Ничего не выйдет, Алеша. Я забыла сумочку дома. Там мои права. Мне не хватает угодить за решетку.

— Хорошо. Митя найдет тебе такси. Ты же не хочешь называть нам свой новый адрес.

— Ментов на хвосте притащите. Береженого Бог бережет. Ну все, пока, Леша, скоро увидимся. Пристраивай Некрасову новую невесту. Образовалась вакансия.

— Рита об этом уже знает.

— Только об этом. Я умерла не вовремя. Она так и не успела выяснить адреса банков. Теперь ей остается только блефовать.

— Сумеет ли?

— А какое это имеет значение? Важно, чтобы ты и Гена делали вид, будто верите ей. Она слишком самонадеянна и уверена в своих чарах. Ей и в голову не придет мысль о расставленных силках. Повезет — уедет, не повезет — менты на нее всех собак навешают. И тот и другой вариант нас устраивает.

Ольга поцеловала Чистякова. Скинула с себя пеньюар и надела на обнаженное тело длинный плащ.

— Наденьте на куклу мой наряд. До встречи.

Она вышла в коридор, где ее поджидал Ханов.

На свою конспиративную квартиру в Измайлово Ольга приехала, когда рассвело.

Некрасов нервничал, расхаживая по комнате.

— Почему так долго?

— Василиса дежурила у заднего входа в ресторан. Кому это все нужно, если она увидит оживший труп. Зачем ты сюда приехал?

— Убедиться, что с тобой все в порядке. Сейчас уеду. Утром на дачу приедет Колокольников с отчетом.

Ольга скинула плащ.

— Мне надо принять ванну. Тело до сих пор липкое от крови. Кошмарная гадость. Меня едва не стошнило.

— У тебя шишка на лбу.

— До свадьбы заживет.

— Будем надеяться, что доживем до нее.

— Хотелось бы.

— Какие впечатления?

— Все прошло гладко. На первый взгляд. Меня смущает твой шофер. Колокольников. Зря ты впутал его в эту историю.

— Чем больше путаницы, тем дольше распутывать. Колокольников верит в то, что я убийца. Опыта у него нет, его действия непредсказуемы. А значит, он заведет следствие в тупик. Они привыкли иметь дело с предсказуемыми поступками преступников. Почему не могут ловить маньяков? Потому что те работают спонтанно, без схемы. Колокольников честный парень. Он получит деньги и будет их отрабатывать, но как? Создаст хаос вокруг дела, в котором сам запутается и других запутает. А лишнее время нам необходимо как воздух. Василиса пойдет на компромисс только тогда, когда упрется в тупик.

— И убьет тебя.

— А что ей остается? Только она сделает это не здесь, а где-нибудь подальше и по-тихому.

— Утопят в болоте. Тише не бывает.

— Неубедительно. Такой финал никого не устроит. А вот если я сяду в самолет и улечу за границу и об этом все будут знать, то все останется на своих местах, как и было. Кого и в чем подозревать, непонятно. Интерпол не возьмется за розыск. Нет оснований, я не преступник. Пленка с твоим воскрешением из мертвых снимет с меня все подозрения. Дело придется закрыть или искать нового убийцу. У тебя мало времени. Тебе нужно новое имя и новый загранпаспорт.

— У меня есть паспорт.

— Он попадет в милицию.

— Я сделала дубликат. Они найдут потерянный паспорт. Замуж выйду за студента где-нибудь в Вологодской области, там и сменю документы, а по ним оформлю загранпаспорт. За пятьсот долларов в МИДе делают паспорта в течение трех суток.

— Сложная и опасная схема. Проще купить. У меня есть связи. Мы еще вернемся к этому вопросу.

Ольга подошла к любовнику и обняла его.

— Езжай, уже солнце всходит. Я падаю от усталости.

4

Рано утром Даша проснулась и отправилась в ванную. Окна в гостиной были закрыты, и стоял кошмарный спертый запах, вызывающий тошноту.

Девушка росла в семье военного и привыкла к тяжелым условиям и дисциплине. А когда отец находился на службе, мать брала дочку в госпиталь на свое дежурство, где стойкие запахи не назовешь приятными. Даша просыпалась, когда надо, без будильника, хорошо переносила жару и холод и не обращала внимания на все, что не требует особого внимания.

Приняв душ, девушка села к трюмо и стала приводить себя в порядок. Макияж занял больше часа. Потом она надела платье Ольги, ее темные очки, взяла ее сумочку, выглянула в окно и, убедившись в отсутствии машины Панарина во дворе, вышла из квартиры. В ту же секунду на этаже остановился лифт, и из него вышла немолодая женщина в одежде слишком скромной для жильцов такого престижного дома.

— Оленька! Какая удача. Простите меня, у вас тысячи рублей не найдется до завтра?

Даша кивнула, достала из сумочки деньги, сунула в руку женщины и успела забежать в кабину лифта до того, как закрылись двери.

Женщина крикнула «спасибо» ей вслед, и лифт поехал вниз. На улицу она вышла, виляя бедрами, как это умеет делать только Ольга, соблазнительно, но ненавязчиво.

Ей пришлось взять такси и заехать домой, чтобы переодеться.

На свой пост секретаря она заступила в одиннадцать утра вместо девяти. Сегодня она работала последний день. Из командировки возвращалась жена шефа, и ей придется перебираться в бухгалтерию, а ее место займет старая грымза, — официальная секретарша хозяина.

Некрасов ее уже поджидал.

Девушка поставила на его стол целлофановый пакет.

— Здесь платье, очки, туфли, сумочка и некоторые мелочи.

В руке она держала диктофон.

— Будете слушать?

— Обязательно. Но перед этим проделаем эксперимент. Я догадываюсь, о чем Колокольников мог договориться с Миркиным и Ритой. Сегодня утром он мне врал. Боюсь, не с умыслом, а от отчаяния. Его план провалился.

— Точнее, ваш план, крестный.

— Согласен.

— Бутылка разбилась? — невпопад спросила Даша.

— Какая? А... Нет, конечно. Даже когда упала, уцелела. Шкура мягкая, уберегла.

— Я видела ее разбитой.

— Большого значения это не имеет, хотя странно. Может, Колокольников уронил от волнения.

— Видеокамера зафиксировала уцелевшую бутылку. Менты найдут разбитую.

— Найдут. Но не в доме Ольги. Разбилась при транспортировке. Лишний ребус и не более того.

— И о чем он мог договориться с Ритой и Миркиным? — спросила Даша.

— Очень любопытный факт. Он принес мне все улики, о которых я ему говорил. Миркин и Рита ему не мешали их собрать и унести. Они лишили себя орудия шантажа. Чем же он мог их умаслить? Довод один. Шантаж не сработает. Миркин как классный адвокат это понимает. Но свести Риту со мной Колокольников может. Чтобы избежать такого конкурента, как Чистяков. Они должны опередить Чистякова.

— Рита давно уже обсудила этот вопрос с Чистяковым.

— Идея принадлежит Миркину, и Рита не стала возражать. Одна сводница хорошо, две лучше. Я хочу дать задание Колокольникову: подобрать мне новую невесту. Пусть потусуется на виду. Намозолит глаза.

— Собрать бы их всех вместе, а потом заснять.

— Ты умница. Именно этого я и хочу. Место определено. Ресторан «Приют». Чистяков за стойкой, Ханов за кулисами, твой Костик с фотоаппаратом. Повседневная ситуация, не вызывающая подозрений. Теперь в эту берлогу надо загнать мою жену с Райской, Колокольникова, сыщика Панарина и Риту. Отличный коктейль получится, лучше, чем у Чистякова. И все они попадут под объектив твоего паренька. Хороший букет мы поставим на стол следователей.

— И музыкант должен быть на своем месте. С тревогой в глазах.

— Тревога будет. Ему нужна доза. Он будет ждать Ольгу, а она не появится. Ты сама позвонишь в ресторан от ее имени. В тот момент, когда будет играть оркестр.

— Как же я увижу, что он делает?

— А ты позвони ему, сидя в зале ресторана, глядя на него. Тебя Костя фотографировать не будет.

— Хорошая мысль. Вы, крестный, похожи на шахматиста, сидящего в темной комнате и играющего с целым залом вслепую. Все происходит без вашего участия, но двигаете фигуры вы, а они послушно выполняют ваши приказы, даже не подозревая, что танцуют под чужую дудку.

— Спасибо за оценку, но не надо преувеличивать. Партия еще не разыграна, фигуры стоят на своих местах. Вчерашний день — это гонг к началу игры. За победу придется бороться до конца. Слишком высоки ставки.

— Ну что? Включаем диктофон?

— Врубай.

Некрасов сел в кресло и отвалился на высокую спинку.

* * *

Ну все, его терпение лопнуло. Максим решил идти к Марине и мириться. В крайнем случае попросит прощения. Он и не предполагал, что так сильно привязался к девчонке. Пока она была рядом и делала ему котлетки на ужин, все шло как надо. Так, как должно быть. Но когда девчонка выпустила свои коготочки, он взбеленился. Как так! Ты кто такая?!

А она такая. Выставила Максима за дверь его собственной квартиры и забыла о нем. Нет, так дело не пойдет. Если он сейчас не совладает с ней, потом будет поздно. Окажется под каблуком. И тут он раздался, долгожданный звонок. Максим схватил трубку.

— Слушаю.

— Так и быть, приходи! — сказал женский голос, и раздались короткие гудки. Чей голос? Он не сомневался. Он слишком долго ждал и хотел услышать только ее голос и ничей больше.

Вылетев из дома, он пошел к Марине. Она сама позвала, он не напрашивался, значит, может сохранить лицо. Только нужно продумать стратегию своего поведения, а не кидаться девчонке на шею и не падать перед ней на колени.

Размышления парня оборвал грубоватый мужской голос.

— Эй, паренек.

Максим оглянулся, но никого не увидел.

— Куда смотришь, я здесь.

Он опустил глаза. Мужчина в робе торчал из люка коллектора. Видны только руки, плечи и голова в замасленной кепке.

— Помоги-ка мне выбраться. Нога застряла. Ни души, как назло. У самого не получается.

Максим подошел к бедолаге и глянул вниз. Черная дыра. Дна не видно. Мужик стоял на скобах, запутавшись в проволоке.

— Сейчас, папаша, поможем. Держи руку.

И тот схватил руку, сжав ее, будто тисками. Мужик с трудом вылез, но руку не отпускал. А потом резкий рывок вперед. Руки высвободились, но Максим уже летел в черную пасть коллектора головой вниз, будто в преисподнюю. Удар, что-то хрустнуло и тишина.

Мастер осмотрелся, закрыл люк чугунной крышкой, взял деревянный чемоданчик с инструментами и неторопливо пошагал к домам через волейбольную площадку.

* * *

Володя Калядин встретился с Ольгой в Измайловском парке. Девушку трудно было узнать, даже походка изменилась. Другие волосы, драные джинсы, нелепые очки, без косметики. Не окликни она его, он прошел бы мимо.

— Посидим на травке, Вовчик. Я винца с собой прихватила, погода классная. В житейской суете лето пролетит, и не заметишь.

— Пикничок? Ладно. Не возражаю.

Они устроились под березкой, разложили закуску, разлили вино в пластиковые стаканчики и выпили.

Парень достал колечко и вернул хозяйке.

— Ладно, Вовчик, рассказывай, что видел, какие впечатления. А я пока делом займусь.

Оля взяла кольцо и начала выковыривать камень из оправы.

— Ты что делаешь?

— Подобрала похожую стекляшку, хочу заменить.

— Зачем?

— Отдать ментам алмаз из короны Тюдоров? Я похожа на сумасшедшую?

— Значит, менты будут?

— Обязательно.

— Кто же им отдаст кольцо?

— Ты, Вовчик, кто же еще.

— О ментах мы не договаривались.

— Вот сейчас и договоримся. Документы получить хочешь? Деньги получить хочешь? Их заработать надо. Думаешь, потрахался с девчонкой пару дней на всем готовом, и тебе полцарства за это отвалят? Не будь дураком.

— Любка им все расскажет.

— Уверен?

Парень промолчал.

— То-то. Эта курица в штаны наложила. Спал — запаха не чувствовал. Она Гену не сдаст. А правду ей доверять нельзя. Так что страшилку ментам будешь рассказывать ты. А она лишь подтвердит твои слова.

— Заберут меня под белы рученьки.

— И хорошо. Пусть забирают. Как заберут, так и выпустят. Может, ты сам этого добивался. Хотел посмотреть, как в ментовке задержанных содержат. Для статьи надо. Мой адвокат тебя вытащит. Ты его видел вчера вместе с Риточкой.

— Он же с ней заодно.

— Это она так думает. Строит из себя роковою женщину. Вот все ее и используют, каждый в своих целях. Разменная шлюха с амбициями королевы. Адвоката зовут Феликс Миркин. Тебе позволят позвонить ему из ментовки. А нет, так он сам тебя найдет.

— Паспорт-то фальшивый.

— Ничего не значит. Шалость. Тебе его простят за сотрудничество. Обычное дело.

Ольга заменила камень и вернула кольцо сообщнику.

— Возьми. Их камень не заинтересует. Гравировка важна.

Парень выковырил фальшивку и выбросил ее, а оправу убрал в карман.

— Вот это и оставим, а подсовывать стекляшки ментам глупо. Не делай из них идиотов. Нельзя туфтой опытным людям мозги засорять. Себе дороже встанет.

Ольга промолчала.

Володя продолжил:

— Ты же топишь своего мужика.

— Нет, макаю головой в холодную воду. До таких, как Гена, простым смертным, то есть ментам, не дотянуться. Они это сами поймут, и очень быстро. Важен процесс, который будет держать в напряжении десятки людей. Посмотрим, у кого нервишки сдадут раньше, а кто дойдет до конца. Но это не тема твоей статьи, Вовчик. Твоя бомба взорвет все наши устои. Забудь о мелочевке.

— Одним словом, тебе нужен свидетель вчерашних событий?

— Не прошло и года, как ты пришел к правильным выводам. Какой-то факт мы должны исказить. Чтобы потом Любка его опровергла. Вот пример. Ты не вспомнил о Рите и Миркине. Почему? Потому, что ты ее хочешь защитить. Оградить. Значит, вы знакомы.

— И что?

— Понятия не имею. Пусть менты себе голову ломают. Забыл. Волновался и не вспомнил. Из ментовки выйдешь и пропадешь на пару месяцев. Пусть ищут. О тебе им потом твоя статья напомнит. И ей поверят. Потому что ты был связан с делом Некрасова, вел свое расследование. Понял?

— Звучит заманчиво.

— Пришли к консенсусу наконец-то. Теперь рассказывай о вчерашнем спектакле как зритель. Где артисты играли хорошо, в чем фальшивили, где прокололись.

— Я только не понял, зачем ты домой возвращалась?

— С чего ты взял?

— Мы с Любкой тебя утром видели. Еще не перекрашенную. В десять часов ты вышла из дома.

— Меня там не было.

— Ну ладно, не хочешь, не рассказывай.

— Интересный поворот, Вовчик. Ментам об этом обязательно расскажи. У них точно крыша поедет.

— Самим бы не свихнуться. Столько нагородили.

— Так надо. Продолжай...

5

Сегодня ресторан был полон, свободных столиков не осталось. Пир во время чумы. Публика быстро пьянела, будто им что-то подмешивали в выпивку.

Оркестр объявил десятиминутный перерыв.

К небольшой сцене подошел толстяк с бокалом шампанского в руках, но вполне трезвый.

— Мальчики, задержитесь на секундочку.

Ребята оценили клиента. Одет достойно, дорогой костюм, отличные ботинки, швейцарские часы.

— Завтра у меня юбилей, не хотите поиграть часа три для моих друзей? Мы обожаем джаз.

— Все зависит от гонорара, — коротко ответил Иван.

— По три сотни на каждого, сотня в час.

— Не густо. Нам же инструменты перевозить.

— Вам не надо. Я пришлю машину прямо сюда с грузчиками. После выступления все привезут обратно за мой счет. За хорошую игру по сто баксов премия. В моей компании нет жлобов. Заказы тоже будут. На них заработаете больше. Так как?

— Другой разговор.

— В десять часов жду вас возле клуба Русакова. Знаете такой?

— Конечно, знаем.

— Отлично. За час успеете установить аппаратуру?

— Успеем.

— Отлично. В одиннадцать начинаем.

— Хорошо бы получить аванс.

— Без проблем.

Клиент выложил на подмостки пятьсот долларов.

— Хватит?

— Нормально.

— Завтра жду.

— В десять будем как штык!

Клиент вернулся на свое место.

— Подфартило, ребята. Сегодня закончим пораньше, чтобы выспаться. Так, перекур.

Музыканты разошлись.

Саксофонист подошел к барной стойке. Лицо его покрылось капельками пота, белки глаз покраснели, взгляд настороженный или скорее напуганный.

— Леша.

Бармен отвлекся от клиентки и подошел к нему.

— Чего тебе, Олег?

— Ольга звонила?

— Звонила.

— Приедет?

— Обещала, но время не назвала. У нее срочные дела.

— Знаю я ее дела.

— Куда она денется, Олежек, потерпи немного.

— У тебя ничего нет?

— С ума сошел? Я здесь не держу.

— Может, принесешь?

— Нет. Посетителей слишком много. Только после работы. Не томись ты, дождись Ольгу. У нее то, что тебе надо.

Парень махнул рукой и ушел за дверь с надписью «Посторонним вход запрещен».

Бармен вернулся к своей клиентке. Она тоже выглядела взволнованной и прятала глаза за темными очками. Много курила, часто затягивалась, залпом опрокидывала рюмку за рюмкой.

— Как все произошло, Алексей? И не пудри мне мозги. Я должна знать правду.

— Хорошо, Рита. Только прекрати ерзать на стуле. На нас смотрят. Сегодня какой-то обвал. Все сбежались, будто новость напечатали в газетах. Некрасов позвонил мне в начале второго ночи. Его голос срывался, понять ничего было невозможно. Он требовал, чтобы я вывез труп Ольги из квартиры и уничтожил его. Возражать было бесполезно. Я понял одно: если не выполню его приказ, то Гене крышка, и тогда все наши планы полетят к чертям собачьим. Взял своего партнера, поехали на Бронную и вывезли труп.

— Почему же вы не замели следы за Геной? Вывезти труп мало.

— Такого указания не было. Очевидно, роль уборщицы он доверил кому-то другому.

— Возможно. Но только не своей жене. Что она там делала?

— Тише. Василиса сидит за твоей спиной с подружкой. Очевидно, пришла сюда с теми же вопросами, что и ты. Мы ее не видели. Она нас — наверняка.

— И вы не столкнулись?

— Допустили небольшую промашку. Митька пошел за трупом и не закрыл за собой дверь квартиры. Но я не видел, как она входила в дом. Похоже, она приехала раньше нас и находилась в квартире, когда пришел Дмитрий. Он там долго не задерживался. Пришел, взял и ушел.

— Кто же мог ее оповестить? Она не из тех, кто будет следить за мужем и его шлюхами.

— У меня есть предположение, что ее вызвала Ольга. Она ждала неприятностей. Тот вечер Некрасов с Ольгой провели здесь, и он кончился оплеухой. Гена врезал Ольге по морде и увел из ресторана. У всех на глазах.

— Василиса пошла на помощь Ольге? Смешно.

— Они нашли общий язык. Поговорим потом, дорогая. Тебе лучше уйти.

— Ты приедешь сегодня?

— Завтра. Сегодня трудная ночь. Обсудим все в спокойной обстановке.

Рита загасила сигарету, взяла сумочку со стойки и ушла.

На задворках ресторана в крохотном кабинетике шел другой разговор.

Иван Сочников тоже сегодня нервничал, в то время как его собеседник оставался совершенно спокойным.

— Послушайте, Дмитрий Николаич, я попал в дурацкое положение. Казино мне очень понравилось. Там можно работать и с большим успехом, и публика очень приличная. Саксофониста тоже видел. Нормальный парень, без амбиций, его интересует только музыка и больше ничего. Все упирается в одну-единственную проблему. Ваш приятель требует, чтобы мы начали работу не позже конца следующей недели. Но нам нужны репетиции. Саксофонист не знает нашего репертуара. По идее мы должны начать с понедельника, чтобы выйти на сцену в следующую субботу.

— Я все знаю, Ваня. Не горячись. Обещал тебе помочь, значит, помогу. Но и тебе придется внести в дело свою лепту. Олег может загнуться от передозировки. Но он сам этого не сделает. Ольга пропала. У нее серьезные неприятности, и в Москву она не вернется. Нужна замена. И я ее нашел.

— Что я должен делать?

— Помочь самому себе.

— Убить Олега?

— Никого тебе убивать не надо. Но с трупами столкнуться придется. Вплотную.

— Это как?

— Узнаешь позже. Когда повара уйдут домой. Согласен?

— Трупов я не боюсь. Только бы не влипнуть.

— Все продумано до мелочей. Свою роль выучишь наизусть. Ничего сложного. Одна ночь напряженной работы — и твое светлое будущее в твоих руках.

— У меня есть выбор?

— Конечно. Остаться на улице и играть с ребятами в подземных переходах с открытым футляром для мелочи.

— Все! Вопрос решен!

— Идите на сцену. Ваш перекур затянулся.

Зал шумел.

Музыканты вышли под аплодисменты.

Начали с композиции из «Серенады солнечной долины». В зале притушили свет.

За барную стойку присела яркая интересная женщина лет тридцати семи, одетая с большим вкусом.

— Мне шампанского. Настоящего.

Искрящийся напиток был подан.

— Давно не слышали от тебя новостей, Алеша.

— Добрый вечер, Раечка. Новости есть, но их лучше увидеть, чем услышать. Вижу, вы пришли не одна. Чем наше скромное заведение могло привлечь вашу хозяйку?

— Женское любопытство, не более того.

— Мы гарантируем безопасность своим клиентам. Не имело смысла приводить с собой армию ментов во главе с полковником Любезновым. Нам предстоит небольшая экскурсия, и их присутствие меня смущает.

— Хорошо. Мы уберем лишних.

— И того парня, — добавил Алексей, — стоящего у колонны в сером костюме. Он работает на Некрасова. Обычный шпик. От него тоже надо избавиться. В ваших же интересах. Через полчаса повара уйдут домой, и вы увидите нечто интересное.

— Поверю тебе на слово.

Райская вернулась за свой столик.

— Быстро ты разобралась, — тихо сказала Китаева.

— Ни в чем я не разобралась, дорогая. Его смущает твоя команда с полковником во главе. Он прав, если хочет нам показать что-то очень важное. И еще. Гена прислал своего сыщика на разведку. Его надо убрать.

Василиса достала блокнот из сумочки и ручку. Написала короткую записку и подозвала официанта.

— Передайте это мужчине, стоящему при входе. Тому, что с усами, в сером костюме.

— Будет сделано.

Официант удалился.

Разгуливая между столиками, фотограф предлагал всем посетителям свои услуги. Остановился он и возле столика, где сидела скромная девушка в полном одиночестве.

— Тебе бы, Дашка, в гримерши идти. Мастер перевоплощения. Хрен узнаешь.

— Ты всех сфотографировал?

— Снимочки цимес. Выставочные экземпляры.

— Хорошо. Я дождусь тебя в машине. Покажешь мне результаты своей работы, после чего сделаем отбор.

— Сортировочку.

— Совершенно верно. Для меня все без исключения, а для ментов только выборочные.

— Загадками говоришь. Зачем ментам моя продукция?

— Ты для них станешь главным свидетелем, Костик. Потерпи. Скоро все узнаешь. Тут готовится заговор, и я о нем знаю. Детали объясню позже. Не торопи события.

— Как прикажешь, королева.

Парень ретировался.

Время летело быстро.

Бармен подал сигнал Райской, указав на дверь служебного входа.

— Идем, Василек. Нас приглашают.

Женщины протиснулись сквозь танцующую толпу и незаметно прошмыгнули в дверь за занавеской.

Чистяков поджидал их в коридоре.

— Следуйте за мной.

Он провел подруг через кухню, где горел только дежурный свет, открыл дверь подвала, и они спустились по деревянной лестнице в холодное помещение, где хранились ящики с продуктами. С левой стороны имелись и другие двери. Все на замках. Василиса брезгливо осматривалась по сторонам. Райская вела себя более хладнокровно, ее заботило длинное платье, касающееся грязного кафельного пола.

С одной из дверей был снят навесной замок. Они вошли в тусклое помещение, где на крючках висели свиные и бараньи туши, а на полу стояли длинные высокие ящики.

Чистяков открыл средний.

— Можете подойти.

Он отодрал примерзший плед, и они увидели лицо девушки, покрытое инеем с застывшими открытыми глазами и запекшейся кровью на светлых волосах.

Василиса прижала руку к губам.

— Боже! Изуверы! Бедняжка, что они с тобой сделали.

— Не они, а он, Василиса Андреевна. Ваш муж собственноручно раскроил череп Ольге Левиной и потребовал от меня вывезти труп.

— Закройте ящик. Смерть не украшает людей.

— Страшное зрелище, — пробормотала Райская.

Чистяков послушно выполнил ее указание.

— Зачем вы привезли ее сюда? Почему не похоронили?

— Ольга работает, ее будут искать. О связи Ольги с вашим мужем знает весь Дом моды. Она не может исчезнуть бесследно. В холодильнике труп не разлагается. Нам нужен убийца, и мы нашли кандидата на эту роль. Остальное — дело техники.

— Для убийства нужны веские основания?

— Или невменяемость. Придется пойти на некоторый риск. Больше мы ее здесь держать не можем. В любом случае, лучшего варианта не существует.

Василиса прикрыла лицо платком.

— Раз у вас уже есть план, то работайте. Держите меня в курсе дел. Я должна знать обстановку.

— Разумеется. Все детали вам будут известны.

— Выведите нас из этого склепа. Меня тошнит.

Чистяков сопроводил женщин в зал. Но они не вернулись к своему столику, а решили покинуть кошмарное заведение. Василиса плохо себя чувствовала, лицо стало белым, будто тоже покрылось инеем.

Вечер подходил к концу. Музыканты закончили представление.

Олег вновь подошел к бармену.

— Ольга больше не звонила?

— Звонила. Но она не приедет.

— Скотина! Я ей припомню. Можешь помочь?

— А что с тобой делать. Я вызвал Малашкину, она меня подменит на пару часов. Езжай домой, я привезу тебе дозу.

— Я поеду с тобой.

— Нет, дорогуша, мне ничего не дадут, если я буду возить за собой кого ни попадя. Там люди серьезные сидят. Это тебе не уличная шушера.

— Возьми две дозы, Леха. Деньги отдам завтра же. Хорошая халтура обломилась. Вечером приду с деньгами.

— Верю. Только не дергайся, Олежек. Оставь ворота открытыми. В такое время никто к тебе не вломится.

— Помнишь адрес?

— Конечно, помню. У меня профессиональная память. Через час или полтора буду у тебя. Потерпи немного.

— Я твой должник, Леха.

— Сочтемся.

Саксофонист направился в раздевалку. Ребята уже разошлись. Народ в ресторане еще гулял. Музыка их уже не интересовала. Вина подавай! И вино подавали до четырех утра.

Дверь, ведущую на кухню, закрыли изнутри.

Ханов провел Ивана в подвал.

— Машину я подогнал вплотную к дверям. Снаружи нас никто не увидит. Ключи от ворот у тебя есть?

— Олеговых ворот? Конечно, есть, и от подъезда, и от квартиры. Только я не понимаю вашей схемы.

— А тебе и понимать ничего не надо. Бери и тащи.

Он открыл ящик.

Иван отпрянул назад.

— Господи! Ольга!

— Хорошая реакция, парень. Повторишь ее перед ментами. Это не Ольга. Но ты ее должен опознать как Ольгу. Твоего свидетельства хватит. Плюс ее сумочка с документами.

— Иметь дело с ментами мне не приходилось.

— Так это же хорошо. Можешь волноваться, нервничать, все будет выглядеть естественно. Так и должно быть. Бери куклу за ноги и понесли. Замороженные легче, вдвоем управимся.

Труп с трудом оторвали от днища и понесли наверх, словно бревно.

Задние дверцы фургона были раскрыты настежь.

Покойницу положили в салон и завалили пустыми ящиками, сами сели в кабину.

— Мы приедем раньше времени. Подождем во дворе.

— Там нас не увидят. Двор не освещается.

— Вот и ладушки, Ванюшка. Не думай о мелочах. С понедельника начинаешь новую жизнь.

Машина тронулась с места.

* * *

Машина въехала во двор и встала в самом темном месте, какое только можно было найти. Иван вышел, чтобы закрыть ворота. Не прошло и десяти минут, как приехал Олег. Он прошел в дом, и вскоре зажегся свет в окнах третьего этажа.

Они сидели молча. У Ивана пересохла глотка. Он всячески пытался скрыть свое волнение. Сердце вырывалось из груди. Его стук казался ему грохотом. Ночь стояла тихая, чуть позже поднялся ветер и пошел дождь.

Во дворе появился бармен. Он прошел от ворот к дому и скрылся в подъезде.

— У него есть ключи? — сдавленным голосом спросил Иван.

— Олег оставил двери и ворота открытыми. Он ждет Алексея. Иди, запри. Нам лишние гости ни к чему.

Иван выполнил указание.

Они ждали еще полчаса, пока в кармане Ханова не раздался сигнал.

— Нам пора, Ванюша. Возьми себя в руки и думай о своем будущем.

Ханов подогнал машину к дверям подъезда. Открыли дверцы фургона. На полу образовалась лужа. Плед промок.

— Что это?

— Ничего, Ваня. Оттаивает. Надо торопиться. Берем и понесли.

Дверь квартиры открыл бармен. Девушку положили на пол перед ванной и Ханов ее раздел догола, складывая вещи в сумку. Иван не мог оторвать глаз от дикого зрелища, будто его загипнотизировали.

— Ну что, похожа? — спросил Чистяков, взяв парня под руку.

Иван вздрогнул.

— Очень. Но это не Ольга.

— И мы об этом знаем, — рассмеялся бармен. — Что не так?

— У нее ноги чистые.

— А Ольга ходила с грязными ногами? — удивился Ханов.

— Помните, она устроила вечеринку в ресторане. Тогда мы остались одни. Наш квартет и Ольга. Даже вы ушли, передав мне ключи.

— И что из этого?

— Ольга напилась и устроила стриптиз на столе. Все ахнули. Профессионалка. Но я о другом. У нее на правой ноге ниже колена большое родимое пятно. Оно ее портило. Так и хотелось взять тряпку и стереть его.

— Существенное замечание, Ванюша, — похлопал парня по плечу Чистяков. — Вот только в ее паспорте нет ни слова об особых приметах. Им хватит твоего свидетельства. А ты опознаешь девчонку как труп Ольги.

— Что с Олегом? Где он?

Парня провели в одну из комнат.

Олег неподвижно сидел в кресле, свесив голову набок.

— Передозировка. Забудь о нем. Завтра он не явится на халтуру. Вечером не выйдет на работу, а в субботу ты приедешь сюда требовать от него объяснений, но не получишь их. Ты же и милицию вызовешь. И помни, Ваня, тебя не в чем подозревать. Митя уволит вас, потому что втроем вы не можете играть. Никому из музыкантов невыгодно терять своего товарища. Жить не на что. Ребята знают о казино?

— Я им ничего не говорил.

— Правильно. До понедельника молчи. А потом случай подвернется. Твою активность оценят по достоинству. Что касается этой квартиры, то от бытовых драк никто не застрахован. Наркоманы народ непредсказуемый. Иди домой, а мы тут создадим соответствующую обстановку.

— Ольга жива?

— Она далеко и в Москву не вернется.

— А если вернется?

— Ты-то тут при чем? Мог и обознаться. Нервный стресс. Девчонка очень похожа на Ольгу, других у Олега не было. Кто же еще мог с ним находиться? К тому же она поставляла ему наркотики, и об этом весь оркестр знает. На работе был вполне нормальным, в два ночи ушел. Где же ему взять дозу, если не у подружки? Тут все понятно.

— Ладно. Я пошел.

Иван вышел из дома и начал с жадностью хватать ртом свежий воздух. Дождь все еще лил как из ведра.

Домой добирался пешком. Его бил озноб. Ночью он не сомкнул глаз. В субботу утром должна наступить развязка. Только бы нервы не сдали. Иван сел на мотоцикл и поехал в милицию. Хотел во всем сознаться. Просто струсил.

Возле отделения простоял минут сорок, но так и не смог зайти внутрь.

— Ты чего хочешь, парень? — спросил его сержант с красной повязкой на рукаве.

— Паспортный стол мне нужен.

— Приезжай во вторник с трех до восьми. Сегодня суббота.

— Сообразил, но поздно.

— Когда каждый день выходной, соображалка не работает. Иван обозлился. Тоже мне трудяга.

Мотоцикл сорвался с места и поехал на Чистые пруды.

ГЛАВА V

Свидетелей не будет

1

Василиса Андреевна с большим недоверием выслушивала доклад полковника, делая вид, будто не в курсе событий.

— Убийство на бытовой почве. Все к тому шло. Девчонка обнаглела. Конечно, люди вашего мужа постарались замести следы, но сделали это так бездарно, что следователь Марецкий за выходные дни раскрутил весь клубок. Я сделал все, чтобы отстранить его от следствия, но у меня ничего не получилось. Давить на генералов я не в силах. Начальник Главка, выслушав отчет Марецкого, решил доверить дело ему, и он прав. Так поступил бы любой руководитель.

— Что известно этому Марецкому?

— То, что ваш муж убил Ольгу. Пока он не может этого доказать, но идет в правильном направлении. За неделю он добился результатов, которых другие не добиваются за месяцы.

— Его можно купить?

— Бесполезно. Марецкий из тех типов, о которых книги пишут. Стойкий, твердый, неподкупный. Честь мундира для него дороже жизни.

— И что мне делать? Ждать, пока моего мужа арестуют?

— Ждать? Не знаю. Недели две у вас еще есть. Потом будет поздно. Геннадий Ильич уже пришел в себя от шока. Пытается исправлять положение. Мне непонятен один его шаг. Зачем он забрал труп Ольги? Какое это может иметь значение.

— А если она ему была дорога?

— Плохо. Тогда можно поверить в то, что он ее убил в состоянии аффекта. Любовниц редко убивают. Их посылают к черту. К Некрасову очередь стоит. Уже новая появилась. Ничуть не хуже Ольги. На мой вкус, так даже лучше. Но когда речь идет о любви и страстях, то и до убийства недалеко.

— Что он сделал с трупом?

— А что с ним можно сделать? Сжег в крематории и похоронил.

— Правильно сделал. Мужской поступок. На какой стадии находится следствие?

— Геннадий Ильич сумел намотать такой клубок, да еще из рваных ниток, что ребята спотыкаются на каждом шагу. Я вам говорил о сыщике Панарине. У него есть компромат на Геннадия Ильича. В следующий раз я вас ознакомлю с ним. Мне кажется, Панарин, желая получить мзду за компромат, играет на руку вашему мужу. Он путает следствие, не осознавая этого. Мы наблюдаем за ним. Не очень настойчиво, но держим его в поле зрения. Трогать его еще рано.

— Нужно подготовить жертву. Когда руки Марецкого дотянутся до Гены, ему нужно бросить кость послаще.

— Такая жертва есть. Подходит по всем параметрам. Имеет стаж работы в органах, сидел десять лет. Грязный тип, одним словом. Его и сдадим.

— Кто это?

— Директор ресторана «Приют» Ханов Дмитрий Николаич. Он принимал активное участие в деле.

— А если его потянет на откровенность?

— Вряд ли. Мы не дадим ему этого сделать. Есть и другие кандидатуры.

— Хорошо. Держите меня в курсе событий. Сводки мне нужны ежедневно.

— Как прикажете. Вы еще не разговаривали с мужем на эту тему?

— Не вижу необходимости. Мне интересно знать, хватит ли у него ловкости вывернуться из петли.

— Зрелище, конечно, любопытное, но ведь можно что-то проморгать, и тогда петля затянется.

2

Она не успела дойти до дома, сильная рука остановила ее, и в мгновение ока Рита оказалась в машине. Еще несколько секунд, и они выехали на улицу Русакова.

— Ты меня напугал, Алексей.

— Я сам напугался. Приехал к тебе, а возле дома толпы пасутся. Поверь моему опыту, я знаю, о чем говорю.

— Этот адрес никому не известен. С Полянки я съехала несколько дней назад.

— Не будь наивной. Кто тебе снял эту квартиру? Миркин? То-то. А ты старика кинула.

— Только он об этом ничего не знает.

— Не считай его идиотом. Своя шкура ближе к телу. Он числился официальным адвокатом Ольги. Его трясут как грушу, а Миркин — трус. У него репутация, контора, клиенты, а ты ему только мозги пудришь. Я за ним прослежу, а пока поживешь на даче моего старого приятеля, и не высовывай своего носа.

— Нет, дорогой, я поживу на даче у Миркина. К нему с обыском не придут. Мне его надо держать на коротком поводке. Сам говоришь, что Феликс — трус! Я подставлю ему свое плечо. Пусть обопрется.

— Рискованно.

— Кто не рискует, тот не выигрывает. Важно верить в себя и свою идею. Вопрос в другом. Что делать с Геной? Он приезжал в Сокольники. Исчезнуть я не могу.

— Предупреди его. Но лучше вам не встречаться до отъезда. Скоро он вырвется из страны, и я знаю куда. Мне нужен твой загранпаспорт. Пора заказывать путевки в Испанию. Сейчас сезон.

— Все мои вещи, деньги и паспорт остались в квартире.

— Хорошо. Я сам заберу все необходимое. До меня еще не добрались. Пару-тройку дней могу разгуливать свободно, потом залягу на дно до отъезда. Я должен успеть купить путевки.

— А если Гена здесь застрянет?

— Уедем раньше. Ему проще, виза в кармане, купил билет, и не поминайте лихом, а нам придется улетать как простым смертным.

— Ты меня пугаешь.

— Не я, а менты. Умные попались.

— И в чем меня могут обвинить?

— В заговоре. Они знают, кто ты. Вас с Ольгой вычислили. Она убита, а ты заняла ее место. Выводы напрашиваются сами собой.

— А где доказательства?

— У тебя есть алиби? Пока ты будешь доказывать, что не верблюд, тебя будут держать в каталажке. Упустишь момент — потеряешь все. У нас нет времени на эксперименты со следствием.

— Согласна.

— Если Некрасов тебя заподозрит, то мы останемся с носом.

— Не заподозрит. Он мне верит. Я ему рассказала об Ольге, зоне и смерти Юльки. Правильно сделала. Теперь он мой.

— Дай-то бог!

Машина выехала на окружную дорогу.

* * *

Ольга наблюдала в окно из квартиры Риты за происходящим на улице. Она видела, как Алексей посадил ее в машину и увез.

Хватит ли у него ума убедить соперницу не возвращаться больше в это гнездышко. Пожалуй, что хватит. Риск должен себя оправдывать, квартира ей не принадлежит, и ею можно пренебречь. Один минус. Риту знают соседи и хозяйка квартиры. Гену они здесь тоже видели. В этом доме живут очень любопытные и приветливые люди.

Ольга надела парик, очки, платье подруги, ее туфли и взяла ее сумку. Теперь она может здороваться с соседями, изображая Риту.

Выйдя на улицу, она поймала такси и через сорок минут приехала на Большую Бронную. Знакомые места. Ей здесь нравилось. Захотелось заглянуть в свою квартиру, но в этом не было необходимости.

Дверь ей открыла Люба. Девушка растерялась. Ольга сняла очки.

— Это хорошо, что ты меня не узнала.

— Бог мой! Значит, с тобой все в порядке?

— А ты сомневалась? Та баба, в чьем наряде я к тебе пришла, охотилась за мной. Меня вовремя предупредили. У нее был дружок, которого ты пригрела на своей груди. Он приходил ко мне той ночью, но, увидев труп, испугался и сбежал. Правда, мое колечко успел с пальца снять, но зато я живой осталась.

— Я догадалась о том, что они вместе.

Девушки прошли в комнату.

— Он проболтался?

— В том-то и дело, что промолчал. Когда здесь мент был и допрашивал нас, он сам ему все рассказал, не дав мне рта открыть. Ни одной детали не упустил, однако некоторые моменты исказил умышленно. Будто тебя аккуратно посадили на заднее сиденье, а не бросили в багажник. И главное. О появлении девицы в этом платье с плюгавым мужичком он промолчал. Будто их вовсе не существовало.

— Все правильно. Зачем ему подставлять свою подружку.

— Его арестовали.

— Туда ему и дорога. Когда его сообщницу арестуют, то и я вернусь из мертвых. А сейчас сделаем так. Бери бумагу, садись и пиши. Конверт есть?

— Есть парочка.

— Отлично. Восполни пробелы. Напиши все, о чем парень умолчал. На конверте укажешь адрес МУРа и фамилию Марецкого.

— Может, ему позвонить? Они обещали меня вызвать.

— Я вижу. Чемодан уже собираешь. Правильно, сматывайся, но дело доведи до конца. Не век же мне на нарах маяться. Письменное признание — документ, а телефонный звонок ничего не значит. Его к делу не пришьешь.

— Ладно. Ты права.

Люба достала конверт, бумагу и села за стол.

Через пять минут конверт был запечатан.

— Положи в сумку. Прогуляемся, и опустишь в почтовый ящик. Черт, колечка жалко.

— Он отдал его Марецкому. Только без камня.

— Украл гад! Без камня оно ничего не стоит.

— Прикинулся шлангом. Но, похоже, мента кольцо не интересовало.

Люба убрала письмо в сумку и скинула халатик.

В этот момент в нее вонзилось что-то острое и очень длинное. Она ничего не успела почувствовать. Смерть наступила мгновенно.

Ольга подошла к окну, достала платок, откинула шпингалеты, открыла раму, встала на подоконник и спрыгнула вниз, приземлившись на рыхлый газон.

Она осмотрелась по сторонам и ушла, оставшись незамеченной.

* * *

Подойдя к дому, Ольга оторопела. На лавочке возле подъезда, где обычно сидят старушки, развалился Панарин и попивал пиво из горлышка бутылки, почитывая газету.

— Жаль, я не ношу шляпу, не то пришлось бы снять в знак почтения. А ты и впрямь неплохой сыщик, Панарин.

— Не Шерлок Холмс, конечно, дедуктивными методами не владею, но чего-то стою.

— Зачем пожаловал? Кажется, Гена тебя отстранил от работы.

— Вот поэтому и пожаловал. Хочу срубить с него немного деньжат. Хотел с тобой проконсультироваться.

— Вот как? Валяй.

— Несколько вопросов для интервью. Главный вопрос. Некрасов знает о том, что ты жива?

— Нет. Он убил меня. Мой труп уже кремировали.

— Знаю. Поторопились. Не то тебя бы обвинили в убийстве двойника. Да и сейчас еще не поздно. Но меня это не касается. Сработано красиво. Тут я готов снять перед тобой шляпу.

Ольга усмехнулась и присела на скамейку.

— Встречный вопрос сыщику. Как догадался?

— Догадки тут ни при чем. Моей фантазии на такую аферу тоже не хватило бы. Кто из вас обнаружил камеры наблюдения?

— Мой приятель. Ко мне и днем приходят. Он спец по электронике. Очень быстро разобрался в твоей технике.

— Способный паренек. Ну и зачем тебе надо было фиксировать сцену с убийством на пленку?

— Потому что это прямое доказательство, и я знала, что ты им захочешь воспользоваться. Мне надо исчезнуть с лица земли. Есть на то серьезные причины. Первая из них: не хочу превратиться в труп на самом деле. Все к тому шло, но тебе об этом знать ни к чему.

— Я не любопытный, если мне не платят за любопытство.

— Хочешь потрясти некрасовские карманы? Валяй. Мне до лампочки. Он клюнет. Только не перегни палку, сыщик. Заломишь много, он тебе хребет сломает при помощи жены. Она женщина серьезная. Геночка ей очень нужен. Работай по-тихому. Но ты мне так и не ответил на мой вопрос. На чем я прокололась?

— Идеальных преступлений не бывает.

— Слышала об этом. Только восемьдесят процентов киллеров, работающих по заказу, гуляют на свободе и продолжают убивать.

— Поторопилась. Артисты падают убитыми на сцене, но не поднимаются с пола, пока не захлопнется занавес. Почему ты не дала этому бугаю тебя вынести из дома?

— Не поняла?

— Будильник. Твой выкрик: «Пленка кончилась!» Зачем? Привыкай доводить дело до конца. Один неверный штрих —

и все труды кошке под хвост. Я поверил всему, что увидел. Но концовка меня повергла в шок.

— Значит, пленка не кончилась? Такое невозможно.

— Запись шла, как положено, ровно час. И будильник сработал вовремя. Твоего терпения не хватило на две минуты. Они все решили. Кто-то входил в комнату и выключал свет. Минуты на две. Запись останавливалась. Я заметил, что с твоей руки пропало кольцо. Случайному вору повезло. Сказочное везение. Ненужный эпизод. Он и не записался. Уходя, он вновь включил свет. А время шло, часики тикали и не останавливались при отсутствии света. И будильник зазвонил вовремя, но камера продолжала запись еще две минуты. Ровно столько, насколько был выключен свет. Этого хватило, чтобы увидеть, как ты встаешь с пола и накидываешь на себя клетчатый плед.

— Да, сыщик, ты прав. Поспешишь, людей насмешишь. Но Гена об этом ничего не знает. И денег у него не очень много. Все капиталы лежат на заграничных счетах, и ими управляет Василиса Китаева. Много не заработаешь.

— Тысяч сто?

— Попробуй. На сто или двести он может согласиться. А как этот адрес раздобыл?

— Ну, тебе только казалось, что ты от моей слежки уходишь с легкостью, а я полный дуб. Ты сюда часто приезжала. Так что этот адресок я давно знаю. Но не беспокоил тебя без нужды. Теперь накипело.

— Понятно. А как дела у твоих друзей в ментовке?

— Делом занимается серьезный профессионал. Я его хорошо знаю. Он тебя достанет. Тебе пора сваливать из Москвы. Поначалу он тоже путался в твоих интригах, но сейчас вышел на финишную прямую.

— Что ты сделал с записью?

— Концовку с твоим воскрешением из мертвых стер. Она мне не нужна. На ней денег не заработаешь. Кино заканчивается появлением незнакомцев. Их я тоже вычислил, но они меня не интересуют.

— И кто они?

— О женщине ничего сказать не могу. Мужчина — Ханов из «Приюта». Его напарник — Чистяков. Марецкий об этом знает, но пока не имеет доказательств. Пленку я ему не показывал. Менты ничего не покупают. Они конфискуют. Меня такая перспектива не устраивает. Ладно, бывшая подопечная. Бывай. Приятно было пообщаться.

— Удачи, сыщик.

Афанасий встал и пошел прочь.

— Слишком ты много знаешь, парень... — тихо прошептала Ольга, глядя ему вслед.

3

Свободы в том понимании, как себе представляет обыватель, не существует. Все мы люди зависимые. Кто-то привязан к семье, другие к бизнесу, третьи к обстоятельствам. Деньги лишь создают мираж свободы, и очень скоро ты понимаешь, как быстро они превращают человека в своего раба.

В чистом виде свободы нет. Она попросту никому не нужна. Одним воздухом сыт не будешь. Чем выше статус, тем больше потребностей, тем больше денег, тем больше ты в них нуждаешься. Ничего нового мир не придумал, прописные истины хорошо знакомы деловым людям.

Некрасов приехал к старому генералу Райкову для того, чтобы обсудить свои дела, понимая, что одного его желания изменить мир — мало. Речь не идет о чем-то глобальном. Он говорил о своем мире: о мире одного отдельного человека. Но, учитывая его положение в общей структуре взаимосвязей, он мог неправильными действиями сокрушить всю цепь важного и нужного механизма. Сработает принцип домино.

Конечно, Некрасов преувеличивал свое значение в общей схеме гигантской машины и с его уходом ничего не изменится. Но ему требовались поддержка и понимание, — своего рода благословение.

Райков сидел в глубоком кресле перед камином и курил трубку, ароматный голубой дым мягко стелился под резным потолком огромной гостиной.

— Осталось еще несколько деталей. Мое присутствие для этого не требуется. Пятнадцать лет я честно выполнял свой долг. Пришло время мне уйти на покой — неторопливо, растягивая слова, говорил Некрасов.

— Не напугало ли вас уголовное дело, в которое вы попали в качестве подозреваемого?

— Одно к одному, Иван Дмитрич.

— Я не возражаю. Но, зная вас, Геннадий Ильич, могу предположить, что все стрелки вы переведете на свою жену. Вам нужны ее деньги. Если вы знаете, как их заполучить, то нетрудно догадаться, какова будет ее реакция. С ее связями и влиянием академика Вассермана захваченный вами капитал приобретет статус приговора, который и будет выполнен. Земной шар очень тесен, на нем невозможно спрятаться.

— Вассерман выполнил свою задачу. В Иране у него ничего не получается. Фирма потеряла свое значение. Новые структуры должны организовывать другие люди с другими взглядами, полномочиями и возможностями. Ваши люди. Василиса Китаева уже неспособна нести такой груз на своих плечах. Что касается меня, то мой уход оправдан. В отличие от Китаевой, я вижу свою бесполезность. Зачем же мозолить глаза, если есть более разумный выход — исчезнуть.

— Вы не совсем четко понимаете ситуацию, Геннадий Ильич. Вассерман действовал в Ираке не под прикрытием арабов, а под нашим прикрытием. Русских советников там больше, чем любых других. У разведки имелись сотни способов уничтожить предателя. Тем не менее он жил как у Христа за пазухой. Красная ртуть превратилась в аферу века. Ваши мини-ядерные устройства подтвердили эффективность несуществующего оружия, авторитет Вассермана снял все сомнения в правильности выбора. Таким образом, мир мог спать спокойно лишние десять лет, так как арабы и мусульманские экстремисты не задумывались о других проектах.

— Вы хотите сказать, что государство знало о великом блефе Вассермана?

— Конечно. Вассерману принадлежит идея. Она одобрена не только нами, но и рядом других стран. Вот почему ваша фирма просуществовала так долго, а вас не расстреляли за измену Родине. Чемоданчики вам тоже помогли украсть. Ваши заслуги никто не принижает, но операция проходила под контролем высшего руководства вооруженных сил и серых кардиналов. Идея Вассермана себя оправдала. Мы остановили гонку вооружения на Ближнем Востоке. И не надо думать, будто новая идея окажется несостоятельной и мы не затормозим развитие технологий в Иране.

— Гениальный ход. Только мы не учли действий США. Хотели как лучше, а получилось как всегда. Мы блефуем, делаем из арабов дураков, а американцы размещают свои противоракетные установки в Европе у нас под носом. Усмиряя рысь, мы выпустили тигра из клетки.

— Время все расставит на свои места, уважаемый Геннадий Ильич. Цыплят по осени считают. Европа — не наше направление. Наша забота — Восток.

— Я вас понял. Какие у меня шансы?

— Мы вам мешать не станем. Только не подмешивайте политику в свой коктейль. ФСБ вашей женой заниматься не будет. Если вы навешаете на нее уголовщину и устроите пожар вокруг ее имени, служба безопасности тоже вмешиваться не станет. Ваши и ее деньги, так же как и капиталы Вассермана, никого не интересуют. Можете делать с ними что хотите. Как личность Китаева потеряла свое значение. На Вассермана еще возлагаются надежды. Он сильный игрок, и его рано сбрасывать со счетов.

— Василиса — его дочь.

— Сейчас ему не до дочери. Положение академика шаткое. Он еще не пустил корни, и персидские шахи не открыли перед ним свои кладовые. Семейными вопросами в такой ситуации не занимаются.

— Согласен. Но я не собираюсь умирать завтра. Придет время, и у него зачешутся руки. Вы правильно заметили. Земной шар тесен. Где мне искать защиту?

Генерал пожал плечами.

Все правильно. Теперь он никого не интересовал. Мавр сделал свое дело, мавр может умереть.

Некрасов сделал небольшой глоток коньяка из бокала и, выдержав паузу, тихо сказал:

— У меня есть копии двух любопытных документов. Я хочу вам их показать.

Он взял портфель, открыл его и достал несколько листов бумаги.

— Гляньте.

Райков без особого интереса принял бумаги. Но чем дольше он просматривал листы, тем мрачнее становилось его лицо.

— Где вы это взяли?

— Из вашего досье, Иван Дмитрич. Когда-то академик Вассерман возглавлял филиал ленинградской ложи вольных каменщиков и был ее магистром. При Андропове начались гонения. Многие пострадали. Вассерману удалось вывезти архивы ложи и спрятать их в надежном месте. Более шести тысяч досье, протоколов, формуляров, справок, характеристик и схем.

Сейчас архив Вассермана находится в моих руках. Я храню его более десяти лет. Если он попадет в руки ФСБ, то, скорее всего, его уничтожат. Слишком много своих сидит за стенами Лубянки. Высшие чиновники из властных структур сделают то же самое. Но попади архив в руки журналистов, стране грозит переворот. Никому такой исход не нужен. В течение десяти лет я оставался добровольным хранителем документов и не использовал материалы в корыстных целях. Правда, я знал, с кем имею дело, когда мы с вами познакомились, а потому и согласился на сотрудничество. Я также знал, кем был выдвинут на важный пост в министерстве и кто меня прикрывал. Это и подвигло меня к согласию на рискованные предложения. Теперь, когда я решил отойти от дел, меня беспокоит собственная безопасность и ничего больше.

Генерал отложил дымящуюся трубку в сторону.

— Мы полагали, архив попал в руки дочери Вассермана.

— Она его лишилась, не успев получить. Женская небрежность и недооценка значения архива. Сочла своего отца старым маразматиком, впавшим в детство. Спросите ее об архиве сейчас, она не поймет, о чем идет речь.

— Я вам верю. Документы это подтверждают.

— Копии. — Некрасов достал из портфеля черную папку с золотым тиснением. Циркуль, перевернутый треугольник и в середине буква «G». — А это оригинал. Ваше досье, генерал. Оставьте его у себя. Если вам понадобятся другие документы из архива, то всегда готов их вам предоставить. Но мне понравилось быть хранителем, и я им останусь, несмотря на то что не являюсь членом вашей ложи.

— Я всегда считал вас очень умным и расчетливым человеком, Геннадий Ильич. Мы позаботимся о вашей безопасности. Надеюсь, вы знаете, что делаете?

— Конечно.

— Держите меня в курсе событий. Всегда на связи.
Еще один сложный этап остался позади.

4

Деревянные ступени заскрипели, и Райской пришлось замереть на месте, слушая разговор Василисы и полковника Любезнова. Они беседовали в гостиной первого этажа. Голоса слышались отчетливо. Судя по докладу главного шпиона, Некрасову осталось недолго гулять на свободе. Следствие подобралось к нему вплотную, и Василисе придется принять серьезное решение. Ее муж окончательно вышел из-под контроля и в своем падении мог разрушить всю империю, создаваемую десятилетиями. У Китаевой не оставалось выбора.

Вскоре полковник ушел.

Раиса приподняла длинное платье и медленно спустилась вниз. Нежно поцеловав подругу в голову, как обиженного ребенка, она осталась стоять за ее спиной.

— И что мне делать? — не отрывая взгляда от черного жерла камина, спросила Василиса.

— Не знаю. Тебе решать.

— Допустим, я выпущу Генку за кордон. А если он доберется до денег?

— Маловероятно. Слишком сложная схема, если верить твоим рассказам.

— Он имеет право подписи.

— Решай сама. Если его арестуют, фирма лопнет. Ты хочешь заработать на ней полмиллиарда, продав по остаточной стоимости. Бесследно он исчезнуть не может.

— На оформление уйдет не меньше двух месяцев, если принять срочные меры. Оставить его без контроля на такой срок невозможно.

— Продолжай держать Гену на цепи.

— Он ничего не боится, дурак! Опять завел себе новую куклу.

— Это она его завела, подстроив умышленную аварию. Но Ольгу она ему не заменит. Мужику нужна отдушина. Скоро совсем жарко станет. Не до развлечений. Ты умная женщина и не можешь рассчитывать на авось. Полковник прав, и стоит прислушаться к его словам. Одного ареста хватит для громкого скандала. Может, тебе бросить все и уехать с ним. Черт с ней, с фирмой. Денег у вас хватит.

— Я обязана выполнить условия договора и не сесть в лужу перед заказчиками. Я не хочу выплачивать бешеные неустойки и терять полмиллиарда за бренд. Разорившаяся баба нигде и никому не нужна. У меня имя. Это Генка — пустое место. Менеджер средней руки.

— Положение, которого ты добивалась. Ты бренд, он никто. Это там, за границей. А покупатели здесь, и для них бренд он, а ты приложение к нему. Даже устроив аукцион, тебе придется получить от него доверенность на управление имуществом. Вы живете по российским законам. Попади он за решетку, твой престиж лопнет.

— Черт с ним, пусть уезжает!

— Трезвое решение. Ты получаешь от него генеральную доверенность, а он едет в командировку в поисках новых партнеров. Вы же перепрофилируете направление своей деятельности. Следствие упирается в тупик, а ты, не торопясь, заканчиваешь все свои дела. Не без жертв, разумеется.

Василиса подняла глаза и внимательно взглянула на подругу.

— Конечно, с жертвами. Нельзя получить всего сразу. Нельзя объять необъятное. Под Барселоной на берегу моря стоит особняк в тихом уютном местечке. Наше гнездышко. За ним приглядывает семья из соседней деревни. Туда я его и направлю. Долго он там не просидит. Дня три, не больше, для моего успокоения, и бросится на поиски денег.

— Трех дней вполне достаточно. Случайная смерть человека без документов на оживленном курорте — вещь нередкая.

— Двух человек. Гена не терпит одиночества.

— И действительно. Пусть едет со своим самоваром. Она лишь притупит его бдительность. В случае несчастья местную шлюху могут опознать, а русскую — никогда. Нынешняя его подружка — неплохой экземпляр. Сумеет ли она в короткие сроки добраться когтями до его сердца?

Василиса криво усмехнулась.

— Не имеет значения. Один он не поедет. Обживется, бросит. Кто-то должен греть ему постель. Пусть порадуется вольной жизни пару дней.

— Больше я ему не дам, — твердо заявила Райская и обняла Василису за плечи.

— Ты одна меня понимаешь. Принеси вина, Раечка. У меня голова разламывается от дурацких мыслей. Надо расслабиться. И подай мне плед.

5

Ольга взяла трубку.

— Это я, — послышался заговорщический голос Миркина. — Панарин сидит в моем кабинете. Пришел составлять завещание.

— Диск принес?

— Ну, разумеется. Я же говорил тебе, мне он доверится, зная мою ненависть к Некрасову. Более надежного хранителя компромата ему не найти.

— Растяни бодягу часа на два. Мне нужна подготовка.

— Само собой. Такие договора за минуты не решаются.

— Где Рита?

— Безвылазно торчит на моей даче. И правильно делает. Ее с собаками ищут.

— Когда сыщик от тебя уйдет, перезвони мне.

— Будет сделано.

Ольга перезвонила Чистякову.

— У тебя все готово, Алеша?

— Давно.

— Отлично. Выезжай, подберешь меня у метро.

— Выезжаю.

Ольга переоделась и вышла из дома. До места встречи она добралась за двадцать минут. Фургон «Рено», за рулем которого сидел Чистяков, стоял на месте. Девушка села в машину, и они поехали дальше.

Ключи от квартиры сыщика Алексей передал Ольге, как только они подъехали к его дому. Машина остановилась у соседнего подъезда.

Девушка переоделась в салоне. Из машины вышла невзрачная уборщица с ведром, шваброй, в синем халате, резиновых перчатках, косынке, сбитых набок туфлях и полуспущенных чулках. Она, прихрамывая, направилась в подъезд, где жил сыщик. Поднявшись наверх, Ольга проникла в его квартиру и оставила на столе папку, вынутую из-под халата, и, не задерживаясь, ушла, нигде не оставив следов.

Раздался телефонный звонок. Ольга ответила.

— Он выехал. Через полчаса будет, — доложил голос адвоката.

Ольга перезвонила Некрасову.

— Гена, принимай условия игры. Позвони Панарину сам.

— Уверена? Что это даст?

— Компромат в руки Марецкого.

— Выезд только завтра.

— А он его не получит до твоего отъезда. Назначь встречу Панарину на понедельник.

— Я все сделаю.

Ольга убрала телефон в карман, спустилась на первый этаж и принялась за уборку.

Бдительность сыщика усыпила радостная весть. Он не верил в легкие деньги, но они к нему пришли. Все проблемы решились одним махом, и он не прогадал.

Жизнь его оборвалась у лифта в самый неподходящий момент. Он умер с улыбкой на устах.

Ольга стащила труп вниз и затолкала под лестницу. Заточку она бросила в ведро с водой и шваброй смыла с лестницы следы крови. Эту схему с легкостью разгадали сыщики, но имя убийцы для них оставалось тайной еще долгое время.

Уборщица вышла из дома, осмотрелась по сторонам, поставила ведро к стенке и неторопливо ушла.

Фургон ее дожидался на месте. Она села в машину, скинула косынку, перчатки и халат, бросив их в угол, и спросила:

— Кто пользуется этой машиной?

— Никто, — ответил Чистяков. — Разъездная, принадлежит ресторану. Теперь поставщики нам сами возят продукты, и фургон стоит во дворе без дела.

— Ты ничего не говорил Ханову о сегодняшнем рейде?

— Нет. Он и без того слишком много знает.

— Будет о чем рассказать следователю.

— Вряд ли мы об этом узнаем. Здешние события не попадут на страницы испанских газет. Что делать с парнем?

— Каким?

— Студентом. Он же все знает.

— Он знает, что я жива. Менты до этого все равно докопаются. Но не скоро. А пока пусть ловят Риточку.

— А если поймают?

— Сядет лет на десять. Я об этом мечтаю. Пусть походит в моей шкуре. Научится ценить свободу. Если ускользнет, то мы ей соорудим тюрьму в Испании. Сдохнет в склепе. Я читала о горных монастырях. Их даже не хотят реставрировать. Слишком далеко расположены от туристических троп. Там наша мечтательница и обретет покой.

— Когда ты уезжаешь?

— Не торопи события, Леша. Не беспокойся. Встретимся в Барселоне, как договорились. Я буду вовремя.

Ольга вышла из машины у метро Сокольники.

Она вернулась в квартиру Риты, сбросила стоптанные туфли, сняла чулки, платье, испачканное кровью сыщика, и надела свои вещи.

Все, что она запланировала, было сделано.

Вечером она сядет в поезд и отправится в Одессу, а там ее ждет комфортабельный теплоход и круиз по Средиземному морю.

У каждого своя дорога.

* * *

Маленький незначительный эпизод.

Раиса Михайловна Райская усадила Галю в машину и поцеловала девушку в лобик.

— Ты все запомнила?

— Можете на меня положиться.

— На тебя возлагается большая ответственность. Ну, с богом. Машина уехала.

Райская вернулась на дачу. Старая развалюха вблизи станции «Сходня», с которой начиналась история Юли и Ольги, все еще держалась на своем фундаменте.

Все разбежались кто куда. Каждый мечтает о новой жизни. Кто-то ее дождется, а для кого-то она кончится, так и не начавшись. Все предрешено, и ничего уже не исправишь.

Когда на землю спустилась ночь, Раиса разлила по дому бензин из канистры, вышла и бросила в окно горящую спичку.

Ее машина стояла на опушке. Выехав на шоссе, она оглянулась. В звездном небе разливалось кровавое зарево пожара. Оно предвещало начало конца.

Ранним утром Раиса Михайловна Райская прошла таможенный контроль и села в самолет.

ГЛАВА VI

Разложим по полочкам

1

Адвокат оставался холодным и равнодушным, как замерзший пень в зимнем лесу. Он внимательно разглядывал подполковника, будто искал пылинки на его кителе.

— Вы же юрист, Феликс Зиновьевич, должны понимать, что речь идет об убийстве, и не одном. Со всеми участниками событий вы знакомы. Как не выкручивайтесь, а в стороне остаться не получится. Будете мне врать, привлеку вас к ответственности за ложные показания.

— Для этого, молодой человек, вам придется составить протокол и получить под ним мою подпись.

— Разумеется. Пока я пришел к вам по-хорошему. Уловлю фальшь, вызову на Петровку и зафиксирую каждое сказанное вами слово на бумаге. Вы так хотите?

— Не очень. Лучше поговорим по душам в непринужденной обстановке, а уж потом решайте, что вам нужно вносить в протокол, а без чего можно обойтись. Многие события не нуждаются в фиксации и документации. Они лишь помогают объяснять какие-то факты.

— Наконец-то мы поняли друг друга. Вы можете быть вполне откровенным со мной. Фигуранты разъехались. Некрасов вылетел в Париж, обратно мы его не ждем. Рита и Чистяков улетели в Барселону. Ими займется Интерпол. Так что я рассчитываю еще на встречу с ними. С вас мы возьмем подписку о невыезде.

— Райская тоже улетела. Но она вам вряд ли понадобится. Китаева привязана цепями к Москве, и она от вас не уйдет.

— Два последних имени, названные вами, меня беспокоят меньше всего. Начнем с вас. Больше не с кого. Как получилось, что частный детектив Афанасий Панарин решил оставить вам диск с видеозаписью убийства?

— Он решил себя подстраховать. Тут все понятно.

— Но почему он выбрал вас? Мало адвокатов?

— Логика простая. Панарину известны мои отношения с Некрасовым. Мы откровенные враги. Панарин не сомневался в том, что я отнесу компромат на своего врага в милицию. Своего рода гарантия.

— Видеозапись вы принесли в понедельник, Панарина убили в пятницу. За субботу и воскресенье все разъехались. Компромат не сработал.

— Почему же? Видеозаписи хватит, чтобы Некрасова объявили в международный розыск. Интерпол примет ваши аргументы. Теперь о моем появлении. Это вы знаете о том, что Панарина убили в пятницу. Я узнал об этом в субботу вечером из новостей. Вполне понятно, что в воскресенье я вас искать не стал. Выходной.

— Вы были в квартире Ольги в ночь ее убийства?

— На этот вопрос я вам уже отвечал.

— Вы лгали. Ольга звонила вам в час пятнадцать. Звонок зафиксирован на МТС, и у нас есть справка. Вас видела соседка с первого этажа. Вот ее описание событий, часть которых скрыл находящийся с ней рядом небезызвестный вам студент журфака Калядин. Вы приехали через пятьдесят минут после звонка, когда труп Ольги выносили из дома. Только от Риты не открещивайтесь. Вот ваша фотография с вечеринки, где вы сидите в обнимку.

— Допустим. Мы были там. Но ничего, кроме разгрома, не застали. Ольга позвонила, была напугана. Рита находилась у меня. Мы поехали вместе. Но опоздали.

— Вы узнали тех, кто выносил труп из дома?

— Выносил Ханов. Чистяков сидел за рулем машины. Потом, когда машина уже уехала, вышла женщина в черном. Мы ее не узнали. Подходить побоялись.

— А кто поехал следом за машиной с трупом?

— Полагаю, что это была жена Некрасова. Ее черный «Лексус». Но утверждать не берусь.

— О вашем сговоре с шофером Некрасова я спрашивать не стану. Он в нашу схему не входит. Меня интересует студент. Вы же его не знали. Он не случайный свидетель, а нанятый. Кем? Кто вас просил его освободить?

— Рита.

— Я так и думал. Поэтому он промолчал о вашем появлении с ней в доме в ту ночь.

— Она передала мне паспорт и сказала: «Один дурачок мечтает стать репортером криминальной хроники и сам себя сдал в милицию как сбежавшего рецидивиста. Пришел с повинной. Ему хотелось узнать, как содержат задержанного в обезьянниках. Парень перестарался. Его надо выручать». Назвала мне адрес, я поехал и вытащил парня из каталажки. Ничего сложного.

— Вы работали на Ольгу. Были ее адвокатом. В то же время имели любовную связь с ее подругой Ритой. Вы понимали, что имеете дело с соперницами. Их цель — деньги Некрасова. Кому же из них вы помогали?

— Любовная связь?

— Не поднимайте брови, Феликс Зиновьевич. Квартиру в Сокольниках вы снимали для Риты. Это нам известно. Вы у нас оборотень, милейший господин Миркин. Ходите на вечеринки к Чистякову и Ханову, защищаете Ольгу Левину, спите с Ритой, становитесь душеприказчиком частного детектива Панарина, а вокруг всей этой компании витает черный ангел и пускает смертельные стрелы то в одного, то в другого. Только вас не задевает. Ловкач!

— Помалкиваю, вот и живу. Не требуйте от меня многого, молодой человек. Обвинять меня вам не в чем. Чужие тайны я не раскрываю. Этика.

— Гробы с этикой не вяжутся. Не паясничайте, Миркин.

Марецкий выложил на стол три фотографии.

— Кто эта уборщица? Рита или Ольга?

Миркин внимательно присмотрелся к снимкам.

— Она ни на кого не похожа. Кошмар какой-то.

— Не валяйте дурака. Придется сдать одну из них. Других вариантов нет. Видите фургон. В нем сидит Чистяков. А в подъезде под лестницей лежит труп Панарина. У вас в это время находился диск. По завещанию вы должны мне его отдать после смерти детектива. И эта смерть наступила. Умышленное убийство. А теперь давайте разберемся, кому из девушек надо было показать следствию, как Некрасов убивал Ольгу? Некрасов за решеткой ничего не стоит. Так в чем загадка, Миркин? Колитесь. Я все равно вас достану. Вы по уши завязли в дерьме.

Миркин долго молчал, потом заговорил.

— Девушку на фотографии я узнать не могу. Что вы должны сделать, получив компромат — сцену с убийством, заснятую видеокамерой? Арестовать убийцу. Но вы правильно заметили: ни Ольге, ни Рите арест Некрасова невыгоден. И пленка снималась не для вас. Жену Некрасова до-

статочно напугать такими фактами. Компромат готовили для
нее. Больше ее ничем не напугаешь. Нужен испуг! На испуг
нужна реакция. Какая? Оградить фирму от скандала. Реакция
последовала. Василиса Китаева выпроводила мужа из страны
во избежание ареста. Кому это нужно? Некрасову. Он вы-
рвался из цепей. Воронье полетело следом. Они еще верят в
свою удачу. Но Некрасов и дня не проживет за границей. Его
труп в плавках выбросит на берег утренним приливом. Некрасов никого не убивал. Забудьте о нем. Что касается воронья,
то они ничего не получат. Со временем вы их всех подберете на
разных дорогах. Вам нужны убийцы — вы их получите. Всех,
кроме Китаевой. Ее вам на крючок не подцепить.

— Кого же она наймет в исполнительницы? Райскую?

— Вряд ли Китаева будет подвергать риску самого дорогого ей человека. Грязную работу выполняют грязные люди.
Некрасовым займется Ольга.

— Значит, она жива?

— Вы и сами это знаете, подполковник. Ольга давно уже
поняла, что денег у Некрасова нет и взять негде. А Китаева
ей может заплатить за услугу большую сумму.

— Необычная версия.

— Самая примитивная. Вы занимались уголовным делом и
многого добились. Но оно построено на политике, а не на логике. Идет война умов. Муж и жена пришли к решению. Оно
продиктовано ситуацией, сложившейся в бизнесе. Их гранди-
озный проект закончился. Теперь их ничто не связывает. Остались общие деньги. Поделить их невозможно. Или все, или
ничего. Обезьяний рефлекс. Как выйти из положения? Новых способов не придумали. Из двоих должен остаться один.
Тот, кто умнее и хитрее, выживет. Не нам с вами вмешиваться в битву мамонтов. Затопчут.

— Посмотрим. Наш разговор еще не закончен.

— Всегда рад вас видеть.

Миркин нажал кнопку, и в кабинет вошла секретарша. Женщина немолодая, строгая, но не лишенная обаяния.

— Кира Львовна, когда я понадоблюсь Степану Яковлевичу Марецкому, разыщите меня, где бы я ни был, и свяжите с ним. У нас очень важное совместное дело.

Женщина улыбнулась. Было видно, что молодой подполковник ей симпатичен.

2

Уютная обстановка, приятные лица, ковры, золоченые канделябры, небольшой оркестр и мягкая ненавязчивая музыка. Только оркестр не тот.

Пришлось обратиться к менеджеру зала, а тот проводил капитана Мельникова к администратору.

— Чем могу быть полезен?

Фраки, жилетки, бабочки, и капитан в джинсах и футболке выглядел отщепенцем. Удостоверение было своеобразным оправданием, хотя у него никто документов не требовал.

Мельников ни разу в жизни не ходил в казино и порядков не знал. В дневные часы клиентов немного, и это обстоятельство не могло не радовать. Удалось избежать презрительных взглядов.

— Квартет играет вечером? Я ищу Ивана Сочникова.

— Нет. Боюсь, что они у нас больше не будут играть.

— А что случилось?

— Ребята сорвались и уехали на гастроли. Какой-то заезжий толстосум им предложил золотые горы. На юге сезон. Правда, как мне известно, очередь там с зимы занимают и в середине лета вакансию найти невозможно. Удерживать я их не стал, с музыкантами проблем нет. Пусть ловят свою жар-птицу.

— А в какие края махнули?

— Кажется, в Ялту. В Крым. Иван звонил на вокзал из моего кабинета. Интересовался поездами на Симферополь.

— Давно уехали?

— В субботу отыграли в последний раз и, как я понял, махнули на вокзал. В Крыму можно заработать, но это не те деньги, чтобы терять постоянную работу дома.

— Я о том же подумал. Сезон есть сезон, а работа работой. Странно.

— Конечно. Тем более что их наниматель не так уж богат.

— Мало проиграл?

— Часы дешевые и обувь с вещевого рынка. Я решил, что он с ними шутит. Но, как видите, они уехали.

— Спасибо. Извините за беспокойство.

— Не за что. Увидите ребят, предупредите, обратно я их не возьму.

Мельников вышел на улицу и взялся за мобильный телефон.

— Коля? Мельников беспокоит. Надо найти ребят. Очень важно. Они музыканты. Их четверо. Одного зовут Иван Сочников. Предположительно уехали в Крым. Возможно, в субботу вечерним поездом на Симферополь. Полное купе. Можно по корешкам билетов проверить. Очень важно, Коля.

— Ты с ума сошел, Вова! Сегодня вторник. Они давно задницы греют на солнышке и бултыхаются в море.

— Послушай, Колян, на нашем отделе два трупа. Мы должны Бога молить и благодарить за помощь, оказываемую Петровкой. Надо будет, в Крым поедешь и перевернешь все вверх дном.

— Так тебе хохлы с татарами и дадут там шустрить.

— Задание понял? Выполняй. Вечером доложишь.

Мельников сел в машину и поехал в известный Дом моды. На здании все еще висел огромный плакат с портретом Ольги.

Капитана встретил главный дизайнер. Точнее, это была женщина средних лет с яркой внешностью, низким голосом и приятным ароматом. Мельников вновь вспомнил о своей не очень свежей футболке.

— Я к вам по поводу Ольги Левиной.

Женщина нахмурила брови.

— Ни стыда, ни совести. Известили нас после похорон.

— Кто известил?

— Неизвестно. Пришла телеграмма с соболезнованиями, и все. Потом сами в справочной выяснили, где ее похоронили.

— Интересно. Ее похоронили через десять дней после смерти. Что же вы раньше не спохватились?

— Она же ушла в отпуск. Мы думали, уехала. А потом эта дурацкая похоронка с соболезнованиями и подписью «Группа товарищей». Как в советские времена.

— Мы можем поговорить не в коридоре?

— Идемте ко мне.

Они попали в огромный зал с длинными столами, манекенами, плакатами и фотографиями в полный рост, расклеенными по стенам. На всех изображена Ольга в купальниках, шортах и коротеньких юбочках. До потолка метров пять, и окна на всю стену.

— Вижу, Ольгу здесь ценили.

— О чем это вы?

— О плакатах.

— Ольга была лицом, маркой, а не манекенщицей. На снимках не Ольга, а ее двойники.

У Мельникова открылся рот.

— Быть такого не может.

— Она сама устроила конкурс полгода назад. Не захотела больше сниматься после смерти мужа. Девочки хорошенькие. Штук двести просмотрели, пятерых отобрали, но ни одна не прошла. Не хватало изюминки. Живые куклы, и не более того.

— Я бы ее не отличил. Клянусь.

— Сходство есть, конечно. Но Ольга никогда не снималась с голыми ногами. У нее крупное родимое пятно на голени правой ноги. Такое гримом не замажешь.

— У вас сохранились данные этих девушек?

— Они шли потоком. В три тура. Тех, кто прошел в третий тур, мы записали. Они даже анкеты составляли.

— Сколько их?

— Не помню, но не больше пятнадцати.

— Могу я получить эти анкеты?

— Можете. Если, наконец, объясните мне, что случилось с Ольгой и почему она умерла?

Мельников помялся, но фантазии на убедительную легенду не хватило.

— Нашли мертвую девушку. При ней был паспорт на имя Ольги Левиной. Труп захоронили. Опознал ее один тип. Горячку пороли. Искали убийцу.

— Ее убили?

— Голову проломили. Но похоже, что с выводами мы поторопились. Голову нам заморочили. Кровь в одном месте, труп в другом. Кровь совпала. Только это была не Ольга. Протокол я сам составлял. Особых примет нет. Никакого родимого пятна.

— Может, ее похитили, а вам подбросили двойника?

— Не исключено. Тогда похитители должны были знать о двойниках. Я о них слышу впервые. И какова цель похищения? Требование о выкупе посылать некому, и зачем подбрасывать труп?

— Чтобы не искали.

— Правильно. Тогда речь идет не о выкупе.

— Вы меня запутали, молодой человек.

— Когда распутаемся, я с вами свяжусь. А сейчас найдите анкеты и выделите мне небольшой уголок с телефоном.

— Хотите их обзвонить?

— Конечно. С живыми и говорить не о чем. Но кто-то из них пропал.

— Точно! Вы правы. Идемте.

Анкеты были исчерпывающими, с фотографиями и точными адресами, местом рождения и прочими подробностями.

Через полтора часа Мельников вновь объявился в зале главного дизайнера.

— Что выяснили?

— Извините...

— Антонина Пална.

— Антонина Пална, я не нашел двух девушек. Одну зовут Марина Григорьева, вторую Мария Клочкова. Гляньте на них. Кто больше похож на Ольгу?

Женщина внимательно просмотрела анкеты.

— Я бы выбрала Машу. Но похитители со мной не согласятся. Эту девушку приводил ее дед. Бывший аппаратчик. Она под его бдительным наблюдением. Марина тоже очень похожа на Ольгу, только слишком глупа. Ни о какой изюминке речи и быть не может. Смотрите анкету. Приехала из Гомеля, живет у подруги. Не москвичка.

— Там телефон не отвечает, а ее мобильный недоступен.

— Вы меня удивляете. В вашем удостоверении написано «оперуполномоченный», значит оперативный. Садитесь в машину, и вперед. Адрес здесь указан. Анкету можете забрать.

— Согласен. Без ответа я к начальству прийти не могу.

3

Поездка майора Сухорукова в колонию и ее результаты уже не могли повлиять на ход следствия. Марецкий сам втянул Сухорукова в дело Некрасова, обратившись к нему за помощью, и теперь, по возвращении майора, выслушивал его отчет.

— Только звонок из Москвы и моя настырность заставили начальника колонии пойти на откровенный разговор. Я пообещал ему не вызывать комиссию из Москвы, если мы договоримся полюбовно. Прапорщик Потапова узнала заточку по фотографии. Перед тем как в зоне были убиты три женщины, в бараках по приказу капитана Тубельской устроили шмон. Достаточно успешный. Конфисковали около сотни колющих и режущих предметов. Среди них была и эта заточка. Все собранное оружие было сдано капитану Тубельской. Оно подлежит уничтожению. Риту Тубельскую никто не контролировал в зоне. Ее авторитет был непоколебим. Начальник колонии прочил ее на свое место. Теперь о гибели женщин. Первой погибла молодая девушка Юлия Воронина. Сидела за убийство и наркотики, но опытные люди понимали, что девчонку подставили. Она дружила с Ольгой. С этого все и началось. К тому времени Ольге оставалось сидеть месяц. Любопытный момент. Девушку ударили такой же заточкой, но она прожила еще около девяти часов. Ольгу к ней допустили, и Юля умерла, можно сказать, на ее руках. Что важно. Юлю арестовали в Москве в стриптиз-клубе «Серебряная чаша». Муж Ольги — Виктор Левин — сотрудничал с этим клубом. Не исключено, что Ольга, приехав в Москву, пошла в этот клуб и там познакомилась со своим будущим мужем. Есть еще одно совпадение. После смерти Ольги в карцере повесилась заключенная Сорокина, а ночью в бараке от колотой раны умерла Анастасия Сигалова по кличке Мамашка. Девичья фамилия Левина. Родная сестра Виктора Левина. Обе подозревались в убийстве Юли. Буквально на следующий день Ольгу освобождают досрочно. Когда речь идет о месяце, то руководство колонии может пойти навстречу и освободить осужденного раньше. По семейным обстоятельствам или дру-

гим причинам. Через две недели из колонии увольняется Тубельская. След обеих женщин на этом обрывается.

— И все это ты узнал за неделю, Боря?

— Я опросил четырнадцать заключенных и весь воинский
состав. Картинка составлялась из сотен клочков. Мне удалось достать фотографию Юли. Очень хотелось бы знать, что
она собой представляла, если из-за нее в зоне поднялся такой
кипеш. У меня есть выписки из дела девушки. Она была арестована ОМОНом во время рейда, потом ей инкриминирова-
ли убийство. В этом деле надо покопаться. Кстати. Командо-
вал ОМОНом в то время подполковник Любезнов.

— Полагаешь, эта девушка имела связь с Некрасовым или
Китаевой?

— Конечно. Целенаправленный приезд Ольги в Москву
подтверждает это. После каждой отсидки Ольга возвращалась домой. А тут — Москва и фальшивый паспорт.

— Его так просто не достанешь. Паспорт сделан на отбра-
кованном бланке. Точно такой же сделали студенту Калядину,
выдавшему себя за беглого зека. Оба паспорта сделаны в
Кургане. Либо бланки были похищены, либо их использовали
сотрудники паспортного стола. Ни у Калядина, ни у Ольги в
Кургане нет связей.

— Зато у Риты есть. Ее второй муж из Кургана. Полковник юстиции Тубельский. Девичья фамилия Риты — Доросенко. Маргарита Тарасовна Доросенко из Винницы.

— Сговор Риты и Ольги берет свое начало в колонии.

— Несомненно. Думаю, что заточкой в колонии орудовала
Рита. Ольга не могла убить свою подругу за месяц до осво-
бождения. Противоречит здравому смыслу. Ольга не могла
заколоть Мамашку. Мало того что сестра Левина ходила в
авторитетах, она и обреталась в другом бараке. Это у нас события пролетают как птицы, а в колонии время течет медленно, ничего не меняется. Та же колючка, те же заключенные,

несменяемый командный состав. Я спросил одну заключенную, кто мог убить Мамашку. Та рассмеялась. Мамашка сама резала девок, как поросят. Она согласилась мне дать ответ, если я захвачу с собой ее письмо и опущу его в почтовый ящик на воле. Пришлось согласиться. Женщина сказала только одно слово «Кума».

— Рита?

— Так на местном жаргоне звучит ее должность.

— Значит, и в Москве она продолжала орудовать той же заточкой. Именно это меня и смущает. Слишком очевидно. Даже нарочито.

— Привычка к безнаказанности. В колонии она царь и бог. Любого могла приговорить, а смертью там никого не удивишь. Диагноз для всех один — сердечная недостаточность. Следы она замела хорошо: другое имя, другая биография.

— Проблема в том, Боря, что Тубельская находится в Испании. И вряд ли мы дождемся ее возвращения. Туда же улетел и бармен Чистяков. Во Францию отправился Некрасов. Где находится Ольга, нам неизвестно. Если ее убили, то зачем нам подбрасывать труп двойника?

В кабинет постучали.

— Войдите.

Появился помощник дежурного по управлению.

— Товарищ подполковник, к вам девушка, Даша Миронова, говорит, что ей необходимо встретиться с вами лично.

— Пусть зайдет.

В кабинет вошла хорошенькая девушка лет двадцати пяти.

— Я слушаю вас, Даша.

Она положила на стол видеокассету.

— Что это?

— Я работаю в фирме Геннадия Ильича Некрасова. Перед отъездом в командировку он передал мне эту кассету и сказал: «Отнеси на Петровку подполковнику Марецкому. Он подозревает меня в убийстве, которого я не совершал». Вот я и принесла.

— Присаживайтесь.

Девушка села на край стула, скромно одернув платьице.

Марецкий снял трубку внутреннего телефона и велел принести видеомагнитофон.

Почему он попросил это сделать вас?

— Потому что доверяет мне. Они дружили с моим отцом. Когда отец погиб в Чечне, Геннадий Ильич помогал нашей семье. Он очень добрый человек. Я к нему отношусь как к родному.

— Очевидно, он доверял вам больше, чем другим, если рассказал об убийстве. Это дело не подвергалось огласке, и в вашей фирме о нем никто ничего не знает.

— Вы правы. Скандал распугал бы покупателей. Сейчас от них отбоя нет. Ожидается аукцион, акции растут.

— Вот как? Ответственный момент, а руководитель покидает страну.

— Его жена занимается вопросами продажи. Фирма принадлежит им обоим.

— Это нам известно. А что вы думаете об убийстве? Вы же не могли не знать Ольгу. Я прав?

— Знала. И очень боюсь за Геннадия Ильича. Я подозреваю, что она получила доступ к капиталам фирмы. То, к чему стремилась. А Геннадий Ильич — человек доверчивый, к тому же влюбленный. Он ослеп, а она выполняет роль поводыря и ведет его к краю пропасти.

— Значит, все упирается в деньги?

— А во что еще? Никакого открытия здесь нет.

Сухоруков достал фотографию из своей папки и положил перед девушкой.

— А эту подружку вашего начальника вы знаете?

— Юлька Воронина. Очень хорошо ее помню. Одна из первых охотниц за сокровищами. Василиса Андреевна ее упрятала за решетку.

— Каким образом?

— Ее обвинили в убийстве парня, которого она наняла.

— Наняла для чего? — удивился Марецкий.

— Все очень просто. Геннадий Ильич не распоряжается деньгами фирмы. А его счета в России незначительны. Когда Юлька об этом узнала, она переключила внимание на Китаеву. Наняла хакера, сделала слепок с ключа от дома Некрасова, они проникли в дом и взломали компьютер Китаевой, где хранились все коды доступа к счетам зарубежных банков. Китаева об этом узнала. Хакера убили, а Юльку посадили, свалив на нее убийство. Сплошной примитив.

— Откуда вам известны такие подробности, Даша?

— Я знаю больше, чем Геннадий Ильич. Пользуюсь прослушивающими устройствами.

— Вы вхожи в дом Некрасовых?

— Нет. Василиса меня терпит, но на дух не переносит. Зато ее телохранители меня любят. Не все, конечно, но некоторые.

— У вас есть записи?

— Может быть. Придет время, мы и о них поговорим. Сейчас надо нейтрализовать Ольгу. Она представляет настоящую угрозу.

— А Рита?

— Рита не ждет удара в спину. Она убеждена, что Ольга погибла. Ольга боялась Риту и Василису. Она решила уйти в тень, и это ей удалось с помощью Геннадия Ильича.

В кабинет принесли видеомагнитофон, и они просмотрели запись с репетицией убийства и комментариями Ольги.

Марецкий почувствовал себя не в своей тарелке. Он стал невольным участником разыгранного спектакля.

— Мы знаем, что Ольга жива, — будто оправдываясь, начал Марецкий. — Она не учла несколько деталей, которые ее подвели. Ольга не раз судима. Ее отпечатки хранятся в дактилоскотеке. А убитая девушка, ее двойник, перед законом чиста. Мы ищем убийц этой девушки и парня, попавшего под общую раздачу.

— А что тут непонятного? Если Ольга жива, то ей нужен мертвый двойник. Ей, а не кому-то еще.

— У нее алиби. Ольгу ударил по голове бутылкой Некрасов. В то же время ударили двойника. Время смерти должно совпадать.

— Если Ольга судима, то у преступницы с прошлым всегда найдутся сообщники-головорезы.

— Ими мы сейчас и занимаемся. Спасибо, Даша. У нас еще будут вопросы к вам. Наверняка. Как нам с вами связаться?

Девушка написала на листке свои координаты, а Марецкий передал ей свою визитную карточку.

— Будем держать связь.

Она тихо ушла.

— А почему не предположить, что заточкой Риты могла воспользоваться Ольга? — неожиданно произнес Марецкий с пафосом шекспировского героя.

— Если она убеждена в том, что ее считают погибшей, то тем самым она подставляет под удар Риту, которая ей мешает. Логично, но слишком кроваво. Представь себе, что у Риты есть железное алиби на момент убийства Любы и Панарина.

— Такого алиби ей никто дать не может. Рита скрывалась от нас до самого отъезда. Если даже Миркин скажет, что она сидела в его квартире не вылезая, то он должен будет доказать, что сидел с ней вместе. А Миркин все дни проводит в конторе и не может следить за любовницей круглосуточно. И вряд ли он будет ее защищать. Она оставила его в дураках, как и Ольга. Он не в обиде. Знал, с кем имеет дело. С одной развлекался, от другой получал деньги. Ни одной из них он не верил с самого начала. Миркин — трезвый человек. Он снисходительно смотрит на тех, кто пытается обуть Некрасова или Китаеву. Кто бы мог это сделать, так это он сам. Но Миркин — трус и воевать с монстрами не собирается.

— Послушай, Степан Яковлевич. Не пора ли призывать на помощь Интерпол. Ольга, Рита и Чистяков испачкались по локоть в крови. Материалов для международного розыска у нас достаточно.

— Уже пора, если не поздно. Столько пауков набилось в одну банку, что кому-то из них не выжить.

Марецкий снял телефонную трубку.

4

Вездесущая соседка говорила так быстро, что Мельникову приходилось переспрашивать. Она вновь начинала, но с каждым словом скорость наращивала и сбивалась на скороговорку.

Из всего сказанного он понял, что в квартире напротив живет Максим Руднев. Парень хороший, но разгильдяй, торгует пиратской продукцией и даже ей давал смотреть кино бесплатно. С ним жила Марина. Девка красивая, но пустая. Они часто ругались, а недавно оба свалили. Может, куда уехали. Лето, жарко.

Мельников показал фотографию девушки, и соседка ее опознала. Предложила узнать подробности у матери Максима, которая живет рядом.

Капитан вздохнул с облегчением. Десять минут напряжения стали целью рабочего дня.

Мать Максима встретила оперативника со слезами на глазах.

— Сыночка мы похоронили неделю назад.

— Как это случилось?

— Упал в канализационный колодец и разбился. Нашли его случайно. Трубу прорвало, и слесаря полезли чинить, а там тело лежит. Милиция разбирается, но никто ничего толком сказать не может. Как он мог среди бела дня на ровной дороге не увидеть открытого люка?

— Это произошло днем?

— Максим пошел к Марине мириться. В час дня. И больше я его не видела. Коллектор находится по дороге к дому Марины. Вскрытие показало примерно то же время.

— Кто эта Марина?

— Его девушка. Она жила в квартире Максима, доставшейся ему в наследство от деда. Когда они ругались, сын приходил ко мне. Дня три поживет и идет мириться. Марина неплохая девчонка, добрая, но очень капризная. В последний раз собралась ехать на показ мод. Будто ее пригласила вместо себя поехать какая-то модель, очень на нее похожая. Сказки, не иначе. Месячное турне по Прибалтике. Максим разозлился, они поругались.

— Когда это случилось?

— Второго июня. А погиб он восьмого. Перед выходом из дома с кем-то говорил по телефону. Повесил трубку и тут же ушел.

— А Марина?

— Мы ее не видели. Возможно, она уже уехала. Максим звонил ей, но трубку никто не брал. Выдержал еще день и пошел к ней. Уж лучше бы не ходил.

Теперь Мельникову стало все понятно. Ольга «погибла» шестого июня. Значит, и Марина должна была умереть в тот же день и тот же час. Максим знал о ее встрече с Ольгой и за это поплатился жизнью. Но кто-то открыл этот злосчастный люк и столкнул туда парня. Если Марина погибла шестого числа, то восьмого она не могла ему звонить. Кто-то выманил его из дома и дал точное направление, куда надо идти. Куда? Конечно, к Марине. Кто позвал? Вопрос пока не имеет ответа. Нужны данные с телефонной станции.

Мельников отправился в милицию. Многого ему узнать не удалось. Но какие-то крохи он наскреб.

Освободившись к вечеру, он еще раз позвонил в свой райотдел.

— Есть новости, Коля?

— Лопатой выгребай. Лучше будет, если ты приедешь.

— Когда?

— Сейчас.

— Нашел Ивана Сочникова?

— И его друзей тоже.

Мельников сел в машину и помчался в райотдел.

Колей был Николай Заикин, майор, заместитель начальника уголовного розыска. Парень молодой, но очень перспективный.

— Так вот, Вова. Ребят нашли на границе в поезде между Белгородом и Харьковым. Четыре трупа. Отравление. Яд еще не установили, но медленнодействующий. Проводница показала, что в купе ребят долгое время ехал какой-то мужчина. Судя по всему, их знакомый. Он пришел из соседнего вагона. Бутылок нашли море. Их исследуют. На подъезде к Белгороду мужчина ушел в свой вагон. Когда в купе пришли пограничники, то обнаружили уже трупы. Их переправили в Белгород. Украинцам наши покойники ни к чему.

— Паспорта при них нашли?

— Конечно. Как же по-другому могли опознать личности.

— Убийца просчитался. Если бы хотел просто убить, то забрал бы паспорта. Неопознанные трупы лучше, чем конкретные люди.

— Отстал от жизни, Вова. Билеты у проводника, а на билетах имена и фамилии пробиты. Это тебе не на электричке кататься. Идея заключается в другом. Яд должен был подействовать позже, после того как они пройдут паспортный контроль. Тогда дело свалилось бы на шею самостийной. Бодяга затянулась бы надолго.

— Вот что, Коля. Петровка этой ерундой заниматься не будет. У нас там работы выше крыши.

— Уже у нас? Тебя на Петровку никто не переводил еще. Ишь, возгордился.

— Не придирайся к словам. По идее убийца ехал с ребятами от самой Москвы. Случайная встреча в поезде. У границы он подсыпал им яд и вышел в Белгороде. Что дальше? Садится на встречный поезд и возвращается в Москву. Надо выяснить, какой поезд шел в тот день в Москву и к тому же времени мог подъезжать к Белгороду. Найти и опросить всех проводников и работников ресторана. Проводнице из вагона, где нашли отравленных ребят, тоже предъявить фотографии предполагаемого убийцы.

— О чем ты говоришь, Володя? Какие фотографии? Сделать фоторобот, еще куда ни шло.

Мельников достал из папки два снимка.

— Фоторобот нам не понадобится. Вот двое кандидатов на роль убийцы. Фамилия старшего Ханов, младшего Чистяков. Один из них и есть убийца. Оба замешаны в убийстве на Чистых прудах. Брось на это задание всех ребят. Дело висит на нашем отделе, и мы сами должны раскрыть преступление. Хватит отдавать все лавры Петровке. Мы сами с усами.

Майор улыбнулся и похлопал капитана по плечу.

— Патриот! Хвалю!

5

Ничего подобного главный редактор известной газеты еще не читал. Статью в номер поставил его заместитель, материал попал на подпись к главному в виде гранок.

Он тут же снял статью из номера до особого распоряжения и позвонил своему знакомому в ФСБ для срочных консультаций. Газете хватало судебных исков, большую часть которых они проиграли. Еще один крупный скандал — и редакция разорится. Читатели перестали доверять источникам массовой информации, особенно тем, что обвинялись в клевете и выплачивали истцам иски за моральный ущерб. В данном случае речь шла о торговле ядерным оружием. Статья блестящая, достойная первой полосы, но выступать против государства ни у кого не хватит духу, если не заручиться поддержкой по меньшей мере президента. И не имеет значения, о каких временах идет речь. Большинство фигурантов лежат в могиле, о других давно забыли, но сам факт существования такого прецедента в истории страны мог привести к непредсказуемым результатам.

ФСБ не заставило себя ждать. Спустя час после звонка в кабинете главного редактора появился высокопоставленный представитель службы безопасности полковник Виноградов.

— Рад, что приехал именно ты, Олег. Я сижу на бочке с динамитом, которая может рвануть в любую минуту.

— Не преувеличивай, Гера. Вам, журналистам, свойственно из мухи делать слона. Вы смотрите на мир сквозь линзу.

— Садись и почитай сам.

Молодой интересный мужчина в дорогом костюме вовсе не походил на оперативника службы безопасности, скорее его можно было принять за преуспевающего бизнесмена. Меняются времена, меняются люди, приходится идти в ногу со временем и соответствовать лучшим образцам или образам.

Виноградов внимательно прочитал статью и спросил:

— На какие факты опирался автор? — Он посмотрел на имя, стоящее под текстом: Владимир Калядин.

— Парень — студент четвертого курса. Способный малый с хорошей хваткой. Получит диплом — возьму к себе. Но он пока не очень хорошо себе представляет смысл профессии. Хватается за все, что блестит. Мы таких называем сороками.

Редактор положил перед полковником несколько листов, скрепленных степлером.

— Я не знаю, где он взял ксерокопии этих документов, но, на мой взгляд, они сделаны с подлинников.

Виноградов просмотрел бумаги и задумался.

— Что скажешь, Олег?

— Где я могу найти Калядина?

— Мне не удалось с ним связаться. Завтра мы производим выплату гонораров. Это единственный шанс выловить парня. У него же каникулы. Такие люди не сидят дома возле телевизоров.

— Хорошо. Мы его встретим на улице. Дашь мне сигнал, когда он появится.

— Нет проблем, но что ты скажешь о документах? Это серьезно или «утка»?

— В начале девяностых шла работа по дезинформации потенциального противника. Таким образом мы выбили из американцев немало денег. Их давали на уничтожение устаревших ядерных ракет и захоронение отработанного топлива, а также на закупку запасов урана. Деньги уходили на поддержку экономики. Мы пухли с голода. Большая часть средств провалилась в черные дыры. Но дело не в этом. Американцы страшно боялись утечки ядерных материалов из нашей страны в страны третьего мира. Они понимали наше бедственное положение. Достаточно было пустить слух о нерадивом хранении ядерного оружия в нашей стране, чтобы они встрепенулись и предоставили нам займы и кредиты без долгих раздумий и сумасшедших процентов. Об этой истории давно забыли. Я удивлен, что документы до сих пор не уничтожены, а теперь уже пошли по рукам. Ты прав. Они актуальны и похожи на бочку с порохом. Нам надо понять, откуда ноги растут, и начнем мы с твоего парня. Копии документов я заберу.

— Конечно. Сними с моих плеч этот груз.

— Помалкивай, Гера. Ты меня понял?

— Мог бы и не предупреждать.

— Хорошо. До завтра. И собери мне на этого парня всю информацию. Для нас все может иметь значение. Даже мелочи. Мы должны найти концы этой истории.

Виноградов вышел на улицу и позвонил Марецкому. Они договорились встретиться. Место выбрали тихое, безлюдное, в Царицынском парке.

Виноградов извинился, что долго не звонил. Он обещал Марецкому проверить некоторые факты, и сейчас нашелся повод отчитаться пред старым приятелем.

Прогуливаясь по заросшим аллеям, полковник философствовал. Такая форма отчета свойственна людям, которые много говорят, ни о чем не рассказывая.

— Конечно, полковник Любезнов и его люди выполняют отдельные поручения Китаевой. Поймать его на незаконных действиях мы не сможем. Я имею в виду службу собственной безопасности вашего министерства. Они работают или выполняют поручения Китаевой вне служебного времени. Не используют оружие и транспорт конторы. Одним словом, ничего противозаконного, за что можно притянуть Любезнова к ответственности. У него хватает опыта и мозгов, и полковник не гадит в собственном доме. Но мне кажется, Китаева — не главный заказчик Любезнова. Похоже, он ведет двойную игру.

— Подыгрывает Некрасову?

— Таких фактов не установлено. Но я могу с уверенностью сказать, что если бы Любезнов добросовестно работал на Китаеву, ее муж не уехал бы из страны.

— Ему грозил арест, Олег. Он очень вовремя смылся и вывез из страны главных свидетелей. Не без помощи жены.

— Правильно. Ее поставили перед выбором. Она пошла на крайние меры. Мне кажется, Любезнов подталкивал свою хозяйку к этому решению.

— Возможно. Дело в том, что у нас ничего нет на Некрасова. Он не убивал Ольгу, а разыграл спектакль, в который были втянуты несколько человек. К ним у нас есть претензии. Погибла ни в чем не повинная девушка, ее парень, погиб Олег Вербицкий, убита соседка Ольги, сыщик Панарин и еще четверо музыкантов. Спектакль получился впечатляющим, но унес с собой девять жизней. Цепная реакция. Принцип домино. За одной фишкой повалились другие. Вряд ли Некрасов планировал такое побоище. Возможно, он до сих пор не знает о результатах собственной затеи. За него додумывали другие. Те, кто охотился за его деньгами. Но что это меняет? Преступления совершены, и за них придется ответить.

— Вот что я хочу тебе сказать, Степа. Рано или поздно тропинка приведет тебя к Китаевой. Я покажу тебе копии некоторых документов. На вопросы отвечать не буду. Скажу откровенно: если ты усадишь Китаеву за решетку, ни мы и никто другой тебе палок в колеса ставить не будем. Собрать материал на нее мы тебе поможем. Речь идет о чистой уголовщине, наша контора должна остаться в стороне.

Марецкий остановился и внимательно посмотрел в глаза полковника.

— Тут еще и политика?

Виноградов молча подал скрученные в трубочку листы бумаги.

Марецкий их внимательно прочел.

— Между строк читается имя Некрасова. Здесь собраны выжимки, где акцент стоит на Китаевой. Но не надо забывать, что в то время Некрасов занимал высокий пост в Министерстве обороны.

— Он исполнитель. Документы взяты из архива, за которым мы гоняемся более пятнадцати лет. Вопрос. Как эти документы могли попасть в руки студента, желающего стать ведущим журналистом страны?

— Владимира Калядина?

— Совершенно верно. Того самого, которого ты принял за беглого зека. Завтра мы сможем его взять. Но он проходит по твоему делу, ты и доводи его до конца. Меня интересуют лишь детали, связанные с архивом. Мы и раньше предполагали, что архив может находиться в руках Некрасова или Китаевой. Теперь это очевидно. Но кто из них допустил утечку материалов? И насколько она велика? Архив должен быть уничтожен. Наша задача его найти. Некрасова нет, и мы его больше не увидим. Он ни мне, ни тебе не нужен. Китаева может нам помешать. Ее необходимо нейтрализовать. Вопрос нескольких дней, если ты этим займешься.

— У меня ничего на нее нет.

— Знаю. Ее держат на закуску. Не удивляйся, если тебе подадут ее на тарелочке с голубой каемочкой.

— Любезнов?

— Не исключено. За Китаевой стоят большие силы. Но стоит ее лишить средств, как она тут же лишится поддержки. Китаева и Некрасов работали не на себя. Они крупные акулы, но за их спинами стоит еще более мощная организация. Сейчас они превратились в занозы. Одна заноза сама выпала, другая еще мешает.

— Я не мастак в политических играх, Олег. Мое дело — ловить преступников.

— А большего с тебя и не требуется. Завтра возьмем студента. Ведь он тебе нужен?

— Давно ищу с ним встречи.

— Парня надо нейтрализовать. Санкцию на арест я для тебя достану. Его надо огородить от возможных неприятностей. Он же опять полезет в бутылку и лишится головы.

— Забери его в Лефортово.

— Не могу. Мы в деле не участвуем.

— А если Любезнов причастен к организации, то подобраться к жертве, сидящей в камере, ему ничего не стоит. Поверь мне, сработает чисто.

— Ладно. Отвези парня ко мне на дачу, и я освобожу для него курятник с насестом.

— Согласен. Так у него будет больше шансов.

— Мы всегда, Степа, умели находить общий язык. И это радует.

6

Небрежность в оперативной работе может стоить жизни. Хотели по-тихому, но ничего не получилось.

Мельников и Николай Заикин получили показания свидетелей. В купе с музыкантами ехал Ханов. В Москву из Белгорода тоже возвращался Ханов. Речь шла об опасном преступнике, а они поехали на задержание вчетвером, вместо того чтобы подключить ОМОН.

Две машины подъехали к ресторану «Приют». Одна остановилась возле центрального входа, вторая в переулке у служебного. Вошли втроем.

Ханова нашли на кухне, где он пробовал блюда. Увидев оперативников, он все понял. Человек восемь в белых фартуках не успели среагировать. Ханов выхватил пистолет и сделал три выстрела. Одна пуля тяжело ранила Заикина.

— Все на пол! — крикнул Мельников и упал сам.

Ханов загородился официанткой и попятился к выходу. Стрелять нельзя.

Мельников выскочил из кухни, оставив лейтенанта на полу с пистолетом в руках. Ханов продолжал стрелять. Пуля пробила чан с горячим бульоном, и струя кипятка ошпарила людей, в том числе и лейтенанта.

Ханов выскочил во двор, отбросил в сторону девушку и запрыгнул в машину.

Тем временем Мельников прыгал по столам ресторана, разбивая тарелки и бутылки. Все проходы были забиты посетителями, пришлось выбрать кратчайший путь и загребать ботинками салаты и бифштексы.

В зале началась паника. Псих с пистолетом в руках вихрем пронесся по чистым скатертям, оставляя следы подошв, испачканных майонезом и свеклой.

Как только он удержался на ногах, одному богу известно. Вылетев на улицу, он бросился к машине.

Сержант, сидящий за рулем «Газели» в переулке, видел, как Ханов сел в БМВ и с разгону разбил ворота, сваренные из тонких прутьев. Машина выскочила в переулок. Сержант попытался перегородить путь и вывернул на проезжую часть, но не успел. Мощный лимузин снес ему бампер, фары и решетку вместе с радиатором. «Газель» вышла из строя и выбыла из игры.

Мельников едва не врезался в БМВ, вылетевшую из переулка. Он включил сирену и помчался следом. На «Жигулях» за баварским монстром не угонишься. Мельников не мог включить рацию, руки заняты, машины петляли, выскакивали на встречную полосу, проскакивали на красный свет. Попутные и встречные автомобили тормозили, стукались, переворачивались, а Ханову везло, будто его сопровождали ангелы.

Мостовые были мокрыми, шел дождь, стемнело, гонка не прекращалась.

Ханов сделал опасный вираж и свернул в переулок. У Мельникова не получилось, «Жигули» перевернулись. Но и Ханову тоже не повезло, он лоб в лоб столкнулся с мусоровозом. Капот БМВ превратился в гармошку.

Мельникову удалось выбить боковое стекло, и он выполз из машины, с трудом протиснувшись сквозь образовавшуюся брешь.

Поднявшись на ноги, весь в кровавых ссадинах, он вынул пистолет и, стиснув зубы от боли, направился к разбитой иномарке.

Ханов сидел на асфальте. Жизнь спасли подушки безопасности, но ноги были перебиты. Пистолет все еще находился в руках преступника.

— Не подходи, щенок, пристрелю!

— У тебя кончились патроны, урод! Бросай ствол, и получишь шанс.

— Дурак ты, парень. У меня нет шансов. Я это давно понял. Письмо найдешь в ящике моего стола в ресторане. Для вас написал, придурки!

— Брось оружие, Ханов!

— Плохо ты мои патроны считал, сосунок.

Он сунул ствол в рот, и раздался выстрел. Кремовая кожа на открытой дверце БМВ, к которой прислонился Ханов, в мгновение ока стала красной.

Мельников отвел глаза в сторону.

* * *

Найденное в ящике стола письмо Мельников привез в управление. Перебинтованные руки, пластыри на лице, мрачный взгляд — и никакого сочувствия со стороны коллег. Сам виноват. Некоторые даже посмеивались над горе-героем. Ему полагался выговор, и он его получит. Заикин лежал в реанимации. Виноват, конечно, он, как старший по званию и как начальник. Но с пострадавшего спрос невелик.

Марецкий не стал вникать в подробности операции. У Мельникова есть свое начальство, пусть разбирается. Официально никто капитана не командировал в Главное управление.

— Красив! Ничего не скажешь.

— И вы тоже, Степан Яковлевич?

— Я тоже, Володя. Кашу заварил, а толку мало.

— Ханов меня пожалел. Сделал нам подарок вместо того, чтобы пулю мне в лоб пустить.

Он положил на стол конверт без надписи.

— Садись, инвалид. В ногах правды нет, как говорят те, кто ничего не смыслит в нашей работе. Это мы с тобой знаем, что в нашем деле ноги важнее головы.

Мельников сел на стул, стоящий ближе к двери.

Марецкий достал письмо и прочел его вслух.

«Я, Ханов Дмитрий Николаевич, признаю себя виновным в ряде преступлений, предусмотренных статьей 105 уголовного кодекса Российской Федерации, частью первой, второй и третьей.

Слов в свою защиту не имею и в адвокатах не нуждаюсь.

Идея исходила от Ольги Левиной, и она стала ее вдохновителем. Ольга боялась смерти. План составляла при помощи Алексея Чистякова. Поначалу он выглядел безобидно. Ольга внушила Чистякову, будто имеет доступ к деньгам Некрасова, и он ей поверил. Только расплачиваться пришлось мне до конца своих дней. Пока я жив, это письмо никто не прочтет. Если оно в ваших руках, то меня уже нет.

Ольга вскружила голову саксофонисту Вербицкому. Нашла себе двойника — Марину Григорьеву. По ее замыслу они были убиты. Я лишь исполнял черную работу. Но этим история не закончилась. Ольга и Чистяков уехали на сафари, а я остался расхлебывать заваренную ими кашу.

Можете их не искать. Они такие же трупы, как и я. Только сумасшедший может рассчитывать на ошибки Некрасова. Мы знали его с давних времен. С ним бесполезно тягаться. Будь я проклят за свою жадность. Все мы идиоты. В основном от безысходности. Когда нечего терять, то и подыхать не страшно!

Ханов».

Марецкий отбросил письмо в сторону.

— Мы его приколем к делу, но оно не имеет юридической силы. Общие слова без конкретных имен и признаний.

— Каких еще признаний? Тут сплошное признание.

— Я, такой-то, такой-то, убил того-то, того-то тогда-то, тогда-то и так далее. Бюрократической машине нужна конкретика. Вот ты, Володя, милиционер. Поэтому ты не можешь разговаривать человеческим языком. Ты ходячий протокол. Слушай: «Молодой человек встретил у дома своего соседа и зарезал его ножом». Что тут непонятного?

— Все понятно.

— Ничего подобного. Ты напишешь по-другому: «Данное лицо вошло в контакт с лицом, проживающим в том же доме по указанному выше адресу, и, воспользовавшись орудием в виде колющего предмета, нанесло данному лицу режущие ранения в область грудной клетки, в связи с чем наступил летальный исход».

— Тоже понятно. Так по телевизору говорят.

— Говорят. И эти люди причисляют себя к журналистам. Так называемые представители органов по связям с общественностью. Маразматики. Так что письмо Ханова ничего не меняет в нашем деле. Нам и без него все известно.

— А что нам делать дальше?

— Ольгу и Риту объявили в международный розыск. На Чистякова не хватило материалов, а Некрасов у нас ходит в святых. К нему комар носа не подточит. Завтра допросим Калядина. Если его возьмем, конечно. Появилась такая возможность. Но вряд ли он прольет свет на что-то новое, нам не известное. Есть еще...

Телефонный звонок оборвал подполковника на полуслове.

— Марецкий на проводе.

— Рада, что застала вас, Степан Яковлевич. Вас беспокоит секретарь адвоката Миркина, Кира Львовна, если помните.

— Конечно, помню. У вас ко мне поручение?

— Нет. Дело в том, что Феликс Зиновьевич пропал. Я не могу с ним связаться ни по одному из телефонов уже двое суток. Он очень ответственный человек и никогда не подводит своих клиентов. Мне пришлось отменить ряд серьезных встреч, и что делать дальше, ума не приложу.

— Ему кто-то угрожал?

— Я об этом ничего не знаю. Но за день до исчезновения он передал мне портфель с документами и попросил запереть его в сейфе. Сам же взял другой портфель и ушел с ним домой. На этом связь оборвалась. Сейчас я заглянула в его портфель и решила, что вам лучше приехать и взглянуть на документы самому.

— Хорошо, я сейчас приеду.

Марецкий положил трубку и сказал капитану:

— Давай-ка, Володя, проветримся.

* * *

Гостей приняли очень любезно и вместе с тем настороженно. Кира Львовна проводила сыщиков в кабинет своего шефа, что в принципе не допускалось в его отсутствие.

— Присаживайтесь, господа.

Они устроились на кожаном диване у журнального столика, рядом с которым стояли два кресла. Стеллажи с книгами, дубовый письменный стол, высокий стул, грамоты и дипломы в рамках. Обычная казенная обстановка преуспевающего адвоката.

Секретарша села напротив и открыла лежащий на столике портфель.

— Мне кажется, Феликс Зиновьевич занимался собственным расследованием. Но мне совершенно непонятно, кто мог быть его заказчиком. Может быть, это и стало причиной исчезновения моего шефа. Я знаю только одно: он очень боялся Некрасова и его жену. Василису Андреевну в большей степени. Она женщина очень решительная и всемогущая. Одна мысль стать ее врагом ввергала Феликса в ужас.

— А разве Миркин не хотел получить невыплаченные ему деньги? Фирма ему задолжала. Не так ли?

— Получить деньги можно только через суд. Но у Феликса и мысли не было судиться с фирмой.

— Хорошо. Давайте взглянем на документы, а потом я задам вам несколько вопросов, если не возражаете, — предложил Марецкий.

Женщина пододвинула к нему портфель.

Начали разбирать. Диктофон, конверты, две папки и какие-то мелочи.

В первом конверте лежали две фотографии. Первая из них вызвала у сыщиков некоторое оцепенение. На снимке была изображена уборщица, выходящая из подъезда Панарина. Точно такие же фотографии передал Марецкому полковник Любезнов. Тот же ракурс, то же расстояние до объекта. Фотографировали из машины. Разница заключалась в том, что на снимке было видно лицо уборщицы, а в руках она держала ведро.

— Это же Ольга! — тихо сказал Мельников.

— Она, ненаглядная. И Любезнов об этом знал.

— Я тоже догадывался.

Марецкий с удивлением глянул на капитана.

— Ты это серьезно, Володя?

— Чулки. Меня смутили чулки. Косынку и халат мы нашли в фургоне. Она сняла их и бросила в дальний угол. Чистяков привез ее в Сокольники, где жила Рита. Там Ольга оставила чулки и туфли, в которых была. Кстати, там же мы нашли вторую пару туфель. Эксперты установили: следы под окном Любы, оставленные убийцей, соответствуют подошвам и каблукам найденных туфель. Акт экспертизы у вас на столе. Вы не успели просмотреть все бумаги.

— Ладно, ладно, что с чулками?

— Рита их не стала бы надевать. Смысла нет. А Ольга прятала под ними родимое пятно. Слишком яркая особая примета.

— Вполне логично. Вывод правильный. Одна мелочь. Ольга пользовалась квартирой Риты как своей собственной. Украла ее заточку, носила ее одежду, и все для того, чтобы вывести нас на след Риты и убедить в том, что она убила Любу и Панарина. Все правильно. Всем известно — Ольга погибла и уже похоронена. Ольга действовала согласно своему плану. Не исключено, что Панарин и Люба знали о том, что она жива, и ей пришлось их убрать. Вероятно, были и другие причины. А что же Рита? Стояла в сторонке и наблюдала, как ее подводят под статью? Она находилась в Москве!

— Не совсем так, — вмешалась секретарша. — Рита жила на даче Феликса и боялась высунуться. Ее предупредили о том, что за домом в Сокольниках и квартирой на Полянке ведется наблюдение.

— Кто ее мог предупредить?

— Полагаю, Чистяков. Сын соседа Феликса, мальчишка, наблюдал за его дачей в бинокль. За небольшое вознаграждение, разумеется. Шеф целыми днями просиживал в офисе, а Риту навещал Чистяков. Не очень часто, но бывал там.

— Чистяков работал и на Риту, и на Ольгу? Страховал себя. Не получится у одной расколоть Некрасова, получится у другой, — сделал вывод Мельников.

— Нет, Володя. Он изначально работал только на Ольгу. Рита жертва. Его ширма. Чистяков с самого начала и до конца участвовал в разыгранном для нас спектакле, в котором Ольга становилась жертвой пьяного олигарха. Но, возможно, я ошибаюсь и спектакль предназначался не для нас, а для Василисы Китаевой. Страх перед арестом мужа заставил ее выпустить Некрасова за границу.

— Может быть, вы и правы, — скромно вмешалась Кира Львовна, — но нельзя недооценивать госпожу Китаеву. Скорее всего, Ольга сумела в конце концов понять, кто в доме хозяин.

Секретарша указала на следующий снимок. На нем были изображены Китаева и Ольга, прогуливающиеся по аллее парка.

— Сюрприз! — воскликнул Марецкий.

— Да уж! — вторил ему Мельников.

— Почему вы, уважаемые господа, не можете себе представить совсем другую картину, — с некоторой неловкостью продолжила секретарша. — Вы выбрали для себя какую-то версию и придерживаетесь ее. А если вся схема строилась по другим принципам?

— Что вы имеет в виду? — спросил Мельников.

— То, что Ольга сотрудничала с Василисой в первую очередь. Ей жена Некрасова доверила контроль над своим мужем и выпустила Некрасова за границу под присмотром Ольги. Добудет ли Некрасов деньги — еще вопрос, а Василиса точно может заплатить. Деньги у нее есть. Кроме денег, Ольгу ничего не интересовало. Судя по фотографии, нам понятно, что Василиса знала о готовящемся спектакле и о том, с какой целью он устраивается.

— Вот еще важная деталь, — возбудился Мельников. — Мы нашли два телефона у Ольги.

Он развернул распечатанный листок, лежащий в папке, которую просматривал во время разговора.

— Почему два? — не понял Марецкий.

— Один лежал в ее сумочке, найденной в доме Олега Вербицкого. Там сохранился неизвестный номер, по которому Ольга звонила в среду без четверти двенадцать. То есть на подъезде к своему дому после скандала в ресторане. Вот этот номер.

Он указал на список номеров, распечатанных в столбик.

— Против него стоит имя Лиса. Значит, Ольга звонила ей и о чем-то предупредила. Поэтому неудивительно, что Китаева появилась во дворе ее дома, когда выносили мнимый труп Ольги, и поехала следом. Напомню, телефон лежал у нее в сумочке. Сыщик Панарин нашел в доме второй телефон, хранившийся в спальне. С него Ольга сделала звонок Миркину в час пятнадцать. После чего Миркин приехал на место с Ритой. Это сама Ольга созвала толпу свидетелей своей смерти. Некрасов тоже внес свою лепту в постановку незабываемого зрелища и пригнал на место происшествия Колокольникова, своего шофера. Образовалась куча мала, что в итоге завело следствие в тупик.

— С тупиком ты, конечно, преувеличил, Володя. Нет ничего тайного, что не стало бы явным. Идеальных преступлений не бывает. Извините за банальность. Но как вы догадались, Кира Львовна, об альянсе Ольги и Василисы? — Марецкий внимательно посмотрел на секретаршу. — Признаюсь, мы такую версию не рассматривали.

— Я не детектив, Степан Яковлевич, выводов не делаю, расследований не веду. Я ознакомилась с содержимым портфеля, лежащего перед вами. А вы еще не успели. Включите диктофон, он лежит перед вами.

— Извините. Слишком рано делаем заключения.

Он включил диктофон и послышался женский голос:

«...Конечно, с жертвами. Нельзя получить все сразу. Нельзя объять необъятное. Под Барселоной на берегу моря стоит особняк в тихом уютном местечке. Наше гнездышко. За ним приглядывает семья из соседней деревни. Туда я его и направлю. Долго он там не просидит. Дня три для моего успокоения — и бросится на поиски денег.

— Трех дней вполне достаточно. Случайная смерть человека без документов на оживленном курорте — вещь нередкая.

— Двух человек. Гена не терпит одиночества.

— И действительно. Пусть едет со своим самоваром. Она лишь притупит его бдительность. В случае несчастья местную шлюху могут опознать, а русскую никогда. Нынешняя его подружка неплохой экземпляр. Сумеет ли она в короткие сроки добраться когтями до его сердца?

— Не имеет значения. Один он не поедет. Обживется, бросит. Кто-то должен греть ему постель. Пусть порадуется вольной жизни пару дней.

— Больше я ему не дам...»

На этих словах запись закончилась.

— Это же заказ. Василиса заказала своего мужа!

— Голос ее, — подтвердил Марецкий. — Специфический тембр. Я с ней общался, когда приходил в их контору для повторной встречи с ее мужем. Она меня резко отшила: «Геннадий Ильич в Париже!» Теперь понятно, почему она так спокойна. Кому принадлежит второй голос? Никто из нас с Ольгой не общался.

— Почему же, — удивилась Кира Львовна. — Ольга Левина была клиенткой Миркина, и я с ней часто разговаривала. В основном по телефону. Не могу ручаться на сто процентов, чтобы потом меня не обвинили в клевете, но голос собеседницы Китаевой очень похож на голос Ольги.

— Хорошо, — задумчиво произнес Марецкий. — Попробуем нарисовать картинку. Некрасов улетает в Испанию с Ритой. Но он знает о том, что Ольга жива и здорова. Зачем ему Рита? Он хочет показать всем, будто сменил партнершу, но не знает о том, что связался с преступницей. Мы можем объявить в розыск только Риту. К Некрасову у нас претензий нет, к Ольге тоже. Риту сдадут при удобном случае, а Ольга и Некрасов воссоединятся и будут жить долго и счастливо. Так считает Некрасов, не подозревая, какие планы выстроила его жена вместе с Ольгой. Если Ольга играет более тонкую игру, то она себя обезопасила со всех сторон. Рита ее похоронила и заняла ее место. Она не опасна. Китаева готова ей заплатить за убийство мужа. И это убийство можно списать на Риту, которая объявлена в розыск как особо опасная преступница. Какая же роль в новом плане отведена Чистякову? Он уехал следом за ними. И знает ли об этом Некрасов?

— Ольга объявила войну всем, — предположил Мельников, — ее устроит любой расклад. Но если придется убивать Некрасова и Риту, то ей понадобится помощник. Барселона — не Москва. За границей трудно ориентироваться, тем более не зная языка. Она поступила правильно. На первом этапе Чистяков ей необходим. Что с ним случится дальше, мы не знаем.

— А вы как думаете, Кира Львовна? — обратился Марецкий к секретарше.

— Я не думаю. То, что произойдет в Испании, меня не интересует. Меня беспокоит жизнь Феликса Миркина. Он исчез. Не знаю, зачем он собирал все эти материалы и где он мог взять записи и фотографии, но он сделал ошибку. Не удержался от соблазна надавить на Китаеву, и его попросту убрали. Тут не надо быть детективом, чтобы понять, кому он мешал и кто мог это сделать.

— Вы правы. Мы займемся поисками Миркина. Он очень важный свидетель.

— И очень хороший человек. Небезгрешен, как и все мы, но не до такой степени, чтобы не ценить его жизнь. Она в опасности.

— Не могу с вами не согласиться, Кира Львовна. Мы будем держать вас в курсе дел. Мы можем забрать портфель?

— Конечно. Это же важно.

Сыщики откланялись и ушли.

Когда они сели в машину, Мельников спросил:

— Где мог Миркин нарыть столько компромата?

— Фото Ольги сделали люди Любезнова. Фото на аллее парка — тоже его работа. Любезнов имел допуск в дом Китаевой, и только он мог установить диктофон. Запись сильно урезана. Мы слышали короткий отрывок разговора, а не всю беседу целиком.

— Вы думаете, полковник сменил ориентиры и начал работать против Китаевой?

— Любезнов ничего не менял. Вряд ли Китаева имела для него большое значение. У него есть и другие хозяева, о которых мы с тобой, Володя, ничего не узнаем. Любезнов передал материалы Миркину только с одной целью. Чтобы тот передал их нам. Любезнов не хочет себя подставлять. Он наблюдатель и использовал Миркина как посредника. Адвокат в свою очередь, тоже не захотел выходить на нас. Полагаю, у него имеются собственные планы. Никуда Миркин не исчезал, а лишь воспользовался услугами секретарши, чтобы не отвечать на прямые вопросы.

— Почему Любезнов связался с Миркиным? В качестве посредника можно найти более надежных людей.

— А почему Панарин понес Миркину компромат на Некрасова? Всем известно, что Миркин ненавидит эту систему. Любая пакость, устроенная Некрасову и его жене, бальзам на душу.

— Что же нам делать? Китаеву следует арестовать.

— Не торопись. Такие стены приступом не берутся.

— Да, с такими связями, как у нее, к ней не подступишься.

— Подберемся. Я буду просить Интерпол допустить меня до следствия за границей. Испанцы народ дружелюбный. Если они почувствуют, что от меня может быть какая-то польза, то пойдут навстречу.

— А повод? Розыск? Там же ничего не случилось.

— Кто знает. Барселона далеко. Если не случилось, то вот-вот случится. Развязка произойдет именно там, а не здесь. И долго нас ждать не заставит.

7

Если Марецкий находился в Испании мысленно, только в своем воображении, то другие герои нашей истории в полной мере наслаждались красотами и природой Каталонии. На террасе ресторана «Анапродор», расположенного в сердце Барселоны, сидели Некрасов и Рита. Она в шикарном черном платье, подчеркивающем ее безукоризненные формы, а он в белом смокинге. Они ели паэлью, пили вино Андалузии, закусывали ветчиной хамонс арано и любовались танцами Сарданы, а не фламенко, теми, что так любят каталонцы.

Очень приятная и счастливая, на первый взгляд, пара. Они смотрели друг на друга влюбленными глазами и забыли обо всем, что творилось вокруг.

На другой стороне улицы расположилось открытое кафе, где сидела еще одна парочка. Эти не походили на влюбленных, и их, напротив, очень интересовало все, что творится вокруг. И в первую очередь терраса на втором этаже ресторана.

— Воркуют голубки, — с усмешкой произнес Чистяков.

— Так и должно быть, — ответила Ольга.

— Ты с ним говорила?

— По телефону. Завтра ночью Гена делает отрыв. Послезавтра деньги будут у него. Тебе надо навестить Риточку, облобызать ненаглядную. Выясни, что она знает, о чем не догадывается и каковы ее планы.

— Как только он уедет, я объявлюсь. Интересно, как она хочет меня кинуть? На каком этапе.

— Не имеет значения, — холодно заметила Ольга. — Сначала ей надо дать возможность прибить своего благодетеля. Она мастак в этих делах. Сработает чисто, можешь не переживать. Но могут возникнуть осложнения. Получив в руки кучу денег, надо с ними куда-то уходить. На этом этапе ей понадобишься ты.

— Ради бога! Готов служить и повиноваться.

— Страны и дорог она не знает. Увезешь ее в горный заброшенный монастырь. Там я вас встречу, и мы с тобой оставим нашу подругу в заточении на всю оставшуюся жизнь. Пусть девочка помотает свой срок, пока не сдохнет с голода.

— Ты права. Я ей нужен. Кто-то должен ее вытащить из трясины вместе с деньгами. Только очутившись на свободе, она переключит свое внимание на меня. Но со мной не так просто справиться, как с Некрасовым.

— Просто, Леша. Все просто. Водички попил, сердечный приступ — и умер. Так она моего мужа отравила.

— Ты уверена, что Некрасов снимет деньги со счетов?

— Он это уже сделал. Теперь деньги надо обратить в акции. Я знаю, что и как делать. Гена мне все объяснил.

— Я не могу понять одного. Зачем Некрасову возвращаться на виллу с деньгами. Если вы с ним все обговорили, то, получив деньги, он встречается с тобой — и вы уезжаете, а Рита и я остаемся в дураках. Это в Москве мы с тобой играли в любовь, когда деньги оставались несбыточной мечтой. Теперь мы можем и должны быть откровенны. Что скажешь, Ляля?

— Мой желудок не переварит такого количества денег. Жадность фраера сгубила. Объясняю для бестолковых.

Деньги должны пройти несколько этапов и десятки банков, чтобы затеряться. Если взять след сразу, то жена Некрасова их найдет. Она не должна его ни в чем подозревать. Вот почему он вернется на виллу, и днем будет разговаривать с ней по телефону, оборудованному спутниковым определителем.. Удобная вещь. Я звоню тебе и знаю твое место нахождения. Ошибка допускается в радиусе десяти метров. Гена — узник своей жены. Пока деньги гуляют по миру, путая следы, он должен сидеть на своей даче и не рыпаться. Наступил самый ответственный момент. Мамонты ломают друг об друга свои бивни, а ты делишь шкуру неубитого медведя. Поджилки трясутся? Речь идет о миллиардах! Что мне с ними делать одной без помощи настоящего мужика? Я не страдаю обезьяним рефлексом, в отличие от Риточки.

— Что за рефлекс?

— Так обезьян ловят в Индии. Они слишком жадные, вот и попадаются в руки охотников.

— Принцип в чем?

— Сам скоро узнаешь, Лешенька. Наглядный пример перед собой увидишь. Ладно, я устала. Поехали в отель. Мне эта Испания поперек горла встала.

Чистяков подозвал официанта.

Но помимо двух пар существовала еще одна особа. Она ухитрялась наблюдать за теми и другими, сидя на мотоцикле в шлеме с открытым забралом. В таком виде Раису Райскую никто узнать не мог. Впрочем, о ней никто и не вспоминал. А зря, потому что сейчас именно она решала судьбу каждого из героев. Хотя, по сути дела, все было решено еще в Москве. Райская лишь распределяла очередность.

Забрало из темного стекла захлопнулось, мотор взревел, и мотоцикл исчез с площади.

ГЛАВА VII

Ее последний поклон

1

Такого участия и гостеприимства никто не ожидал. Подполковника из Москвы встретили в аэропорту представители префектуры полиции Каталонии в сопровождении переводчика. Точнее сказать, переводчицы. Звали ее Люсия, или попросту Люся. Русская девушка, вышедшая замуж за офицера испанской полиции, и сама была принята на службу. В отделе нравов женщины со знанием языков ценились очень высоко. Когда-то Люся закончила Иняз в Москве и сносно разговаривала на английском, выучила испанский, а русский и вовсе был родным. Вылавливать сутенеров, закрывать притоны, где девушки из Восточной Европы составляли подавляющее число, депортировать их на родину — дело нелегкое, но Люсе нравилось. К удивлению Марецкого, российские страшилки о женском рабстве не слишком соответствовали действительности. Восемьдесят процентов проституток вовсе не хотели возвращаться на родину, а некоторым депортированным удавалось возвращаться в Испанию.

По просьбе Марецкого его отвезли на виллу Некрасова. Дом принадлежал не ему, а госпоже Китаевой. Гостя из столицы сопровождал инспектор префектуры капитан Сотеро Хостес, переводчица Люсия и офицер Интерпола Хуан, фамилию которого подполковник так и не мог запомнить.

Дом осмотрели самым тщательным образом и установили людей, следящих за порядком. Шофера послали за ними в соседнюю деревню.

Во время осмотра инспектор раскладывал ситуацию по полочкам.

— Адрес мы установили по номерному знаку автомобиля. Взорвавшийся на шоссе «Крайслер» принадлежит владелице дома Китаевой.

Люсия переводила каждое слово, стараясь не упустить ничего важного. Хостес продолжал:

— Взорвался бензобак на пути в Барселону. Если это теракт, то он выполнен на профессиональном уровне. Мы не нашли следов взрывного устройства. Оно могло иметь размеры спичечного коробка с крошечным запалом. В данном случае важно пробить оболочку бака и дать искру. Остальную работу сделает бензин. Судя по взрыву, бак был полным. Машину сильно покорежило. Женщину выбросило взрывной волной через лобовое стекло. Мужчина был пристегнут ремнем безопасности и сгорел.

— Труп сильно обгорел?

Люсия перевела вопрос.

— Опознанию не подлежит. Пожарные прибыли на место через сорок минут. В этом нет их вины. Трагедия произошла в пять часов утра, когда трасса пустует. Горящую машину заметил местный житель, возвращающийся из города домой после вынужденной ночевки на дороге. Машина сломалась, и он провозился с ней до рассвета. Сотового телефона у него не имелось, и позвонить в службу спасения он

смог лишь с бензоколонки. Заправщик вспомнил «Крайслер». Он заправлял его в четыре сорок пять утра. Залил
полный бак. За рулем сидел мужчина средних лет и молодая
брюнетка. Ее он хорошо запомнил. На мужчине были солн-
цезащитные очки и бейсболка, его он описать не смог. Так
мы установили точное время взрыва. Машина сумела отъе-
хать за семь-восемь минут километров на десять, учитывая
сложную горную дорогу. Автомобиль затушили, но от него
остался только остов и труп в виде головешки. В багажнике
все вещи сгорели. Уцелел только металлический чемодан и
замки от вещевой сумки. Такие кожаные баулы продаются в
престижных бутиках Барселоны. Чемодан необычный.
Американской фирмы, легкий и очень прочный. Огонь на
его состояние не повлиял. Вещь дорогая со сложными но-
мерными замками. Наши специалисты вскрывали его в течение четырех часов. Открыли. А там мужское белье, фотографии и два паспорта. Один на имя Маргариты Тарасовны
Тубельской. Загранпаспорт. Второй ваш паспорт. Российский. Выписан на имя Геннадия Ильича Некрасова. Возможно, он управлял машиной. На фотографиях изображен
мужчина в летах и погибшая Маргарита.

Инспектор подал фотографии Марецкому. Все снимки
сделаны поляроидом на вилле. Любовный альянс Некрасова
и Риты. Сладкая парочка.

— На снимках изображен Некрасов, — подтвердил Марецкий. — Фотографии делались здесь. Вы со мной согласны?

— Теперь это очевидно, синьор Марецкий.

— Госпожа Китаева, хозяйка этой виллы, жена Некрасова.
Разговор проходил на ходу. Они осматривали комнаты, за-
глядывали в шкафы, ящики столов, в подсобные помещения.
Представителя Интерпола следствие не интересовало. Его интересовали конкретные люди, находящиеся в розыске. Укажи
на них пальцем, и он их арестует, но искать он никого не соби-

рался и в кухню сыщиков свой нос не совал. Хуан остался в саду и, стоя на мостике, кидал камешки в пруд, целясь в лилии.

Марецкий достал из стола фотографии в рамке под стеклом.

— Вот, синьор Хостес. Можете в этом убедиться. На снимке изображен Некрасов и Китаева. Они муж и жена. Что касается Тубельской, то у Некрасова с ней роман. По этим причинам снимок в рамочке был снят со стены и убран в ящик стола.

Инспектор понимающе кивнул головой.

— Мы обратились в центральное турбюро, и нам сообщили некоторые детали. Синьорина Тубельская прибыла в Каталонию на отдых по путевке. Ее разместили в отеле «Поларис» в двенадцати километрах к югу от этого места. Но она прожила там только сутки и пропала. Пока ее виза действительна, ее никто не ищет.

— У меня к вам просьба, капитан. Если согласиться с вашим предположением о размере взрывного устройства, в нем не мог поместиться часовой механизм. Но датчик приема радиоволн занимает очень мало места. Радиус действия не может превышать трехсот-пятисот метров. Вы можете послать отряд поисковиков в район взрыва. Пусть они осмотрят округу. Кто-то поджидал машину с дистанционным управлением в руках. Там не так много укромных мест, где можно спрятаться, и глинистая почва, как мне помнится. Возможно, мы наткнемся на след убийцы.

Идея инспектору понравилась, и он взялся за телефон.

Марецкий и Люсия вышли на веранду второго этажа.

— Посмотрите, Степан Яковлевич, стол накрыт на двоих. Они даже не убрались.

— Решили мух покормить. Целая стая собралась. О чем это говорит?

— Прислуга уберет.

— Возможно. Или спешили. Тут кругом бардак. Постели не убраны, полотенца валяются. Продукты гниют. В коридоре разбитая ваза валяется на полу. Уезжали в спешке. Взяли самое необходимое. Дорогие туфли и платья девушка забыла. Правда, Некрасов не забыл свое белье и даже фотографии. Мало того, он всю эту мелочь сложил в сверхпрочный чемодан. Какая ценность!

— Но там были и паспорта.

— Зачем ему российский паспорт в Испании?

— Он здесь не нужен.

— Нужен, Люся. Иначе как полиция опознает сгоревшего? Действующий загранпаспорт он бросать не станет.

— Вы хотите сказать...

— Я ничего не хочу сказать, Люсенька. Некрасов не числится среди разыскиваемых Интерполом. Труп погибшего мужчины меня беспокоит меньше всего. И Некрасов не из тех людей, кого можно с легкостью поднять на воздух. В Москве за последние десять лет на его жизнь покушались не раз и не два. Ничего не вышло. У этого человека, помимо чутья, есть большой опыт.

Он подвел девушку к перилам балкона.

— Видите открытые ворота гаража?

— Конечно, вижу.

— Он пуст. А там может поместиться две машины, как минимум. Я не думаю, что Некрасов и его жена приезжали сюда на отдых и пользовались одной машиной. Пойдем, глянем на опустевшее стойло.

Инспектор нагнал их у ворот гаража.

— Послушайте, синьор Хостес, нам надо бы поискать еще одну машину.

— Какую?

— Судя по запасному колесу, висящему на крюке, это «Ситроен». Покрышки узкие, такие сейчас не делают. Выпуск десятилетней давности. И она наверняка зарегистрирована по этому же адресу.

— Это нетрудно. Ответ получим через несколько минут.

— Ответ я знаю. Нам нужна сама машина. По всей вероятности, ее бросили. Проверьте стоянки близ аэропорта, вокзала и приморские парковки в тех местах, где базируются яхты.

— А кто мог уехать на «Ситроене»?

— Мы знаем о «Крайслере» и двух трупах. Но кто-то их убил. Уже трое. Убийца рассчитывал на то, что вы не опознаете трупы. Он не знал о несгораемом чемодане и, очевидно, не предполагал, что женщину выкинет в окно и ее личность можно будет опознать. В розыске находятся еще два человека, которые были связаны с Некрасовым и Тубельской. Это Ольга Левина и Алексей Чистяков. Их можно назвать противоборствующими сторонами. Речь идет о больших деньгах, которые никто из них не хочет делить на части. Лучший способ заполучить всю сумму — избавиться от конкурентов. В честный дележ никто не верит.

— В таком случае в машине мог погибнуть не Некрасов, а Чистяков?

Марецкий в этом не сомневался, но его такой вывод не устраивал. Чистякова вычеркнут из списка разыскиваемых, а если он ошибался?

— Зачем Чистякову чемодан Некрасова с его вещами и фотографиями? Зачем ему паспорт Некрасова? Машина тоже принадлежит Некрасову. Нелогично.

Шофер привез пожилую пару из соседней деревни.

Вопросы им задавал инспектор, показывая фотографии.

Беседа длилась минут десять. Люся перевела Марецкому суть разговора.

— Теперь я вам отвечу, Степан Яковлевич, на вопрос, почему в доме бардак. Калитка была заперта на висячий замок, ключа от которого у них нет, и они не смогли попасть на виллу после отъезда Некрасова и Риты. Девушку женщина узнала. В полночь она приносила им утку по-пекински, заказанную хозяином. Они сидели на веранде и пили шампанское. На следующее утро на калитке висел замок. Именно в тот день оба погибли. Вас устраивает такая схема?

— Все соответствует нашим предположениям.

Возле мостика они застали Хуана в довольно экзотическом виде.

Представитель Интерпола с засученными штанами бродил по пруду, шаря руками по дну.

— Золотых рыбок ловите? — удивился Марецкий.

Тот вытащил со дна сотовый телефон.

— Этот предмет давно не давал мне покоя. Блестит. Никак не мог понять, что это может быть. Любопытство взяло верх над ленью. И вот результат.

— Он работает?

— Вряд ли. Но восстановить можно. Сначала придется его просушить.

— Отлично. Дорогая игрушка, такими не швыряются.

На поясе капитана сработала рация. Он выслушал доклад, что-то сказал и доложил Марецкому.

— Мои люди кое-что нашли в кустарнике в двухстах метрах от взрыва. Нам надо ехать.

— Оперативно работают ребята. Молодцы.

— Я забыл вам сказать. У погибшей девушки, как нам теперь стало известно — Маргариты Тубельской, был найден пистолет в кармане ветровки. «Беретта» девятого калибра. Патроны холостые, полная обойма. Из него не стреляли. Но одно могу сказать с уверенностью: через границу она провезти его не могла. Скорее всего, это пистолет Некрасова. Но как он мог попасть к ней в руки?

Марецкий недолго думал над ответом.

— У меня есть одно предположение, но оно из области психологии. Некрасов не доверял Рите. Напомню, речь шла о больших деньгах. Предположим, он решил ее проверить. Как? Дать девушке превосходство над собой в физической силе и подбросить ей пистолет. Но рисковать жизнью глупо. Для того он и зарядил оружие холостыми патронами. Рита воспользовалась находкой и прибрала пистолет к рукам. Но на этом все и кончилось. Они погибли. Мы не знаем, как развивались бы события дальше и где находятся деньги. Но уверяю вас, инспектор, кто-то из них в любом случае погиб.

Испанец тоже соображал неплохо.

— Вы настаиваете на версии, связанной с большими деньгами. В машине их быть не могло, иначе ее не стали бы взрывать. Значит, деньги находились где-то в другом месте. И, судя по всему, до денег добрались конкуренты, уничтожив соперников.

— Именно это я и хочу сказать, уважаемый синьор капитан.

Все уселись в машину и отправились на место происшествия.

2

Ночью прошел сильный шторм. С рассветом море успокоилось. Их сильно помотало. Ольга и Некрасов сидели в шезлонгах на кормовой палубе и пили коктейли.

— А ты молодец, Ольга! Из тебя получится отличный мореход. Без тебя я бы не справился. Все команды выполняла четко и точно. Вот что значит сильная натура.

— Я за жизнь свою боролась, Гена. Мне двадцать шесть лет, и ничего хорошего я еще не видела. Теперь мы богаты и свободны. Что еще нужно для счастья? Взять и сдохнуть?

Пойти акулам на корм? Нет. Я на такой вариант не согласна. И ты знаешь, почему-то я думала не о тебе и не о себе в эти страшные минуты, а о том, что эта посудина утонет и унесет на дно сто миллионов долларов. От подобной мысли меня бросало в дрожь и появлялась злость. Страх сделал меня сильной и смелой.

— Забудь. Все позади. В районе Гибралтара штормов уже не будет.

— Послушай, Геночка. Яхта — вещь хорошая. Экзотика. Но мы уже неделю болтаемся в открытом море. Начинает надоедать, мой милый. Скоро наступит конец этому путешествию?

— Путь не близкий. Больше тысячи миль. Это всего лишь симпатичная лодочка, а не самолет. Через три дня мы прибудем на место.

— Куда, Гена? Хватит уже делать из всего тайну.

— Нет тут никакой тайны. Мы плывем на Канарские острова. Они находятся в Атлантическом океане.

— Господи. Канары, Карибы для меня одно и то же. Пустой звук. Я о них слышала. Модные словечки и ничего больше. А где они, я их и на карте не найду.

— А зачем тебе знать географию? Извозчик довезет.

Ольга обозлилась.

— Все со временем узнаю. Детство у меня было тяжелым. Не до учебы. Жрать хотелось. Отца нет и не было, а мать работала уборщицей в школе и все гроши свои пропивала. Сдохла в сорок лет и о Канарах так ничего и не слышала. Они ей без надобности.

— Ну-ну, не буянь! Не шторми.

— А почему Канары? Их там много?

— Не очень. Мы плывем на остров Гран-Канария. Причал расположен в чудном городе Лас-Пальмас.

— И нас там примут?

— Конечно. Места на пирсе бронируются заранее. Мы идем запланированным курсом. В субботу утром будем на месте, если все пройдет нормально.

— Сплюнь через левое плечо. Я суеверная.

Некрасов рассмеялся и выпил коктейль. Плевать он не стал.

Ночью, когда возлюбленный спал, Ольга вышла на палубу. Тихая лунная ночь, полный штиль. Слабые волны бились о корму, на серебряной лунной дорожке плескалась мелкая рыбешка.

Ольга достала из кармана халатика спутниковый телефон и выдвинула антенну. Вещь громоздкая, но необходимая. Соединение заняло минут пять, и она не отрывала взгляда от двери, ведущей в каютный коридор.

Наконец она услышала знакомый голос.

— Слушай меня и не перебивай. В субботу утром мы заходим в порт Лас-Пальмас на Канарах. Яхта «Силезия». Для нее забронировано место. Найти будет нетрудно, если ты окажешься там раньше нас. У тебя трое суток в запасе. Это все, действуй.

Ольга облегченно вздохнула и выбросила телефон за борт. Он ей больше не пригодится. Возить с собой такую тяжесть ради одного, но очень важного звонка слишком рискованно. На яхте нет мест, где бы Гена не мог найти спрятанную вещь.

У Ольги оставался еще один тайник. Не дай бог, Некрасов его обнаружит.

Ольга медленно побрела в каюту.

3

Офицер показал Хостесу пластиковый пакет, в котором лежал пульт дистанционного управления.

— Мы нашли его на возвышенности у кустарника, в двухстах метрах от предполагаемого взрыва. Там же найдены отпечатки ног. Предположительно от кроссовок седьмого размера.

Люсия перевела доклад Марецкому.

— Седьмой размер? — переспросил он.

— Это соответствует нашему тридцать восьмому. Очевидно, принадлежат женщине. Крупной, высокой.

Марецкий напряг память. И Ольга, и Рита носили туфли тридцать восьмого размера. Такие они нашли в квартире Риты и в шкафу у Ольги. Девушки не мелкие.

— Отпечатки на пульте есть? — спросил Марецкий.

— Пока не обнаружено.

— А вы правы, синьор Марецкий, — восторгался капитан, — нам и в голову не пришло искать пульт.

— Сам по себе он ничего не значит. Подтвердилась ваша версия с терактом. Интереснее другое. Теракт совершила женщина, судя по следам. А у нас из живых осталась только одна подозреваемая, находящаяся в розыске и заинтересованная в смерти Тубельской и Некрасова.

— Ольга Левина?

— Вы догадливы, инспектор. Как дела у дорожной полиции?

Сотеро Хостес связался по рации со своими коллегами.

— Нашли, — доложил он. — Интересующий нас «Ситроен» находится на стоянке яхт-клуба «Дельфин». В трех километрах от Барселоны.

— Едем.

Длинные пирсы уходили дорожками в море. Лес мачт и белые корпуса яхт всех размеров и категорий покрывали водную гладь.

Машину обнаружили возле шестого причала.

В небольшом белом домике в два этажа располагалась администрация клуба, охранники, спасатели и ремонтники.

Инспектор вызвал начальника причала. Вот только вопроса сформулировать так и не смог. Название и категорию судна никто назвать не мог, а работники причала понятия не имели, кому принадлежат машины, оставленные на стоянке.

Марецкий и здесь нашелся. Он попросил журнал выхода яхт в море за двадцать третье августа. Вопрос приобрел конкретную форму. Журнал нашли. В тот день в море вышло двенадцать яхт. Семь вернулись на место. О них можно забыть. Четыре яхты арендовали стоянку на короткие сроки и назывались «сквозными». Те, что проходили через порт транзитом. Пятая яхта стояла в доках на ремонте три месяца. Ее забрал представитель хозяина для перегона в порт приписки. Принадлежала она греку Демису Касталакису. Кто забрал?

Вызвали механиков, дежуривших в тот день. Марецкий выложил перед ними три фотографии: Чистякова, Ольги и Некрасова. Мужчин никто не видел. А девушку один из механиков вспомнил. Она принесла и сдала все документы, оплаченные счета и доверенность на предъявителя. По-испански не понимала, и задавать ей вопросы не имело смысла. На борт поднялась одна в шестом часу утра. Когда присоединилась к ней команда, неизвестно. Один человек с яхтой не справится, это возможно в открытом море, но не на выходе или на входе в порт.

К десяти часам утра яхта «Силезия» покинула пристань, и ее место заняло другое судно.

Механик сумел ответить и на другой, не менее важный вопрос, «во что была одета девушка». Такие красавицы всегда запоминаются. При описании он упомянул о кроссовках.

Остальное не имело значения. К Средиземному морю примыкают десятки стран, и искать мелкое суденышко, ушедшее в море неделю назад, здравому человеку и в голову не придет. Хочешь не хочешь, а с фактами пришлось смириться.

Представители полиции и Интерпола заверили русского офицера полиции в том, что сеньорита Левина будет арестована, если окажется на территории Испании. Заявление официальное, но малоутешительное.

Люсия спросила Марецкого:

— Неужели она одна сумела выйти в море?

— Нет, конечно.

— С Чистяковым и большими деньгами?

— Сколько бы человек ни вышло в море, но если на борту есть большие деньги, то к берегу причалит лишь один из них. Скорее всего, этим человеком будет Ольга. Деньги лишь приманка. Мираж! Они есть — и их нет. Мне пора возвращаться домой.

— Как? Вы пробыли у нас только один день.

— Отличные у вас ребята. О такой оперативности мы и не мечтаем. На все вопросы получены ответы за один рабочий день. Фантастика! Спасибо за помощь, синьора Люсия.

— С вами было очень интересно, Степан Яковлевич. В Москве я милиционеров боялась, не знаю почему. А в Испании увидела, какие они на самом деле.

Девушка расплылась в улыбке.

4

Ольга вздрогнула, услышав за своей спиной выстрел. Она резко обернулась. Некрасов стоял у левого борта с пистолетом в руках.

— Что случилось, Гена?

— Салют. Смотри на горизонт. Земля! Вот они, Канары! Через час мы сойдем на землю. Люблю ощущать твердую почву под ногами. Предлагаю отметить это важное событие. У нас осталось две бутылки твоего любимого шампанского.

Он сунул пистолет за пояс.

Значит, не только у нее есть свои тайники на яхте, но и у хозяина тоже. О пистолете она ничего не знала, а могла бы догадаться. Примитивной двустволкой, висящей в каюте на стене, такие деньги не охраняют.

— Ты угадываешь мои мысли, Геночка! Я выпью все, что осталось. После стольких приключений шампанское нам не повредит.

Первую бутылку они выпили до причала. Пирс шел вдоль берега, и, в отличие от Барселоны, судов было мало. Возможно, многие из них вышли в море. Горизонт был усеян белыми парусами. Пришвартовав яхту, Некрасов спустился в трюм. Вещи были собраны. Ольга опьянела и не хотела сходить на берег, пока не прикончит последнюю бутылку. Пришлось пойти ей навстречу. Конкретных планов, расписанных по часам, они не составляли. Путешествие заняло десять дней, учитывая ночные стоянки, и никто их никуда не подгонял.

Геннадий взял бокал и произнес тост за любовь и счастье. Когда он поставил опустевший сосуд, ему на голову обрушилась бутылка с недопитым шампанским. Удар получился слишком сильным, и его голову не предохранял парик и пакет с чужой кровью, кровь появилась своя. Он качнулся и повалился на пол как подкошенный.

— Теперь в расчете, — тихо произнесла протрезвевшая Ольга.

Она подтащила бесчувственное тело к стальной подпорке, достала из сумочки наручники и сцепила его руки за металлической штангой. Теперь он никуда не денется. Пистолет она конфисковала и убрала в сумочку. Некрасову заклеила рот скотчем. Раньше чем через два-три часа он не очнется. Вырвать из пола подпорку, поддерживающую несущую балку, невозможно. Впрочем, все эти подробности ее мало интересовали.

— Ты вытащил меня из грязи, Гена, и сделал богатой женщиной. За это я дарю тебе жизнь.

Спортивная сумка с акциями, рюкзачок с вещами и сумочка. Больше ей ничего не нужно. Ольга надела темные очки и вышла на палубу. Безлюдье. Узкая полоса пирса, десяток яхт в обзоре, возвышающаяся стеной скала и узкая дорога вдоль берега без признаков жизни. Нет. Что-то живое появилось.

«Шевроле» с откидным верхом медленно двигался по дороге. Ольга махнула рукой, и машина остановилась напротив лестницы, ведущей к шоссе.

Она насчитала девятнадцать ступеней, каждая ступенька отсчитывалась нараспев. Настроение поднялось, и ей хотелось не только петь, но и кричать. Во весь голос, что было сил.

Ольга подошла к машине и бросила поклажу на заднее сиденье, оставив в руках только сумочку.

— Привет, стряпчий. Молодец. Вовремя. Я в тебе не ошиблась.

Миркин улыбался.

— Как путешествие?

— Лучше не бывает. Впечатлений хватит на всю оставшуюся жизнь.

— Я даже не буду спрашивать про акции. По твоему лицу все видно.

— А ты во мне сомневался?

Ольга села на переднее сиденье.

— Выкладывай, Филя! Какие планы?

Он указал ей на конверт, лежащий на приборной доске.

— Твой новый паспорт с пятилетней шенгенской визой и билет на самолет. Вылет через два с половиной часа.

— Так быстро?

— Остров маленький. Дорога одна, через полчаса мы будем в аэропорту.

Девушка взяла конверт и убрала в сумочку.

— Поехали!

— А моя доля?

— Получишь в аэропорту.

— Не доверяешь? Я же приехал сюда по твоему первому зову.

— Ты не за мной ехал, а за деньгами.

— Ладно, как скажешь.

Машина медленно тронулась с места. Слабый горячий ветерок подул в лицо и распушил длинные светлые волосы девушки.

— Где же люди? Это же знаменитые Канары.

— Здесь нет пляжей, значит, нет людей. Все курорты и отели по ту сторону острова. Тут только рыбачьи поселки. Узкая каменистая полоска берега, это шоссе и грозные, нависающие над головой скалы. Местами высота достигает пятидесяти метров и выше. А справа бескрайний морской простор.

— А причалы?

— Это не причалы. Международная стоянка для транзитных судов. Пришвартовался, набрал воды, купил продуктов и дальше поплыл. Гена все продумал. Как он?

— Скучает. Я его не стала приглашать в попутчики. Он мне и без того порядком поднадоел. Уже тошнить от него стало.

— Как остальные?

— Жарятся на вертеле в преисподней. Ты прав, Гена — гений. Все предусмотрел. Раечка Райская подложила бомбу под Генину машину, а на ней уехали Чистяков и Рита с акциями. Идиотка! Генка показал ей только одну настоящую и ту не отдал, а сумка наполнена ксерокопиями. Все сгорело вместе с Чистяковым и Риткой. Они получили свой ад еще на земле. Всем только дай. Головой не думают, я за них должна все планы строить и осуществлять. Каждому свое — как писали на вратах ада.

— На вратах Бухенвальда. На вратах ада стояла другая надпись: «Забудь надежду всяк сюда входящий!»

— Один черт! Притормози, жарко. Я переоденусь.

Машина остановилась.

Миркин почувствовал что-то твердое, давящее на правое ребро. Он опустил глаза и увидел прижатый к своему телу ствол пистолета.

— Спасибо, Филя. Выручил. А теперь извини, но мне пора. Выметайся из машины.

— Ты совершаешь ошибку, Ольга.

— Мы проехали километра четыре и не встретили ни одной машины. Поскучай на камешке. К вечеру тебя кто-нибудь подберет. Шевелись, мне некогда.

— Как знаешь.

Миркин вышел из машины.

Ольга пересела за руль.

— Чао, придурок!

Поднимая за собой столб пыли, машина рванулась с места.

* * *

Километров через пять Ольга увидела огромный щит с надписями на разных языках. Среди прочих был и русский.

«Зона международной пристани закончена.

Таможенный и визовый контроль.

Приготовьте документы и багаж».

Песни кончились, Ольга напряглась. Впереди появился шлагбаум и люди в форме. Человек шесть, и все без работы. Ни одной машины на горизонте.

Пришлось остановиться. Она даже не знала, на каком языке с ней разговаривают.

Улыбаясь, Ольга подала паспорт, из которого торчал авиабилет.

Полицейский что-то сказал своему напарнику, и тот ушел в дежурное помещение.

— Багаж, синьора Левина.

Слово «багаж» она поняла. Пришлось выйти из машины. Рюкзак и сумку вытряхнули. Вели они себя бесцеремонно. Дело дошло и до сумочки, а там пистолет.

Пограничник понюхал ствол и вынул обойму. Одного патрона в ней не хватало.

Кто-то резко толкнул ее в спину, и она упала лицом на капот. Ей завели руки за спину и надели наручники.

Из дежурки вышло трое мужчин. Один из них заговорил по-русски.

— У вас фальшивый паспорт, гражданка Левина. Очень грубая подделка.

— Я не знаю. Мне такой дали.

— Номер вашего настоящего паспорта у нас имеется. Ваша виза просрочена на две недели. Откуда у вас оружие?

— Случайно нашла.

Пограничник что-то сказал по-испански.

— Вы из него стреляли? Совсем недавно, да?

— Ничего подобного. Я приняла пистолет за игрушку и решила взять его как сувенир.

— Акции, разбросанные на заднем сиденье, вы тоже нашли?

— Это мои акции. Я их заработала. Они на предъявителя.

К шлагбауму подъехала полицейская машина, и из нее вышли Миркин и еще один офицер. Они подошли к Ольге.

— Где ваши бумаги, господин Миркин? — спросил русский.

— В этой машине. В багажнике. Машину я взял напрокат в аэропорту, чтобы встретить Ольгу Левину и доставить ее вам. Но она, угрожая мне оружием, высадила меня на полпути. Я это предвидел, поэтому следом за нами на расстоянии мили ехал офицер полиции. Я же вас предупреждал. Спасибо, жив остался.

— Скажите, господин Миркин, кому принадлежат акции концерна «Шелл», лежащие на заднем сиденье?

— Василисе Китаевой. Они застрахованы на ее имя, и это легко проверить.

— Врешь! — выкрикнула Ольга.

— Такими вещами не шутят, Ольга Вениаминовна. Вы обокрали Китаеву на сто миллионов долларов. О вашем сговоре все известно. Перед вами стоит представитель Интерпола. Вы объявлены в международный розыск.

— Я требую политического убежища!

— На территории Испании вы также совершили тяжкое преступление, и ни о каком убежище речи быть не может.

— Я отродясь не была в Испании.

— Вы и сейчас находитесь на территории Испании.

— Это же Канарские острова?!

— Верно. Плохо в школе учились. Канарские острова — территория Испании, такие вещи пятиклассники знают.

В разговор вступил Миркин.

— У меня в папке есть доказательства вашего сговора с Василисой Китаевой. Она вам поручила убить своего мужа, что вы и сделали, подстроив автокатастрофу на шоссе, ведущем от его виллы в Барселону, две недели назад. Факт, доказанный экспертами. В результате взрыва погибла и ваша соперница Маргарита Тубельская. Как только вы мне подали сигнал и сообщили о своем направлении, я тут же связался с Интерполом, и они прибыли на остров для вашего задержания. Вы будете экстрадированы в Россию, где вас ждет суд. С учетом вашего прошлого меньше двадцати лет вы не получите.

— И это называется адвокат? Я же тебе деньги платила!

— Готов защищать честных людей, подозреваемых в несовершенных ими преступлениях. Но убийц я презираю, как каждый честный человек.

— Клевета и ложь! Все ложь, от начала до конца! Я никого не убивала. Некрасов жив и здоров, и я могу это доказать.

— Каким образом?

— Простым. Придется прокатиться на машине. С ветерком. А тебя, Миркин, я привлеку за клевету.

— Хорошо. Мы проедем с вами, куда вы скажете, но сначала я должен связаться с Москвой, — сказал офицер Интерпола и направился в помещение дежурной части.

Трудно предсказывать, чем кончится история, если не знать всех фактов. После отъезда Ольги и Миркина возле яхты «Силезия» появилась другая машина. Раиса Райская надела светлый парик, такие же темные очки, как у Ольги, взяла похожую сумочку и направилась к пирсу.

Поднявшись по трапу на борт, она осмотрелась и вынула из сумочки пистолет.

Осторожно ступая, Раиса спустилась в каюту с оружием в руках. Ей повезло. Она застала Некрасова на месте. Он еще дышал.

5

Тремя часами ранее в Москве происходили события не менее важные, чем на Канарах.

В дом Василисы Китаевой прибыла целая делегация, возглавляемая заместителями прокурора города Москвы и прочими высокими чинами. Марецкий и Мельников среди этих «прочих» не чувствовали себя хозяевами положения.

— Как мне вас понимать, господа? — возмутилась важная персона, побеспокоенная в столь ранний час.

— Извините, Василиса Андреевна, но нас к вам привели чрезвычайные обстоятельства. В Испании в пригороде Барселоны был убит ваш муж Геннадий Ильич Некрасов.

— Вы что-то путаете, мы недавно разговаривали по телефону. Он в отпуске.

Похоже, женщина еще не проснулась, так как новость о смерти мужа ее оставила равнодушной.

Прокурор сделал следующий, довольно резкий ход.

— Интерполом задержана женщина, подозреваемая в убийстве вашего мужа и его любовницы. При ней найдены ценные бумаги всемирно известной компании на сумму в сто миллионов долларов.

Китаева вздрогнула. Наконец-то женщина проснулась, и теперь в ее глазах застыл неподдельный страх.

— Это невозможно!

Она повернулась и быстро пошла по коридору. Она неслась, словно на крыльях, длинные полы шелкового халата раздувались парусами, оголяя длинные ноги. Незваные гости следом. Двери одной из комнат распахнулись. Василиса ворвалась в свой кабинет.

Расчеты себя оправдали, удар оказался слишком сильным, женщина себя не контролировала. Она села за компьютер, включила его и набрала все нужные коды и пароль. На экране высвечивались названия банков, пальцы стучали по клавишам, выбивая коды доступа. В ответ высвечивалась одна и та же надпись: «Счет аннулирован».

Следующий банк и новый код. «Счет аннулирован».

За десять минут работы Китаева взмокла. Руки тряслись все больше и больше, пока наконец не соскользнули с клавиатуры и не повисли плетьми вдоль тела.

Ей помогли приподняться и пересадили побледневшую женщину в кресло.

Место за компьютером занял специалист. Всех интересовала электронная почта хозяйки дома.

Разве эта женщина могла себе представить, что кто-то из посторонних когда-либо сможет заглянуть в ее электронный почтовый ящик. На данный момент она плохо реагировала на происходящее, но изменить уже ничего не могла. У представителей правопорядка имелся ордер на обыск, который они еще не успели предъявить. Все электронные послания сохранились в компьютере. Фотографии с места автокатастрофы и видеоролик взрыва машины лежали в отдельной папке вместе с посланием:

«Задание выполнено. Твой глупый муж на небесах. Там ему деньги не понадобятся. Надеюсь, ты осталась довольна моей работой? Прилагаю пакет доказательств. Поздравляю! Остаюсь здесь на отдых. Скоро увидимся».

— Чистая работа, Василиса Андреевна. Но зачем же оставлять улики после убийства? За такие деньги войну можно развязать, не то что машину с невинными жертвами взорвать.

— Где деньги, которые вы у нее отобрали? — хриплым голосом спросила женщина.

— Они будут предъявлены на суде в качестве улики. Как с ними поступит суд, нам неизвестно. Улик и доказательств против вас хватает.

— Ничего вы со мной не сделаете! Все это дешевый поклеп!

— Сумеют ли ваши адвокаты убедить в этом суд, сказать трудно. Если у вас нет денег, государство предоставит вам защиту.

Прокурор вел себя очень сдержанно, в то время как Китаева находилась на грани срыва. Ее можно было понять.

— Электронная почта — еще не доказательство. Кому-то захотелось меня подставить. Обычная анонимка. Я их даже не просматриваю. И с этим вы пойдете в суд?

Марецкий выступил вперед, вынул из кармана диктофон и включил его.

Свой собственный голос Китаева узнала, ее лицо еще больше побледнело.

«...Конечно с жертвами. С кровавыми жертвами. Нельзя получить всего сразу. Нельзя объять необъятное. Под Барселоной на берегу моря стоит особняк в тихом уютном местечке. Наше гнездышко. За ним приглядывает семья из соседней деревни. Туда я его и направлю. Долго он там не просидит. Дня три, не больше, для моего успокоения, и бросится на поиски денег. Здесь его и постигнет кара за все грехи.

— Трех дней вполне достаточно. Случайная смерть человека без документов на оживленном курорте — вещь нередкая.

— Двух человек. Гена не терпит одиночества. Пора им взлететь на небеса.

— И действительно. Пусть едет со своим самоваром. Девчонка лишь притупит его бдительность. В случае несчастья местную шлюху могут опознать, а русскую — никогда. Нынешняя его подружка — неплохой экземпляр. Сумеет ли она в короткие сроки добраться когтями до его сердца?

— Не имеет значения. Один он не поедет. Обживется, бросит. Кто-то должен греть ему постель. Пусть порадуется жизни пару дней.

— Больше я ему не дам...»

Марецкий выключил диктофон.

— Сказано — сделано, Василиса Андреевна. Ваша задумка, записанная на ленту до отъезда мужа в Испанию, осуществилась согласно плану. Все отражено в вашем компьютере. Некоторые мелочи не удались, но и так бывает. Девушка вылетела через лобовое стекло. Ее опознали. В багажнике лежал стальной кейс с паспортами, и личности были установлены. То, что ваша сообщница решит погреть руки на заказчице и обчистит ее, вы тоже не догадывались. И кто мог предполагать, что она попадется в сети полиции и даст признательные показания?

— Без адвокатов я не скажу больше ни слова.

— Ваше право. Вы задержаны по обвинению в двойном убийстве, гражданка Китаева, и вам придется последовать за нами.

Она хотела встать, но ноги не слушались ее, сделавшись ватными. Перед глазами поплыли красные круги, и она потеряла сознание.

6

В те же минуты, когда раннее солнышко ласкало землю на окраине Москвы, одна милая девушка торопилась на работу. Новое, очень хорошее здание библиотеки было выстроено на деньги спонсоров и меценатов. Редкий случай, когда богатые люди не поскупились на объект культуры. Трехэтажное здание отвечало всем требованиям сегодняшнего дня и ко всему прочему имело скрытые помещения, доступ к которому был лишь у одного человека. Этой самой девушки. Звали ее Галей Савиной. Впрочем, теперь она носила другое имя, так как Галя Савина погибла, угодив под поезд более года назад. Назовем ее Наташей.

Библиотека имени Джека Лондона была единственной в Москве, носившей имя зарубежного классика, да еще и автора приключенческой литературы. Возможно, спонсоры очень любили авантюрные произведения знаменитого американца, и это никого не смущало.

Библиотека работала с десяти часов, но заведующая библиотекой пришла на работу раньше времени. Девушка переоделась и прошла в свой кабинет.

Нужную ей папку она достала из хранилища заранее и положила ее в сейф.

Минут через десять в дверь постучались.

— Войдите.

В просторный кабинет вошла Даша.

— Доброе утро. Это я вам вчера звонила по поводу...

Подходя к столу, Даша замедлила ход и остановилась.

— Галя?!

— Здравствуй, Капитанская дочка. Теперь мы будем видеться часто в читальном зале. Нужные материалы тебе будут приносить вместе с книгами. Будь осторожна, за тобой могут установить наблюдение.

— Навряд ли. Я всего лишь курьер. Посыльный.

— Надеюсь, что так.

— Они не будут нарушать достигнутых договоренностей. Сегодняшнее положение дел всех устраивает.

— Отлично.

Наташа открыла сейф и достала из него пухлую папку. Даша положила ее в рюкзачок и надела его на плечи.

— Ты выглядишь школьницей, — улыбнулась хозяйка кабинета, — тебе только роликов не хватает.

— В роликах неудобно нажимать на педали автомобиля.

— Удачи. Я всегда на связи.

Капитанская дочка ушла.

Папка пропутешествовала из одного конца Москвы на другой и была передана отставному генерал-полковнику Райкову Ивану Дмитриевичу, который поблагодарил девушку за оперативность.

Престарелый генерал пил кофе в беседке своего загородного дома. Он ждал визитера, и тот вскоре появился.

— Присаживайтесь, полковник. Хотите кофе?

— Премного благодарен, уже завтракал.

Любезнов сел в плетеное кресло.

— Вы отлично справились с поставленной перед вами задачей, Игнат Алексеич. Ваша преданность нашему общему делу оценивается очень высоко. Есть предложение поднять вас на ступень выше по иерархической лестнице. Вопрос включен в повестку дня следующей встречи. Полагаю, голосование пройдет в вашу пользу.

Генерал пододвинул лежащую на столе папку к краю.

— Вот ваш новый объект. Ознакомьтесь с личным досье, проверьте все имеющиеся материалы по своим каналам, составьте план, и жду вас у себя, как будете готовы к обсуждению. Вопросов возникнуть не должно.

— Дело Китаевой можно считать закрытым?

— Забудьте о ней. Она уже ни для кого не представляет интереса. Разве что для кучки арабов, которым осталась должна. В тюрьме они ее не достанут, а за пределы родины она никогда не выберется.

Любезнов приоткрыл папку и глянул на первую страницу.

— Серьезный господин. С каждым разом вы мне усложняете задачу.

— С каждым разом вы приобретаете больше опыта.

Полковник встал и взял папку со стола.

— Разрешите идти?

— С богом, Игнат Алексеич.

Сегодняшнее утро ознаменовалось как неожиданными, так и вполне ожидаемыми визитами. Кого-то ждали, кто-то сам приходил, а некоторые обрушивались как снег на голову. На Канарских островах снега не бывает, но и там сегодня без визитов не обошлось.

* * *

Машина остановилась возле пирса, где, покачиваясь на волнах, стояла яхта «Силезия».

Из машины вышли четверо мужчин и вывели девушку в наручниках. Спустившись вниз к пирсу, они увидели двух пожилых людей, сидящих на корме за столиком с чайными чашками в руках. Мужчине было за шестьдесят, а женщине немногим меньше.

— Целая делегация, — улыбнулся старик, — а я думал, моя команда прилетела на ракете.

— Это ваша яхта?

— Конечно. Можете посмотреть документы. Меня зовут Демис Касталакис. Предприниматель из Афин. Нахожусь здесь на отдыхе с женой.

— Приплыли на яхте?

— Нет. Мы ее оставили в доках Барселоны для профилактического ремонта, а сюда долетели самолетом. Я заплатил немало денег, чтобы мне пригнали яхту сюда после ремонта. Обратно мы с женой пойдем в Грецию своим ходом. Испанцы выполнили все условия. Утром позвонили, и вот я здесь.

— Кто же вам пригнал яхту?

— Понятия не имею. Он передал мне бумаги и ушел. Да вы у этой девушки спросите, она была вместе с тем парнем.

— Парнем?

— Лет тридцать пять, долговязый, в очках, белобрысый. Такие лица не запоминаются, а девушка яркая. Только на ней было надето розовое платье в крупный белый горох.

— Нет у меня такого платья! Врет он все!

Офицер повернулся и глянул на сержанта, делающего обыск в машине Ольги. Тот кивнул.

— Есть, есть, — подтвердил Миркин. — Она переоделась в машине, когда мы ехали к погранпосту. Потом она меня высадила.

У Ольги кровью налились глаза.

— Генка! Это он подбросил мне платье. Значит, и ты заодно с ним, чертов адвокатишка! Все подстроено!

— Геннадия Ильича я не видел больше года. Мы с ним не сотрудничаем.

— Можем мы заглянуть в каюту? — спросил офицер.

— Конечно.

Ольга с сержантом остались на берегу, остальные поднялись на борт судна.

Опасения подтвердились. У стойки в каюте запекшаяся лужица крови.

— Как мы узнаем, чья это кровь?

— Некрасов посещал частную клинику в Барселоне, и у него брали анализы. Медкарту нашел на его вилле инспектор Хостес. В этом смысле проблем не будет.

— Если это его кровь, то что? — с опаской спросил Миркин.

— А вы сами не понимаете? Свежая кровь, свежий ствол после выстрела, а тело пропало. Если не выкинет прибоем на берег, значит, унесло течением. Тело мы не найдем. Она же одна была?

— Да. Когда я подъехал к пирсу, Ольга меня ждала на шоссе. На яхту я даже не взглянул. Возможно, старики уже были на борту, а ее сообщник сбежал или поехал в объезд, чтобы меня не смущать. По ее задумке она должна была прибыть в аэропорт и тут же улететь в Египет, где к паспортам никто не придирается.

— Да, да, мы видели ее билет. Картина ясна, тут нет никаких вопросов. Большое вам спасибо, Феликс Зиновьевич, за сотрудничество. Вас подвезти?

— Нет, не надо. Я запасся второй машиной, зная заранее, чем кончится мое недолгое путешествие в компании Ольги. Благодарить меня не за что. Я очень уважаю подполковника Марецкого, ведущего следствие в Москве, и счел своим долгом ему помочь. Во имя справедливости.

Офицеры пожали руку отважному адвокату, и Миркин ушел, оставив их в каюте.

Сержант, охраняющий Ольгу, не знал русского языка.

— Сволочь! Я доберусь до тебя, Миркин.

— Я столько не проживу. Обижайся на себя, дорогая. Понаставила капканов и сама же в них угодила. Ты забыла мой первый урок. Я предупреждал! Трезвые люди не верят в миражи. Победить Некрасова невозможно. Надо трезво оценивать свои силы. Ты так ничего и не поняла. Разуй глаза. Чья идея? Бутылкой по башке, кровь на полу, исчезновение трупа? Тебя очень долго считали покойницей. Некрасов тоже покойник. Ты попыталась доказать обратное, но лишь усугубила свое положение. Мой тебе совет на прощание: вали все на Китаеву. Как исполнительница ее заказа получишь меньше, а она залетит по полной программе.

— Машину взорвала Райская!

— Докажи. Женщина с таким именем границу Испании не пересекала. Только обозлишь следствие своими бреднями. Во всем виновата Китаева. Тебя запугали. Василиса расплатилась с тобой акциями. Мозгуй, королева аферы. Может, и скостят годика два. А ты знаешь, чего стоит один день в зоне. Очень трудно, дорогая, в течение долгого времени вальсировать в жидком цементе.

Миркин пошел прочь, не оглянувшись.

* * *

Стоящая на рейде яхта «Белая гортензия» привлекала к себе особое внимание. К ней то и дело подходили катера с берега.

Некрасов сидел в плетеном кресле с перевязанной головой, как партизан с картины баталистов пятидесятых годов, и пил холодный коктейль, грызя льдинки, как леденцы.

С катера на борт изящного тридцатиметрового судна поднялась эффектная дама со жгучими глазами в ослепительно белом платье. В руках она держала кожаный кейс.

— Вы принимаете на борт женщин в соку или предпочитаете иметь дело с малолетними преступницами?

— Таких женщин ждут годами. Что мне и приходилось делать. Возраст подходящий. Замечаний нет, только восторг.

— Слава богу, ты очнулся. Я так за тебя боялась.

— Пустяки. До свадьбы заживет.

Он встал, она выронила портфель и бросилась к нему в объятия. Глаза Раи наполнились слезами.

— Бог мой! Как долго я тебя ждала.

Они даже не заметили, как из трюма на палубу поднялся Колокольников. Он поднял с палубы портфель и положил его на стол.

К яхте подходил следующий катер.

Увидев Колокольникова, Миркин улыбнулся.

— Вот видите, Сергей Сергеич, я вам говорил, что мы еще встретимся.

— Не предполагал, что эта встреча состоится в Атлантическом океане.

— Яхту вы пригнали?

— Не я, а команда. Прямо со стапелей Амстердама и на Канары.

— Домой скоро?

— Вместе полетим. Мы здесь лишние.

Наконец-то их заметили.

— Вот, Раечка, глянь на этого типа, — Некрасов указал на Миркина. — Работал на меня всю жизнь и при этом ухитрялся быть доверенным лицом всех моих противников. Устал, Фима?

— Есть немножко. Суета утомляет.

— Этот кейс предназначается тебе. Три миллиона в тех же акциях, но не застрахованных.

— Итого, вам эта операция обошлась в сто четыре миллиона? Сто следствию, три мне и один Сергею Сергеичу.

— Что составляет десять процентов от общей суммы, — уточнила Райская.

— Я не страдаю обезьяним рефлексом, дорогой Фима.

— На вас приятно смотреть. Какая пара! Какое взаимопонимание. Красивые женщины изначально видят себя победительницами. Все подчиняется красоте. К сожалению, я не видел красивых женщин счастливыми. Везет умным, рассчитывающим на свое упорство и собственные силы, а не на мордашку, способную решить все проблемы.

— А как же я? — обиделась Раиса, прижимаясь к любимому.

— Вы, Раечка, редкое исключение. Потому вас и любит Гена. Он великий человек и невообразимый комбинатор.

— А еще он лучший мужчина в мире. Для меня, во всяком случае, — добавила женщина.

Когда солнце начало клониться к закату, яхта снялась с якоря и ушла в открытое море. С берега ее провожали двое мужчин. Один долговязый, белобрысый, в очках, с бесцветной физиономией, второй низкорослый толстячок с плешью на затылке, крепко сжимающий портфель в своих руках.

Белый парус покрылся багрянцем.

Он стоял у штурвала, а она рядом, склонив голову на его плечо.

Он не говорил ей о грядущем счастье, а она не перевозбуждалась от его слов и не завлекала в постель.

ОГЛАВЛЕНИЕ

Литературно-художественное издание

Михаил Март

ОБРАТНОЙ СТОРОНОЙ КВЕРХУ

Роман

Зав. редакцией *Л. Захарова*
Ответственный редактор *М. Тимонина*
Технический редактор *Т. Тимошина*
Корректор *И. Мокина*
Компьютерная верстка *Н. Пуненковой*

ООО «Издательство Астрель»
129085, г. Москва, пр-д Ольминского, 3а

ООО «Издательство АСТ»
141100, Московская обл., г. Щелково, ул. Заречная, 96

Вся информация о книгах и авторах «Издательской группы АСТ»
на сайте: www.ast.ru

Заказ книг по почте:
123022, Москва, а/я 71, «Книга — почтой»,
или на сайте: shop.avanta.ru

По вопросам оптовой покупки книг «Издательской группы АСТ»
обращаться по адресу:
г. Москва, Звездный бульвар, д. 21, 7-й этаж
Тел.: (495) 615-01-01, 232-17-16

Издано при участии ООО «Харвест». ЛИ № 02330/0150205 от 30.04.2004.
Республика Беларусь, 220013, Минск, ул. Кульман, д. 1, корп. 3, эт. 4, к. 42.
E-mail редакции: harvest@anitex.by

Республиканское унитарное предприятие
«Издательство «Белорусский Дом печати».
Республика Беларусь, 220013, Минск, пр. Независимости, 79.